PRZEMYSŁAW WILCZYŃSKI

Malarz obłędu

WYDAWNICTWO
SONIA DRAGA

MALARZ OBŁĘDU

Projekt graficzny okładki: Mariusz Kula

Redakcja: Bogumiła Ziembla-Ziembicka / Wydawnictwo JAK
Korekta: Maria Armata / Wydawnictwo JAK

ISBN: 978-83-7999-437-3

Sprzedaż wysyłkowa:
www.merlin.pl
www.empik.com
www.soniadraga.pl

WYDAWNICTWO SONIA DRAGA Sp. z o.o.
Pl. Grunwaldzki 8-10, 40-127 Katowice
tel. 32 782 64 77, fax 32 253 77 28
e-mail: info@soniadraga.pl
www.soniadraga.pl
www.facebook.com/wydawnictwoSoniaDraga

Skład i łamanie:
Wydawnictwo Sonia Draga

Katowice 2015. Wydanie I

Druk:
WZDZ-Lega, Opole

Magdzie,
z przeprosinami za stracony czas

Prolog

Dożywocie nie zabija. Przynajmniej nie od razu. Samotność również. Ale umysłowe odrętwienie...

W życiu zawsze robiłem to, co przynosiło mi satysfakcję. Aż do teraz. Bo teraz mogę jedynie spacerować, czytać... spacerować, czytać... i jeszcze od czasu do czasu odbierać korespondencję. Oczywiście tylko wówczas, gdy ktoś zechce do mnie napisać.

Czasem, gdy nie mogę zmrużyć oka, choć zapewne już dawno wybiła godzina duchów, leżę na pryczy i sięgam pamięcią wstecz. Wszystko, co robiłem, było napędzane pragnieniem zapewnienia sobie umysłowej stymulacji...

Bo świat jest taki... szary, bezwzględny, brudny...

Umieram. Wciąż...

Wstaję, ścielę pryczę, przemywam twarz, oddaję mocz, zjadam kanapki lub owsiankę...

Nie żyję, raczej wegetuję...

Za możliwość opuszczenia tego zamkniętego kręgu rutynowych czynności dałbym wiele, może nawet wszystko, co mam...

Naprawdę wszystko... i... jeszcze więcej.

Poszukuję czegoś, co wbija w fotel i wysysa powietrze z płuc. Czegoś, co zagwarantuje moc wspomnień do grobowej deski. Czegoś, dzięki czemu ponownie zacznę żyć. Może tylko na chwilę, może na mgnienie oka, ale jednak…

Umieram. Wciąż…

W moim wypadku umieranie to powolny, wyczerpujący proces…

Dzień po dniu. Godzina po godzinie. Ba, nawet minuta po minucie…

Czas przestaje mieć znaczenie. Przynajmniej tu, gdzie przebywam…

Bo nie biegnie. Stoi w miejscu…

Nawet gdybym mógł śledzić ruch wskazówek zegara… ale nie mogę… nie dostrzegłbym nic prócz stagnacji. O tak, stagnacja to słowo idealnie odzwierciedlające moje położenie. I jeszcze marazm…

Stagnacja i marazm…

Marazm i stagnacja…

Tkwienie w szambie bierności zabija… powoli, bo powoli, ale zabija. Lepiej iść do piachu szybko i bezboleśnie, niż męczyć się przez całą wieczność. Wiem coś o tym… Wiem o tym więcej niż inni…

O niebo więcej… Wszystko…

Istnieje dla mnie jeszcze cień nadziei?

Tak, niewielki, ale istnieje…

Taki, dzięki któremu chociaż na chwilę zapomnę o schematach i o udręce codzienności…

Zresztą… nadzieja, czymże ona jest?

Brzytwą przecinającą delikatną skórę dłoni. Gwoździem wbitym w sam środek czaszki… tworzącym otwór, przez który wycieka rozum. Nadzieja jest dla słabych, pozbawionych poczucia własnej wartości…

A mimo to wciąż trzyma mnie przy życiu…

Zabawne…

Doprawdy…

Nadzieja…
Do diabła z nią!
Umieram. Wciąż.
Szukam kogoś, kto pozwoli mi znowu żyć.

1

O własnej działalności gospodarczej marzyła w zasadzie od zawsze. Na razie urządziła biuro w wynajętej kawalerce, miała jednak nadzieję, że po jakimś czasie, może po dwóch, trzech latach, przeniesie firmę do bardziej odpowiedniego lokalu. Biurowiec w centrum miasta. Stylowe meble, w niczym nieprzypominające gratów kupionych na wyprzedaży. Wykafelkowana podłoga. Wielki skórzany fotel, w którym mogłaby siedzieć jak na tronie Kazimierza Wielkiego lub jakiegoś innego Władysława Jagiełły. Ale przede wszystkim olbrzymia niezależność. O tak, to właśnie uzyskanie zawodowej autonomii stanowiło główny bodziec do opuszczenia grubych murów magistratu i rozpoczęcia pracy na własny rachunek.

Wcześniej, gdy nosiła na piersi plakietkę z danymi osobowymi i nazwą stanowiska (ANNA KOWALSKA, Wydział Kultury i Edukacji, podinspektor), musiała słuchać poleceń szefowej, wiekowej, pomarszczonej, oblanej tłuszczem suki, która z dogryzania pracownikom uczyniła cel swojej marnej egzystencji. Smutne, ale prawdziwe. Dlaczego w tym cholernym kraju jest tak, że ktoś, kogo los wypchnął na wyżyny pozycji społecznej, zamiast świecić przykładem, swoim zachowaniem wyłącznie odpycha?

Zaraz, moment, co robić? Świecić przykładem?

Dobry żart nie jest zły! Chyba przyszła na świat z chromosomem naiwności, bo przecież każdy (KAŻDY, bez wyjątku), gdy tylko dorwie się do władzy, pokazuje już nie rogi, lecz wielkie poroże obrośnięte chamstwem i megalomanią.

Teraz, gdy spełniła marzenia, musiała przesiadywać w robocie od rana do wieczora… i znowu, oczywiście z tego powodu, czuła frustrację. Własna działalność gospodarcza miała przynieść nie tylko poprawę sytuacji finansowej, ale również samopoczucia, tymczasem wszystko, co dała, można było określić słowem „rozczarowanie". Cholera, nie po to rzuciła pracę w urzędzie miejskim, żeby tyrać jak wół po dwanaście godzin na dobę, sześć dni w tygodniu, i na dodatek wypełniać papiery w domu! Ale skoro już zdecydowała się na ten krok, skoro złożyła wypowiedzenie i zorganizowała firmę od podstaw, musiała zacisnąć zęby i przetrwać trudne chwile. Podobno najtrudniej jest zacząć, później jest już z górki. Tak, świetnie, tylko czemu na horyzoncie wciąż nie dostrzegała tego cholernego szczytu, z którego mogłaby zacząć schodzić?

Wypiła łyk zimnej kawy. Spojrzała na stos dokumentów spiętrzony wiecznym brakiem czasu. Zaklęła w myślach. Za oknem majaczył zmierzch, który powinien stanowić wystarczający powód do opuszczenia biura… ale te wstrętne papierzyska… Jezu, chyba będzie trzeba zatrudnić dodatkową osobę, bo obrabianie księgowości dwudziestu czterech firm przez dwie głowy zakrawa na ponury żart. Dobrze, że mąż wykazywał zrozumienie, w innym wypadku już dawno zasięgnąłby opinii prawnika i złożył odpowiednie dokumenty w miejscowym sądzie.

– Skończyłaś? – zapytała, gdy zobaczyła, że Katarzyna wyłącza komputer.

Głupie pytanie. Jasne, że skończyła, albo raczej nie skończyła, tylko miała już tego dość. Przyszła do biura o szóstej rano i zamiast po zmroku pójść na randkę z jakimś facetem (do diabła, przecież tydzień właśnie wszedł w tak wyczekiwaną fazę weekendu!), spędziła trzynaście godzin w pomieszczeniu wielkości publicznej toalety!

– Tak. Wiesz, co sobie myślę? Nie powinniśmy brać takiej drobnicy. Na prowadzeniu księgowości płotek nie sposób zarobić, więc czemu nadal babramy się w tym szambie? Cholera, jak tak dalej pójdzie, to wyniosą nas stąd nogami do przodu.

Katarzyna, atrakcyjna trzydziestolatka o wielkich brązowych oczach, na które potrafiła poderwać wielu miejscowych przystojniaków (kiedyś flirtowała z obecnym prezydentem miasta, ale podziękowała mu po trzeciej czy czwartej randce, bo – jak twierdziła – facet nosił w spodniach wydmuszki), wstała i przeciągnęła się. Gdyby Anna musiała wybrać jeden dominujący atrybut urody przyjaciółki, nie postawiłaby na krótkie czarne włosy, na pełne usta ani na seksowne dołeczki w policzkach (mogłaby za nie zabić!), lecz właśnie na wielkie brązowe oczy i magnetyczne spojrzenie.

– Dopóki nie wygramy dużego przetargu na obsługę poważnej firmy – oznajmiła – musimy zadowolić się tym, co jest. Przynajmniej nie wykonujemy głupich poleceń jeszcze głupszych szefów. Jak to mówią…

– Wiem, wiem, lepsze gówno przyklejone do buta niż złoto za szybą.

– Myślałam raczej o rydzu, ale twoja wersja też jest niezła.

Katarzyna spojrzała na zegarek.

– Cholera – powiedziała szorstkim, nieco ochrypłym głosem. – Nadciąga czas wiadomości. Zasuwamy po dwanaście godzin na dobę, a ledwo wychodzimy na swoje. Zmieńmy to, skarbie, bo inaczej znowu będę zmuszona odwiedzić okulistę.

Zdjęła okulary, których używała tylko do pracy przy komputerze. Oprócz urody Katarzyna miała jeszcze dwie charakterystyczne cechy. Po pierwsze, często traciła kontrolę nad zapędami krnąbrnego języka. Po drugie, używała określenia „skarbie" nawet w stosunku do nieznajomych.

– Nie żartuj, przecież ostatnio zmieniałaś szkła.

Katarzyna wstawiła pusty kubek po kawie do zlewu. Zanim wyszła, włożyła płaszcz. Chwyciła torebkę, stanęła przed drzwiami i pokręciła głową. Posłała Annie szeroki uśmiech, od szóstki do szóstki albo jeszcze szerszy, wetknęła papierosa w kącik ust, po czym oznajmiła:

– Właśnie, ale przez te cholerne cyferki znowu dostaję oczopląsu. Dwanaście godzin spędzonych w tej norze. Trochę ci zazdroszczę, wiesz? Ty przynajmniej masz do kogo wracać... i do kogo się przytulić.

– Janek nie jest idealny – odparła Anna, choć doskonale wiedziała, że u faceta, z którym przed dwoma laty stanęła na ślubnym kobiercu, próżno szukać choćby najmniejszej skazy. Pracowity. Uczciwy. Troskliwy. Kochający. No dobra, może nie zarabiał kroci, może od czasu do czasu zostawiał na łóżku przepocony podkoszulek i brudne skarpetki, ale... Tak, nie był ideałem, jednak chodziła po tym świecie już dwadzieścia osiem lat i wiedziała, że osobnik płci męskiej pozbawiony wad po prostu nie istnieje.

Najcudowniejsze, że wiele razy, w zasadzie już od czasu, gdy chodzili na randki do kawiarni i do kina, śpiewał piosenkę Juniora Stressa, której słów Anna nie zapomni do końca swoich dni:

> Nie spodziewałbym się nigdy tego po tobie, że będziesz w mej osobie widziała kogoś lepszego, niż jestem. Ja nie muszę wiedzieć, dlaczego tak wybrałaś, chciałaś być obok tego, którego przy-

szłość nie widziała, nie chciała go takiego znać
i czuć, bo on umiał sobie dobrze życie psuć, myśli truć.

Katarzyna zapaliła papierosa. Wydmuchała z ust wielki kłąb dymu.

– Cholera, nie zgrywaj się, dobra? – poprosiła ochrypłym głosem, przywodzącym na myśl warkot rozklekotanego silnika. – Metr osiemdziesiąt wzrostu. Dziewięćdziesiąt kilogramów wagi…

– Nie przypuszczałam, że w nowych szkłach okulista wmontował ci skaner.

– …ciało jak u Apolla. Kędzierzawa czupryna. Spojrzenie prawdziwego twardziela. Oczy… W tych oczach można by się przejrzeć, wiesz?

Anna machnęła ręką. Niechcący strąciła kilka papierów na podłogę.

– Daj spokój. – Zaczęła zbierać dokumenty. – Mówiłam, że nie jest idealny. Rozrzuca bieliznę po domu, nie gotuje, nie potrafi włączyć pralki. Ba, nigdy nie wyjął z szafki odkurzacza. Też mi ideał!

– Chrzanisz.

– Może, ale tylko trochę.

– Posłuchaj, skarbie, nigdy nie myślałaś o rozwodzie?

Anna parsknęła śmiechem. Katarzyna często żartowała, że z chęcią przytuliłaby Janka do swojej niewielkiej piersi („Ale za to sprężystej!" – dodawała zawsze), gdyby między nim a Anną wyrosła ściana nieporozumienia. Niedoczekanie! Znali się z mężem jak łyse konie, darzyli szacunkiem oraz zaufaniem i w tej materii nic nie zapowiadało zmian. Oczywiście niekiedy rozmawiali podniesionymi głosami, czasami również wymieniali najróżniejsze złośliwości, ale wszystko z powodu łączącego ich uczucia. Kto się czubi, ten się lubi, czyż nie?

– Jeszcze nie, ale kto wie?

– Gdy już dostaniesz podpisane papiery, zadzwoń do mnie, dobrze?

– Urządzimy stypę?

– Nie, głupia, raczej wieczorek zapoznawczy!

Anna udała obrażoną, choć obie wiedziały, że nic nie jest w stanie zepsuć ich przyjaźni. Już prędzej świat obróciłaby w proch rozpędzona kometa lub inwazja zielonych ludzików z oczyma wielkości piłek lekarskich.

– Zapomnij.

Katarzyna wzruszyła ramionami.

– Nigdy nie mów „nigdy", skarbie. Na razie.

Wyszła z biura, ciągnąc za sobą smugę białego dymu.

Anna wypełniała papiery jeszcze przez trzy kwadranse, po czym uznała, że musi nadrobić małżeńskie zaległości. Nie mogła wystawiać anielskiej cierpliwości Janka na zbyt ciężką próbę, bo już i tak robiła to za często. Cóż, praca księgowej wymagała poświęceń, lecz tylko do pewnego stopnia. Wiedziała, że jeśli przekroczy magiczną granicę, jeżeli uczyni ten jeden krok za daleko, narazi się na nieprzyjemności. Niekiedy lepiej dmuchać na zimne. O tak, o niebo lepiej.

Dopiła kawę i wstawiła kubek do zlewu. Pozmywa jutro... nie tylko swoje, lecz również te zostawione przez przyjaciółkę. Cholerna Katarzyna. Czemu nigdy po sobie nie posprząta?

Stanęła przed lustrem. Przeczesała dłonią krótkie jasne włosy, przeciągnęła po ustach błyszczykiem, a na policzki nałożyła odrobinę różu. Mimo że Katarzyna, „dupa pierwsza klasa", jak sama o sobie mówiła, mogła przyciągać facetów jak wyprzedaż w supermarkecie, ona również miała sporo atutów. Wciąż młoda, nadal atrakcyjna, wpadła Jankowi w oko już na pierwszym spotkaniu. Może urodą nie dorównywała panienkom z okładek, ale za to miała w sobie coś, co mąż określał mianem „pociągającego".

Włożyła płaszcz, po czym wyszła z biura. Gdy szła po chodniku skąpanym w świetle ulicznych latarni, czuła na twarzy podmuchy zimnego wiatru. Listopad. Miesiąc najgorszy z możliwych. Wilgoć dominująca w powietrzu. Szarość. Brud. Całe szczęście, że tego wieczoru nie padało, bo nie wzięła parasola. Gdyby po dwunastu godzinach spędzonych za biurkiem (i to z haczykiem, albo raczej wielkim rzeźnickim hakiem!) wracała do mieszkania w strugach deszczu, chyba zaczęłaby wrzeszczeć. Tak dla rozładowania targających nią emocji. I pewnie nawet nie zwracałaby uwagi na zdumione spojrzenia przechodniów.

Weszła do niewielkiego, jednak pozbawionego świateł parku. Otaksowała wzrokiem okolicę. Nikogo. Zupełna pustka. Cholera. Nienawidziła przechodzić tędy po zmroku. Wyjątek stanowiła zima, kiedy ziemię przykrywa spora warstwa białego puchu, gwarantująca lepszą widoczność. Bała się. Tak po prostu. Choć nigdy nie natrafiła na żadnego zboczeńca, co najwyżej na kilku niegroźnych pijaczków, za każdym razem gdy tędy szła, czuła irracjonalne ukłucie lęku. Może w poprzednim wcieleniu została napadnięta przez bandę oprychów?

Może.

Do przejścia miała jakieś pięćset metrów. Do zrobienia w pięć, góra sześć minut. Zaklęła. Sześć minut, czyli trzysta sześćdziesiąt sekund niepewności, obawy o zdrowie, może nawet życie. Nie wiedziała, skąd to poczucie zagrożenia, skąd niewytłumaczalny, paranoiczny lęk, przemieniający się w przerażenie wraz z pokonywanym dystansem. Z każdym wykonanym krokiem zbliżała się nie tylko do świateł otaczających ulicę Opawską (w oddali majaczyły oświetlone wystawy sklepowe), lecz również do czegoś, co mogła określić mianem „szaleństwa".

Jeśli nie wrzuci na luz, jeżeli nie zacznie łykać pigułek na uspokojenie, to kiedyś wyciągnie kopyta w tym przeklętym parku! I do tej tragicznej śmierci (myślała o zawale serca) nie przyłoży ręki żaden zamaskowany psychopata!

Westchnęła.

Czterysta metrów.

Słyszała zwykły zgiełk otulający miasto, ale nieco wytłumiony przez odległość i barierę utkaną z rosnących w parku drzew. Wzrokiem przyzwyczajonym już do ciemności lustrowała otoczenie. „Gdzie jesteś, dupku? No, do ciebie mówię, zboczeńcu!" Wiedziała, że wyobraźnia płata jej figle, lecz nic nie mogła na to poradzić. Umysł karmiony adrenaliną wytwarzał najróżniejsze warianty starcia z jakimś obleśnym brudasem, któremu musiałaby stawić czoło. Walka o życie w samym centrum Raciborza. Czyż to nie zakrawa na ironię?

Usłyszała coś.

Przystanęła. Spojrzała tam, skąd dochodził dźwięk. Szuranie? Trzeszczenie? Chrzęst? Dostrzegła, że coś poruszyło pobliski krzew. Poczuła, jak szpikulec strachu dziurawi jej pierś. Wiedziała, że powinna dać nogę, ale trwała w bezruchu, jakby ktoś wlał jej do mięśni stygnący beton. „Na co czekasz? Na co, do ciężkiej, jasnej, ciasnej cholery, czekasz!?" Oczyma duszy zobaczyła wielkiego obdartusa, faceta po pięćdziesiątce, w brudnej kufajce i gumowcach, który wyjmuje ze spodni…

Potrząsnęła głową.

Jeszcze przez krótką chwilę stała jak wmurowana, po czym ruszyła dalej. Odepchnęła od siebie niepożądaną wizję. Znowu westchnęła. Spokojnie, przecież nic jej nie grozi...

Dwieście metrów.

Zgiełk miasta przybierał na sile. Wystawy sklepów przyciągały wzrok. Już niedaleko. Jeszcze dwie minuty.

Sto dwadzieścia sekund lęku i po wszystkim. Gdyby mogła wyłączyć myślenie, zrobiłaby to bez wahania. Dlaczego żaden z bubków siedzących w magistracie nie wpadnie na pomysł, żeby zamontować w tym przeklętym miejscu rząd latarni? Koszty, panie, koszty! Prezydent miasta ogląda każdą złotówkę po kilka razy, i to z każdej strony, zanim ją wyda. Dupek. Nic dziwnego, że Katarzyna podziękowała kolesiowi po paru spotkaniach.

Sięgnęła do kieszeni płaszcza. Zacisnęła palce na owalnym pojemniku zawierającym gaz łzawiący. Kupiła to dziadostwo jakieś trzy, cztery tygodnie temu, kiedy dzień zaczynał ustępować pola nocy już o siedemnastej z minutami. Teraz, gdy brnęła przez mrok ogarniający park, zastanawiała się, czy zdołałaby prysnąć jakiemuś sukinsynowi prosto w oczy. Wystarczy położyć kciuk na przycisku, wcisnąć i…

Sto metrów.

Powinna wybrać inną drogę, przecież mogła iść nie skrótem, lecz oświetlonymi ulicami. Straciłaby trochę czasu, ale najwyżej tyle, żeby nie zdążyć na prognozę pogody. Czemu zawsze, gdy miała wybór, wykazywała taki upór i brnęła przez park, w którym wielokrotnie omal nie zeszła na zawał? Masochistka pozbawiona krztyny zdrowego rozsądku.

– Paniusiu!

Zerknęła w stronę, z której dochodził głos. Z ciemności wyłoniła się olbrzymia sylwetka. Tylko tyle. A może aż tyle. Nie dostrzegła żadnych szczegółów, bo każda sekunda zwłoki mogła oznaczać poważne kłopoty. Gwałt. Rabunek. Pobicie. Gwałt połączony z pobiciem. Pobicie z rabunkiem. Do diabła, wszystko naraz! Zapomniała o pojemniku z gazem łzawiącym. Ba, w zasadzie zapomniała o całym świecie. Napędzana adrenaliną, zaczęła biec.

– Paniusiu, może...

Nie zwróciła uwagi na wypowiedziane słowa. Słyszała tylko szum pracujących silników (cywilizacja! światło!) i bicie swego serca. Odniosła wrażenie, że ten kawałek mięsa, który miała gdzieś w piersi, zaraz rozkruszy żebra, rozerwie skórę i wyskoczy na zewnątrz. Pomyślała, że gdyby teraz straciła równowagę, gdyby upadła...

Nie, nie, nie!

– ...poratuje panienka drobnymi? Hej, paniusiu...

Wybiegła na ulicę. Samochód prowadzony przez mężczyznę z wąsem zahamował z piskiem opon. Facet wyskoczył z wozu i zaczął krzyczeć:

– Kurwa, co robisz!? Zrobić ci z dupy zajezdnię mercedesów!?

Nie zważała na przekleństwa, nie zwracała uwagi na zdumione spojrzenia przechodniów. Liczyło się tylko to, że umknęła gwałcicielowi, że ten przeklęty zboczeniec musi odejść z niczym.

Niewiele brakowało.

Zwolniła. Odetchnęła.

O tak, brakowało naprawdę niewiele.

2

Biegł. Nie zważał na żar trawiący płuca, na igły wnikające w każde włókno mięśniowe nóg. Pędził przed siebie na złamanie karku, choć nie uciekał przed bandą oprychów ani przed zgrają odrzuconych kochanek. Powód szaleńczego wysiłku spoczywał w kieszeni płaszcza. Rozpakowany. Przeczytany. Skonsumowany… Chociaż może nie do końca, bo przecież na przyswojenie każdego zdania, na analizę każdego słowa potrzeba czasu i chłodnej głowy. Właśnie dlatego nie włożył czapki. Pragnął, żeby zimny jesienny deszcz studził targające nim emocje.

Do pokonania pozostało mu sześćset, może siedemset metrów. Potrącił kilku przechodniów. Nie przeprosił. Wpadł w kałużę, rozbryzgując wodę na wszystkie strony. Wielkie krople wylądowały na kurtce staruszki idącej po zakupy. Uwaga o chamstwie panoszącym się po ulicach rozmyła się nie tylko w zgiełku miasta, lecz również w rytmicznym łomocie ogarniającym jego czaszkę.

Nie zareagował na klakson samochodu ani na przekleństwa rzucane pod jego adresem, gdy przeciął ulicę w niedozwolonym miejscu. Chrzanić to! Zajęty własnymi sprawami, pewnie nie zauważyłby nawet portfela leżącego na chodniku ani wielkiej reklamy z wizerunkiem półnagiej blondynki. Nie dzisiaj. Nie w momencie, gdy wreszcie dostał coś, czego tak bardzo pragnął.

Minął budynek raciborskiej uczelni. Przebiegł koło czterech wyrastających z ziemi wieżowców. Przystanął przy niewielkim markecie, jednym z niewielu obiektów handlowych miasta nietkwiących w prywatnych łapskach. Wszedł pod daszek, żeby skryć się przed wciąż siekącym deszczem. Najpierw wytarł drżące dłonie o spodnie, następnie pogrzebał w kieszeni płaszcza. Wyjął kopertę zaadresowaną do Jana Kowalskiego zamieszkałego na ulicy Katowickiej. Przemknęło mu przez myśl, że powinien zmienić lokum na coś większego, o czym nieraz wspominała Anna, ale zaraz o tym zapomniał. Wszystko przestało się liczyć. Wszystko prócz listu, kartki papieru zapisanej starannymi drukowanymi literami.

SZANOWNY PANIE!
A MOŻE POWINIENEM ZWRACAĆ SIĘ DO PANA Z NIECO WIĘKSZĄ DOZĄ POUFAŁOŚCI? NA PRZYKŁAD „DROGI JANKU”? ALBO... WIESZ, MAM JUŻ SWOJE LATA, DLATEGO PROPONUJĘ NEUTRALNY ZWROT: „CHŁOPCZE”. CO TY NA TO, CHŁOPCZE? PRZYZNAJ, ODPOWIADA CI, PRAWDA?

ZATEM, CHŁOPCZE, PRZEPRASZAM, ŻE ODPISUJĘ DOPIERO TERAZ. WYBACZ, ALE MUSIAŁEM PRZEMYŚLEĆ TWOJĄ PROPOZYCJĘ. CÓŻ, JEST DOPRAWDY INTERESUJĄCA I WARTA... JAK TO SIĘ MÓWI... GRZECHU. O TAK, JEST WARTA GRZECHU. ZADZWOŃ DO MNIE, TO USTALIMY SZCZEGÓŁY. TAK NA POCZĄTEK. JEŚLI WYPADNIESZ OBIECUJĄCO, TO KTO WIE, MOŻE DOCZEKASZ SIĘ NASTĘPNEJ RUNDY... I KOLEJNEJ?

Z POWAŻANIEM
Antoni Filip Grzęda

Wytarł mokre czoło rękawem płaszcza. Schował list do kieszeni z należytą starannością, tak żeby żadna kropla nie zmoczyła papieru. Nie odpowiadał mu ten protekcjonalny ton, ale ekscytacja powodowała, że zbytnio nie zaprzątał sobie nim głowy. Przecież dostał list od Malarza, jednego z najgroźniejszych seryjnych morderców w tym kraju!

Jezusie kochanieńki!

Kontakt z Malarzem nawiązał przed miesiącem. Albo raczej dopiero teraz, bo przecież wtedy tylko wysłał list z płonną nadzieją na odpowiedź. Wpadł na pomysł, żeby zrobić wywiad z kimś, z kim jeszcze nikt nie rozmawiał, z oryginałem sporego kalibru. Traf chciał, że w raciborskim więzieniu przebywał osadzony za trzynaście morderstw. Facet najpierw gwałcił, później zabijał. Prasa nazwała szaleńca Malarzem, bo na ciałach swoich ofiar wycinał nożem krwawy wzór.

Malarz, czyli Antoni Filip Grzęda, działał w okolicach Raciborza przez blisko dekadę. Polował wyłącznie na młode, atrakcyjne kobiety. Brunetki, szatynki, blondynki. Szczupłe i przy kości. Wysokie i niskie. Śledczy ustalili, co łączy ofiary, dopiero po siódmym zabójstwie. Okazało się, że Malarz, miłośnik szczupłych talii i sterczących biustów, gustuje tylko w mężatkach, i to takich, które uwielbiają spędzać czas na stadionach lub w siłowniach. Gdyby nie zasuwały po bieżni lub nie machały hantlami, dzisiaj pewnie nadal chodziłyby po tym świecie. A tak…

Jako dziennikarz specjalizujący się w kontrowersyjnych tematach i wolny strzelec – od kilku lat nie pracował dla nikogo konkretnego, po prostu wysyłał swoje artykuły do najróżniejszych czasopism, z nadzieją że w końcu trafi w dziesiątkę, zgarnie branżowe nagrody i kupę szmalu – wziął na tapetę działalność Malarza. Po pierwsze, facet siedział w pobliżu, miał więc typa na wyciągnięcie ręki.

Po drugie, o kolesiu nie napisał jeszcze nikt, a przynajmniej nikt nie porozmawiał z nim w cztery oczy. Nagrać wywiad z groźnym seryjnym mordercą, spłodzić rozsądny reportaż, sklecić książkę. Oczyma wyobraźni już widział puchnące konto bankowe, choć szczerze mówiąc, nie wierzył w to aż do dzisiaj. Ruszył. Wrócił myślami do tego, co przeczytał już chyba sto razy. Oprócz protekcjonalnego „chłopcze" zwrócił uwagę na jeszcze jeden szczegół. Malarz zastrzegł, że pozwoli mu przeprowadzić rozmowę pod jednym warunkiem – jeśli wypadnie obiecująco. Tak właśnie napisał: „Jeśli wypadniesz obiecująco, to kto wie". O co chodziło? Nie miał bladego pojęcia. Może chciał dostać paczkę? Na samą myśl o wrzuceniu do kartonu po butach kostki masła, opakowania kabanosów, ptasiego mleczka i dwóch piw wygiął usta w uśmiechu. Nie, to zbyt trywialne, zbyt oczywiste.

Dotarł do celu. Wszedł do wiatrołapu. Koleś czegoś oczekuje, to jasne. Pytanie: czego? Szczerze mówiąc, nie przypuszczał, że wysunie jakieś żądania. Chociaż, tak Bogiem a prawdą, to jeszcze żadnych nie wysunął. „Jeśli wypadniesz obiecująco". O co tu chodzi? Czego od niego chce? Prezerwatyw? Narkotyków? Kobiety? A może sam powinien nadstawić tyłka temu choremu sukinsynowi?

Wcisnął przycisk domofonu. Rzucił krótkie: „Janek", po czym wszedł do środka. Adrenalina wciąż demolowała mu krwiobieg, nadal pustoszyła organizm nieludzkim wręcz podnieceniem. Złapał kontakt z Malarzem. Dostał list od seryjnego mordercy. Nie spodziewał się odzewu, tymczasem facet poprosił o telefon! Wystarczy chwycić za komórkę, wybrać odpowiedni numer i... Czy to wydarzyło się naprawdę? Czy za moment nie usłyszy charakterystycznego dźwięku wydawanego przez budzik, po czym wstanie, włoży kapcie i rozpocznie kolejny szary dzień, taki sam jak tysiące poprzednich?

Nie, stary, nie tym razem.

Stanął przed drzwiami jednego z mieszkań. Zapukał. Odczekał chwilę, po czym usłyszał szczęk klucza obracanego w zamku. Darek, jedyny przyjaciel, któremu mógł powierzyć każdy sekret, nigdy nie zapominał o zamykaniu drzwi na cztery spusty. Zamontował nawet specjalny czujnik ruchu sygnalizujący obecność intruza na korytarzu. Paranoja. Ale kiedy człowiek pracuje w jednym z najcięższych zakładów karnych w kraju, popada w najróżniejsze obsesje, od oglądania się za siebie za każdym razem, gdy słyszy podniesiony głos, poprzez noszenie kamizelki kuloodpornej nawet w trakcie oglądania telewizji, do chowania broni pod poduszkę. Praca klawisza potrafiła wepchnąć największego twardziela w silne ramiona obłędu.

– Coś się stało? – zapytał Darek, gdy wreszcie otworzył drzwi.

Miał na sobie dżinsowe spodnie i taką samą kurtkę, pod którą mógł ukrywać nóż, pistolet, strzelbę z obciętą lufą i tuzin granatów. Kiedyś żartował, że gdy wchodzi pod prysznic, na pralce kładzie kastet i szpikulec do lodu, tak na wszelki wypadek. Człowiek nigdy nie wie, kiedy przyjdzie mu stoczyć walkę o życie, czyż nie?

Janek wyciągnął z kieszeni list.

– Zobacz.

– Co to?

Janek podsunął mu kopertę prawie pod nos.

– No zobacz!

– Spokojnie, bez nerwów.

Darek posturą przypominał małego niedźwiedzia. Sto dziesięć kilogramów mięśni rozłożonych na masywnym szkielecie. Idealny kandydat na więziennego strażnika. Podobno gdy stanął przed komisją egzaminacyjną, nawet nie musiał otwierać gęby. Czteroosobowa komisja jednogłośnie uznała, że człowieka takich rozmiarów trzeba brać w ciemno, choćby mu brakowało kilku klepek. Darek zresztą miał wszystkie, choć teraz, po latach służby w zakładzie karnym, niektóre uległy obluzowaniu, głównie wskutek permanentnego stresu. Obcowanie z największymi zbrodniarzami musiało odcisnąć piętno nawet na kimś tak twardym jak on.

Przeczytał list, po czym zapytał:

– Wejdziesz czy będziemy gadali na korytarzu?

Janek spojrzał na ubłocone buty i upaćkane nogawki spodni.

– Nie chcę zapaskudzić podłogi.

– Nie pieprz. Wchodź.

Zanim powiesił płaszcz na wieszaku, Darek zdążył przynieść do salonu dwa mocne drinki. Tylko takie przyrządzał. Stosunek alkoholu do soku, zazwyczaj pomarańczowego, wynosił dwa lub nawet trzy do jednego, w zależności od sytuacji, nastroju i pory dnia. Duża i mocna głowa niekiedy jest przyczyną frustracji, innym zaś razem potrafi zagwarantować właścicielowi możliwość spożycia takiej ilości procentów, o jakiej inni nawet nie śnili.

Usiedli w wygodnych skórzanych fotelach. Darek jednym haustem wypił zawartość szklanki i odstawił ją na stół. Powtórnie rzucił okiem na list, po czym spojrzał Jankowi w oczy.

– Odezwał się – oznajmił suchym, pozbawionym emocji głosem więziennego strażnika, jakby mówił nie do przyjaciela, lecz do seryjnego mordercy, na przykład do Malarza.

Najwyraźniej przesiąkł atmosferą zakładu karnego do tego stopnia, że zaczynał tracić kontakt z rzeczywistością. Od problemów dręczących cię w pracy nie uciekniesz, chyba że wlejesz w siebie tyle wódy, że odpłyniesz do krainy rządzonej przez brak świadomości. Właśnie dlatego pił, chociaż nigdy, przenigdy nie przyznał się do tego, że przyczynę nałogu wyniósł zza grubych murów pudła.

– Tak.

– I chce się spotkać.

– Tak.

– Dzwoniłeś?

– Jeszcze nie. Co muszę zrobić?

Darek pozwolił sobie na nikły uśmiech.

– I nie zadzwonisz, bo centrala w pierdlu obsługuje tylko połączenia wychodzące.

– Nie o to pytam. Co muszę zrobić, żeby uzyskać zgodę dyrektora na wizytę? Pamiętasz, gadaliśmy już o tym...

– Tak, tak...

Co z tego, że rozmawiali, skoro mózg Darka, regularnie dokarmiany procentami, z roku na rok, a może już z dnia na dzień, funkcjonował coraz gorzej, bo zaczynał przypominać ser pochodzący z wioski położonej gdzieś na szwajcarskim zadupiu.

– Pomożesz?

– Posłuchaj... Od początku byłem temu przeciwny. Facet zgwałcił i zamordował trzynaście kobiet. Przynajmniej o tylu wiemy. Prawdopodobne jest to, że załatwił drugie tyle. Może i więcej, bo zakopał zwłoki gdzieś... nawet trudno powiedzieć gdzie, i... Chłopie, po jakiego grzyba chcesz stanąć oko w oko z takim popaprańcem?

Janek wzruszył ramionami. Anna pytała o to samo, a on nie potrafił udzielić jednoznacznej odpowiedzi. Po prostu chciał. Tak trudno to zrozumieć? Szansa na zaistnienie. Na nagrody. Na kupę szmalu. Na poprawę sytuacji życiowej, bo przecież zajmowali dwupokojowe mieszkanie. Na prezent dla ukochanej, coś luksusowego, coś, czym mogłaby się pochwalić w gronie znajomych. Co za różnica?

– Mam swoje powody – oznajmił.

– Artykuł do gazety? – Darek wziął do ręki pustą szklankę i zaczął ją obracać w drżącej dłoni, a Janek pomyślał, że ten kawałek szkła zaraz zapikuje na spotkanie z podłogą i roztrzaska się na dziesiątki okruchów. – Kiepski argument. Stać cię na dużo więcej.

– Najlepszy, jaki zdołałem wymyślić.

Darek wskazał palcem drinka, którego przygotował Jankowi.

– Nie skorzystasz?

– Nie, dziękuję.

– Mogę?

– Nie krępuj się.

– Dzięki.

Wlał w siebie następną porcję alkoholu. Już drugą, chociaż Janek się domyślał, że zaliczył więcej podobnych strzałów. Gdy dzień przygasał, jak teraz, krwiobieg kumpla zaczynał przypominać rury gorzelni pracującej na pełnych obrotach.

– Słuchaj, ten facet jest...

Darek urwał i odstawił szklankę na stół. W tych wielkich rozdygotanych łapskach pewnie ledwo utrzymywał wacka, gdy zamierzał opróżnić pęcherz. A co z paralizatorem lub gnatem albo czymś, czym mógłby zdzielić w łeb niebezpiecznego sukinsyna, kogoś takiego jak Malarz?

– Nie wiem, jak to powiedzieć – ciągnął. – Jest niezłym cwaniakiem, naprawdę niezłym, i ma szerokie kontakty poza murami więzienia. Przynajmniej kiedyś miał. Ten wywiad... artykuł, czy co tam sobie wymyśliłeś, nie jest tego wart, kapujesz?

– Sugerujesz, że koleś zechce mnie dopaść? Niby dlaczego?

– Dla zabawy?

– Nigdy nie zabił mężczyzny, wziąłeś to pod uwagę?

– Nie przekonuje mnie to.

Janek westchnął. Od samego początku Darek wykazywał daleko idącą powściągliwość w udzielaniu mu pomocy, bo twierdził, że rozmowa z kimś, kto gwałcił i zabijał, może dać wyłącznie zgniłe plony. Szczególnie że każdy, kto miał kontakt z Malarzem, uważał drania za zręcznego manipulatora. Na czym ta manipulacja polegała? Darek nigdy tego nie powiedział, choć powtarzał, że robienie ludziom wody z mózgu ten facet uczynił swoim drugim fachem.

„Jeśli wypadniesz obiecująco"...

Manipulator.

Hmm...

– Człowieku, koleś jest seryjnym mordercą – powiedział Janek, przerywając krępujące milczenie. – A seryjni mordercy nigdy nie zmieniają swoich upodobań, łapiesz? Przenigdy!

– Skąd pewność?

– Nie rozumiem... Facet jest idealnym przykładem obłąkanego sukinsyna. Ruchy takich ludzi zawsze można przewidzieć. Nie tknie mężczyzny. Zresztą, przecież będę z nim rozmawiał w jednym z najpilniej strzeżonych zakładów karnych. To nie wystarczy?

– Nie słuchasz, co mówię.

– Nie, do diabła, to ty nie słuchasz! – odparł podniesionym głosem, bo zabawa w kotka i myszkę przestawała przynosić mu satysfakcję. Urządzali sobie pogawędkę o Malarzu już któryś raz z kolei i znowu nie mogli osiągnąć kompromisu. Szlag! – Załatwisz mi wizytę u dyrektora czy nie?

Darek poczłapał do kuchni. Po chwili wrócił nie z drinkiem, lecz z butelką i ze szklanką pełną wódki. Skierował wzrok na podłogę, jak gdyby sprawdzał stan kremowej wykładziny poprzecieranej w wielu miejscach, lecz nadal idealnie dopasowanej do wiekowych mebli, przynajmniej pod względem koloru, po czym powiedział:

– Przed przybyciem Malarza do więzienia nie mieliśmy wewnątrz żadnego zabójstwa. Żadnego, kapujesz? Zdarzały się pobicia, kradzieże, gwałty... Ale zabójstwo? Nie. Od kiedy Malarz siedzi na oddziale dla niebezpiecznych, wynieśliśmy w plastikowych workach trzech wielkich facetów. Największych kozaków w pierdlu. Facetów, którzy wyciągali nóż nawet wtedy, gdy ktoś krzywo na nich spojrzał.

– Sugerujesz, że ich załatwił?

Darek najpierw zamoczył usta w wódce, a po chwili za jednym zamachem wypił połowę zawartości szklanki i nawet się nie skrzywił. Lata treningu zrobiły swoje.

– Nie sam – odparł głosem wypranym z emocji: suchym, brzęczącym zimną stalą, takim, który mógłby należeć właśnie do Malarza. – Albo raczej on nie brał w tym udziału osobiście, łapiesz? Nie zabrudził sobie rąk.

– Manipulator.

– Nareszcie chwytasz.

Chwytał? Nie, prędzej uważał opowieści Darka za legendarne, pozbawione krztyny autentyczności. Nikt, absolutnie nikt, zwłaszcza zabójca odsiadujący w więzieniu karę dożywocia, nie posiada umiejętności pozwalających na popychanie innych do jakichkolwiek czynów, tym bardziej że siedzi w pojedynczej celi, a na spacery wychodzi pod czujnym okiem przynajmniej dwóch strzelb.

– Nie wierzę w to – oznajmił.

– Skaranie boskie z tobą, wiesz?

– Wiem. Za to mnie lubisz.

Darek spojrzał na szklankę, po czym dopił resztę wódki. Podniósł wzrok na Janka, jakby w nieruchomej twarzy szukał śladu chęci uczynienia kroku wstecz, może nawet wywieszenia białej flagi. Westchnął.

– Mam jeszcze trzy dni wolnego, później robię na pierwszą zmianę. Pogadam ze starym, choć nic nie obiecuję. Do południa powinienem coś ustalić. Wtedy do ciebie zadzwonię. Nie oczekuj cudów, jesteś pismakiem, nie prawnikiem, ale…

– …stary lubi rozgłos.

Darek wziął w dłoń butelkę. Spojrzał na etykietę. Od jakiegoś czasu, gdy naciął się na ulubionym dotychczas absolwencie, stawiał wyłącznie na żołądkową gorzką.

– Otóż to.

Przytknął szyjkę do ust. Zaczął pić.

3

Uwielbiała wieczory spędzane z mężem. Po ciężkim dniu pracy marzyła tylko o gorącej kąpieli, o kieliszku czerwonego wina i cieple męskiego ciała. Nie chodziło wyłącznie o seks, choć o to również, ale przede wszystkim o bliskość. Gdy padasz na twarz, kiedy świat cyferek i liczb zaczyna przysłaniać twój własny, ten rzeczywisty, nic tak nie przywraca do normalności jak dotyk i pocałunek. Znała to z autopsji, przecież nie raz i nie dwa oddawała się w ręce męża, nie tylko czułego kochanka, ale także zręcznego masażysty.

Dzisiaj nie robili niczego związanego z cielesnością. Po prostu rozmawiali, siedząc na kanapie. List od seryjnego zabójcy spowodował, że zaczął między nimi rosnąć mur. Wiedziała oczywiście, że za tydzień lub miesiąc, a może nawet dzisiaj, sytuacja wróci do normy, ale w tym momencie nie potrafiła zrozumieć motywów, którymi kierował się Janek. Wywiad z jednym z największych zwyrodnialców, jakich matka ziemia przyjęła na swoje łono. Po co? Z ludźmi takiego pokroju nie można utrzymywać choćby namiastki kontaktu – trzeba ich zamknąć gdzieś w lochach i zakuć w kajdany, ewentualnie stracić na krześle elektrycznym. Facet gwałcił, zabijał, może nawet zjadał swoje ofiary, bo wielu ciał nie odnaleziono, tymczasem

Janek chciał usiąść naprzeciwko tego potwora i słuchać opowieści o tych wszystkich okropnościach.

Mówiła mężowi o swoich obiekcjach już kilkakrotnie, lecz tylko wzruszał ramionami i twierdził, że jakoś to będzie. Ale w kontakcie z Malarzem, z kimś tak przeżartym przez zło, nie można zdawać się na przypadek. O nie, potrzeba raczej pewności. Bo przecież zawsze coś może pójść nie tak, zawsze mogą stracić kontrolę nad sytuacją... a w zasadzie Janek może. Co wówczas zrobi? Do ciężkiej, jasnej, ciasnej cholery, co zrobi, gdy ten psychopata rzuci się na niego i... Nawet nie chciała myśleć, do czego zdolny jest człowiek, który zabijał z zimną krwią nie w obronie ojczyzny, nie w obronie rodziny, nawet nie w imię wyższych ideałów, lecz dla chorej satysfakcji. Ktoś, kto podrzynał gardła, ale najpierw zmuszał ofiary do seksualnej uległości. Po prostu gwałcił. Prawdziwa krwiożercza bestia.

– Wciąż mam spore wątpliwości – powiedziała, ubierając myśli w najbardziej dyplomatyczne słowa, na jakie mogła się zdobyć.

Do tej pory dogadywali się bez najmniejszych problemów, zostawiając kłótnie innym, tym bardziej temperamentnym lub niedopasowanym. Budowali małżeństwo na fundamentach zgody, odpychając od siebie każdy brak porozumienia. Szczerze mówiąc, nie chciała, aby w tej materii coś uległo zmianie.

– Jak wszyscy.

Powiedział to tak beznamiętnym tonem, że poczuła skurcz żołądka. Zrobiłaby wszystko, dosłownie wszystko, żeby zapomniał o Malarzu i poszedł w inną, mniej niebezpieczną stronę. Ale wiedziała, że wywiad z tym potworem traktuje nie tylko jak wyzwanie, lecz także spełnienie najskrytszych marzeń. Nigdy nie kierował się bezsensownym uporem, aż do teraz. I zawsze miał otwarty umysł – aż do dzisiaj.

Westchnęła.

– Może wszyscy chcą dla ciebie jak najlepiej?

– Nie żartuj. To dla mnie wielka szansa. Jeśli trafię w punkt, jeśli artykuł spotka się z szerokim odzewem, to zarobię kupę szmalu. Pieniądze są nam potrzebne jak jeszcze nigdy wcześniej.

Postanowiła podchwycić temat i kontratakować.

– Nie zarobisz tej kupy szmalu na artykule. Ile zapłacą gazety? Tysiąc? Półtora? Ile dostawałeś do tej pory? Musiałbyś nawiązać współpracę z jakimś wydawnictwem.

Pokiwał głową.

– Tak, wiem, ale rozmawiałem z Heńkiem... Pamiętasz naczelnego „Niesamowitych Historii", który piał z zachwytu nad moim ostatnim artykułem o karze śmierci? Heniek obiecał, że zainteresuje tematem swojego kumpla, dyrektora jednego z większych wydawnictw.

– Którego?

– Tego nie powiedział, ale umowa z takim molochem może przynieść nam majątek. Słyszałem o facecie, który dostał sto patyków zaliczki za powieść o gadającym psie. Rozumiesz coś z tego? Gadający pies! Też mi rewelacja. Takie coś jestem w stanie napisać w ciągu kwadransa – oznajmił z pewnością w głosie. – A przecież tu chodzi o Malarza! Kasa wisi w powietrzu, trzeba tylko po nią sięgnąć.

Otaksowała wzrokiem ich dwupokojowe mieszkanie. Najtańsze meble kupowane albo na wyprzedażach, albo w marketach stawiających na cięcie kosztów produkcji, nie na jakość. Wykładziny zamiast paneli lub desek, o których zawsze marzyła. Kuchnia błagająca o zainteresowanie ze strony zarówno malarza (pisanego z małej litery), jak i fachowca od kafelków. Kaloryfery starego typu. W pokojach tapety, w miarę czyste i zadbane (przynajmniej tyle), lecz powoli zmierzające do punktu zwanego końcem żywota. I przede wszystkim tylko czterdzieści dwa metry kwadratowe powierzchni. Nie cierpiała na klaustrofobię, ale musiała przyznać, że przestrzeń jest tym, czego im brakuje. Gdyby dysponowali gotówką, pewnie zrobiliby rozeznanie na rynku nieruchomości i wyłowili z morza kiepskich ofert jedną konkretną, taką, że... jak to mówią, mucha nie siada.

– Tak, ale...

– Żadnych „ale", błagam! Chcemy powiększyć rodzinę, tak? Chcemy zmienić mieszkanie na większe, tak? Chcemy, żebyś pracowała po osiem godzin na dobę, nie po dwanaście, tak?

Skinęła głową.

– Tak, ale...

– Czyli muszę zrobić ten wywiad. Po prostu muszę!

Mogła postawić mężowi ultimatum. Mogła oznajmić, że pod żadnym pozorem nie pozwala mu na spotkanie z tym psychopatą, i zagrozić rozwodem lub przynajmniej separacją, ale nie widziała w tym ani grama sensu. Do tej pory szło im jak po maśle, głównie dlatego że szukali porozumienia i nigdy nie stawiali spraw na ostrzu noża. Czy jeden artykuł jest wart wywracania małżeństwa do góry nogami? Czy rozmowa z zabójcą, nawet tak okrutnym jak Malarz, powinna stanowić bodziec do burzenia tego, co udało im się zbudować przez te wszystkie lata wspólnego życia?

– Wziąłeś pod uwagę, że ten świr gwałcił i zabijał?

Janek błysnął uśmiechem, jakby chciał rozładować napięcie wiszące w powietrzu.

– Gdyby tego nie robił, nie wziąłbym drania na celownik.

– Mógłbyś napisać o kimś innym... Nie wiem... Może o kimś, kto czyni dobro, zamiast zła – powiedziała, próbując go przekonać. – Myślałeś o tym? Może powinieneś pójść tą drogą?

– Idę nią od kilku lat i nic nie potrafię osiągnąć. Popatrz na to... – Wskazał na salon, mniejszy od wielu kuchni w domu jednorodzinnym. – No popatrz. Nie sądzisz, że zasługujemy na coś więcej? Zresztą, zło przyciąga, powoduje, że czytelnicy sięgają po gazetę znacznie częściej niż wtedy, gdy z okładki szczerzy do nich zęby w uśmiechu jakiś poczciwy staruszek. Pomyśl, ilu ludzi kupi wydanie z wizerunkiem Malarza!

Wzruszyła ramionami.

– Pewnie mnóstwo – odparła.

Ona nigdy nie otworzyłaby czasopisma z wywiadem przeprowadzonym z jakimś psychopatą. Co więcej, nie oglądała filmów zawierających choćby niewielką dawkę brutalności i nie sięgała po książki z dziedziny szeroko pojętej literatury grozy. Życie jest wystarczająco podłe i nie trzeba zaśmiecać sobie głowy takim paskudztwem.

– Właśnie! A przecież sama mówiłaś, że praca od świtu do zmierzchu zaczyna wychodzić ci bokiem. Zmieńmy coś. Pójdźmy na całość. Może się uda, może nie, ale nie możemy siedzieć z założonymi rękoma i czekać.

– Mógłbyś mi pomóc.

Westchnął.

– Nie znam się na księgowości i nigdy nie czułem pociągu do cyferek, dobrze o tym wiesz. Jak zarobię górę forsy, będziesz mogła nieco zwolnić lub nawet rzucić tym w diabły.

– Widzę, że wszystko zaplanowałeś – odparła, czując ukłucie rozczarowania. Odniosła wrażenie, że ich drogi zaczynają się rozchodzić niczym końcówki postrzępionego sznurowadła. Kiedyś wszystko planowali wspólnie, każdy ruch omawiali wielokrotnie, jeśli wymagała tego sytuacja. – Szkoda tylko, że bez mojego udziału.

– To nie tak...

– Przepraszam, masz rację. Po prostu się martwię. Co

zrobimy, jeśli facet wyrządzi ci krzywdę? Co zrobimy, albo raczej co zrobisz, jeśli rzuci się na ciebie? Jesteś dziennikarzem, nie zapaśnikiem.

– Spokojnie. Koleś będzie skuty łańcuchami, skrępowany lepiej niż Hannibal Lecter. Uwierz, wizyta w więzieniu jest bezpieczniejsza od spaceru po mieście. Tam nikt nie włoży ci noża między żebra, nikt nie pobije do nieprzytomności.

Mówił z taką pewnością w głosie, że zaczynała mu wierzyć. Nigdy nie mieli do czynienia z kimś tak złym, z potworem w ludzkiej skórze, stąd wiele znaków zapytania. Lęk przed nieznanym każdy człowiek wysysa z mlekiem matki. A później okazuje się, że strach, ten koleś z wielkimi oczyma, umyka gdzieś w kąt i nie wykazuje żadnych oznak życia.

– No nie wiem…

– Co mogę zrobić, żebyś wreszcie dostrzegła w tym sens?

Położyła dłoń na dłoni męża.

– Obiecaj, że będziesz ostrożny.

– Oczywiście, przecież nie chcę skończyć w plastikowym worku.

– Dzwoniłeś do niego?

Pokręcił głową.

– Centrala więzienna obsługuje tylko połączenia wychodzące. Wprawdzie mają kilka aparatów, ale nie można tam telefonować. Muszę też wiedzieć, czy dyrektor zakładu wpuści mnie za mury. Gdybym zamiast dyktafonu i koszuli w kratę miał aktówkę i prawniczą togę, wszedłbym na teren więzienia bez najmniejszych problemów. A tak jestem zdany wyłącznie na dobrą wolę starego.

– Starego?

Wyszczerzył zęby. Miał szeroki uśmiech rozświetlający całą twarz. Ideał? Do tej pory tak sądziła… i w tej materii chyba nic nie powinno ulec zmianie. Upór, który wykazywał, świadczył jedynie o determinacji w dążeniu do celu, co powodowało, że sprawiał wrażenie jeszcze bardziej męskiego. Czasami facet musi postawić na swoim, takie jest prawo natury. Lubiła silnych i dominujących mężczyzn, dlatego zarzuciła sieci właśnie na Janka, któremu testosteron parował nie tylko uszami, lecz również każdym porem skóry.

– Tak mówią na dyrektora.

– Aha.

Złożyła mu na ustach czuły pocałunek. Nie chciała ciągnąć rozmowy o Malarzu. Nie teraz, kiedy doszli do względnego porozumienia. Niech zrobi wywiad z tym psychopatą… i po krzyku. Obiecał zachować ostrożność, to już coś. Żadnej brawury, żadnego nadstawiania karku. Wprawdzie nie przypominał typowego gryzipiórka, bo miał skłonności do podejmowania najróżniejszego ryzyka, ale… do ciężkiej, jasnej, ciasnej cholery, obiecał! A przecież nigdy nie złamał danego słowa. Przenigdy!

– Z tym powiększeniem rodziny mówiłeś poważnie? – zapytała, gdy oderwała wargi od warg męża.

Smakował tak jak zwykle, czyli odrobiną goryczy. Uwielbiał czekoladę o ponadprzeciętnej zawartości kakao, tak od sześćdziesięciu procent wzwyż. Innych nałogów nie posiadał. Nie sponsorował koncernów tytoniowych, pił tylko od przypadku do przypadku, i to w zasadzie wyłącznie słabe alkohole (oboje preferowali białe wino), nie uprawiał pozamałżeńskiego seksu… Uśmiechnęła się do swoich myśli. Niechby tylko spróbował! Ideał? No… prawie.

– Jasne! – powiedział figlarnym głosem. – Chcesz się przekonać?

*

Samopoczucie Anny zepsuła wieczorna, albo raczej nocna, wiadomość od Katarzyny: „Jestem mocno niedysponowana. Nie wiem, o co chodzi, ale jutro na pewno nie przyjdę do biura. Przepraszam. Mam nadzieję, że to tylko chwilowe niedomaganie. Będziemy w kontakcie". Odłożyła telefon na szafkę. Zaklęła w duchu. Na samą myśl o narastającym stosie papierów poczuła ukłucie w dołku. Katarzyna prawie nigdy nie chorowała, nigdy nie brała wolnego bez wyraźnego powodu. A teraz…

Choroba? Wolne żarty! Wszyscy, tylko nie ona!

Raz cierpiała na poważne zatrucie pokarmowe i przeleżała w łóżku trzy dni, rzygając jak kot, ze dwa razy musiała zbijać gorączkę lekami i zimnymi okładami, ale to wszystko. Przez wiele lat pracy zawodowej, nie tylko tej związanej ze wspólnym prowadzeniem firmy – kiedyś przeliczała cyferki w Raciborskiej Fabryce Kotłów – korzystała z usług lekarza sporadycznie, i to głównie tego, który zajmuje się zaglądaniem kobietom między nogi. Prowadząc dość swobodny tryb życia, potrzebowała pigułek antykoncepcyjnych i przenigdy nie zapominała o codziennej porcji.

Herbatka. Tabletka.

Przezorny zawsze ubezpieczony, co?

Tak, ale żeby poległa w starciu z bakteriami lub wirusami?

Cóż, niekiedy choróbsko zmoże nawet najsilniejszego.

Nawet Katarzynę.

Jasny gwint!

4

Dzwonił do Darka już kilka razy, ale bez rezultatu. Wyłączony telefon? Co on sobie wyobraża?

Dobra, może i wiedział, że klawisze muszą zostawiać prywatne komórki w depozycie, ale – „Odbierz, po prostu odbierz!" – chęć zasięgnięcia informacji o stanowisku dyrektora przykrywała zdrowy rozsądek czarną płachtą irytacji.

Do diabła z tym!

Zaostrzony rygor... No tak, gdyby każdy pracownik więzienia przychodził do roboty z masą elektronicznego paskudztwa, nad skazanym nie wisiałby żaden bat. Daj człowiekowi zabawkę, a zapomni o całym świecie, nawet o tym, że zostawił potrawkę z dzika na ogniu, że musiał wypełnić ważne dokumenty, że na naprawienie czeka zepsuta spłuczka.

Przyłożył telefon do ucha, próbując jeszcze raz. Gdy nic nie wskórał, poszedł do kuchni, żeby zaparzyć kawę. Postawił czajnik na gazie. Spojrzał na zegarek. Czternasta jeden, czyli minutę temu Darek skończył służbę. Teraz pozostał mu tylko prysznic, zmiana łachów i wyjście na świeże powietrze. Za kwadrans powinien włączyć komórkę i odebrać. A wtedy wszystko stanie się jasne.

Wrzucił do ust trzy kostki gorzkiej czekolady. Wyjął z tylnej kieszeni dżinsów list od Malarza. Przebiegł wzrokiem po ciągu wyrazów. I znowu. I jeszcze raz. Dopiero wtedy, gdy przeczytał wiadomość od mordercy po raz... któryś tam, odłożył papier na stół. Nareszcie dopnie swego. Przeprowadzi wywiad z jednym z najniebezpieczniejszych ludzi w kraju. A później zgarnie szmal i nagrody. Kto wie, może nawet zostanie redaktorem naczelnym jakiegoś dużego czasopisma?

A wtedy... żyć, nie umierać!

Gdy czajnik zagwizdał, Janek zalał kawę, po czym wrócił do salonu. Usiadł na krześle z dymiącym kubkiem. Odczekał, aż zegar wskazał czternastą trzydzieści siedem. Kumpel zapewne potrzebuje trochę czasu, żeby się zebrać... albo raczej żeby zebrać myśli nieskażone alkoholem. Najpierw spacerek do domu, później szklaneczka wódki, a dopiero na końcu rozmowa. Gdyby Janek chciał zmienić kolejność ustaloną od lat, pewnie naraziłby się tylko na gniew. A przecież to on występował z prośbą, nie odwrotnie.

Chwycił za telefon. Zadzwonił. Po drugiej stronie linii usłyszał znajomy głos:

– Cześć. Masz coś ważnego, bo...

„Bo znowu chlejesz i wszystko, co nie dotyczy wódki, olewasz ciepłym moczem", dokończył za kumpla w myślach. Napięcie związane z oczekiwaniem powodowało, że w żyłach płynęła mu nie krew, lecz adrenalina w najczystszej postaci. Aż dziw, że nie zszedł na zawał lub inne paskudztwo.

– Ziemia do Darka, odbiór! – Niemal wypluł te słowa. Odstawił kubek na stół, bojąc się, że nie utrzyma go w dłoni tańczącej w rytm przyspieszonego bicia serca. – Obiecałeś pogadać ze starym, pamiętasz? Minęły trzy dni, wróciłeś do roboty, powinieneś coś wiedzieć, a nie dajesz znaku życia! Skaranie boskie z tobą, wiesz?

– Chyba to samo powiedziałem o tobie?

Stoicki spokój. Coś, co powinno charakteryzować każdego klawisza. Świetnie jest posiąść umiejętność trzymania nerwów na wodzy, tylko jak to zrobić, gdy twoim kumplem jest ochlapus zapominający o obietnicach?

– Ustaliłeś coś?

– Dzwoniłeś do niego?

Jezu!

– Przecież facet nie może nawet pierdnąć bez pozwolenia, a co dopiero chwytać za telefon! Cholerny cwaniak z ciebie. Ciekawe, czy byłbyś taki do przodu, gdybyś chciał spełnić jedno ze swoich marzeń, a ktoś rzucałby ci kłody pod nogi... Poza tym najpierw muszę wiedzieć, na czym stoję!

– Spuść wzrok.

Chryste!

– Bardzo zabawne. Naprawdę. Nigdy w życiu nie słyszałem lepszego dowcipu. Chowasz w rękawie podobne? Dawaj, to się pośmiejemy. Albo nie, poczekaj chwilę, bo muszę się wytarzać po podłodze. Już się tarzam, słyszysz?

– Tylko nie podrzyj ubrania.

Boże.

– Nie pij więcej, dobra? Zrób to dla mnie.

– Więcej, to znaczy ile?

Odniósł wrażenie, że alkoholowe wyziewy przepłynęły na drugą stronę linii, wyskoczyły ze słuchawki i zaatakowały mu nozdrza. Poczuł intensywną woń procentów, chociaż wiedział, że pada ofiarą wyobraźni.

Rozmowa zmierzała do miejsca, które mógłby nazwać sceną kabaretową, dlatego postanowił trzymać się raz obranego kierunku i nie wdawać w zbędne dyskusje. Koniec z dygresjami, dość głupich komentarzy. Pora na wyciągnięcie od przyjaciela określonych informacji, na zabawę w gierki słowne przyjdzie czas w innych okolicznościach, najlepiej przy butelce piwa.

– Ustaliłeś coś?

– Tak. Stary nie wykazał specjalnego entuzjazmu, ale wyraził zgodę na rozmowę. Wciśnij mu kit o okładce jakiejś gazety lub tym podobne bzdury, a może osiągniesz cel. Facet jest łasy na popularność jak Freddy Mercury.

– Freddy nie żyje.

– Koniec koszmaru.

Jezusie Chrystusie z brodą i z wąsami!

– Tak, koniec.

– Chociaż z drugiej strony, twój dopiero się zaczyna.

– Bredzisz. – Uciął temat w zarodku, bo rozmowa o ryzyku związanym z wizytą u Malarza przestawała go bawić. Ile można pieprzyć o bezpieczeństwie, o ostrożności i zachowaniu zdrowego rozsądku. – Kiedy mogę się zgłosić u starego?

– W każdej chwili. Ale najlepiej po obiedzie.

Janek wygiął usta w uśmiechu.

– Żarcie łagodzi obyczaje.

– Chyba muzyka.

– Co za różnica?

– Spora. Dobra, koniec żartów. Rozmawiałem nie tylko ze starym… sukinsyn pozwolił, żeby Malarz odebrał telefon, mówiłem już o tym?…

Ach, te procenty.

– …lecz również ze znajomą nadzorującą telefony. Masz coś do pisania?

– Mam.

– To zapisz sobie numer. – Podyktował mu ciąg cyfr. – Odbierze dziewczyna o miłym głosie. Powiesz, do kogo dzwonisz i kim jesteś. To powinno wystarczyć. Obiecała, że nie będzie robiła problemów. Tylko uzbrój się w cierpliwość. Zanim ten psychopata weźmie do łapy telefon, minie sporo czasu.

Janek westchnął.

– Dzięki za pomoc.
– Wisisz mi flaszkę.
– Spadaj.
– Robi się.

Odłożył słuchawkę, w której wybrzmiewał sygnał przerwanego połączenia. Pewnie Darek osuszył pierwszą szklaneczkę i zaczął zabierać się za drugą. Alkohol potrafi zmienić normalnego człowieka w nałogowca myślącego wyłącznie o tym, ile pieniędzy wydać na wódę, ile butelek zostało w szafce oraz co jeszcze można wynieść z mieszkania, żeby dorobić do skromnej wypłaty. Dobrze, że kumpel nie zrezygnował z pracy, choć i taki pomysł przyszedł mu do głowy, bo gdyby nie kierat codzienności, już dawno skończyłby w brudnym ubraniu gdzieś na dworcu kolejowym lub parkowej ławce.

Wrócił do kuchni z kubkiem w dłoni. Wypił parę łyków kawy. Zjadł kolejne trzy kostki gorzkiej czekolady. Spojrzał na list leżący na stole. Morderca prawie doskonały. Koleś został ochrzczony przez prasę Malarzem, gdy odkryto trzecie zwłoki. Gdy już zgwałcił porwaną, nacinał jej ciało wielkim nożem myśliwskim, kawałek po kawałku, jakby wykonywał na skórze skomplikowany wzór. Nigdy nie kneblował porwanym dziewczynom ust, bo chciał słyszeć, jak krzyczą, jak skomlą, jak błagają o litość. Oczywiście używał dwudziestocentymetrowego ostrza na żywym organizmie, tak żeby karmić chorą wyobraźnię nie tylko jękami, lecz również widokiem rozpaczy, poczucia beznadziei, żalu do losu, może nawet do Boga. A potem, gdy już nasycił zwichrowany umysł, zostawiał ofiarę w piwnicy do momentu całkowitego wykrwawienia.

Skurwysyn.

Usiadł na krześle, po czym wybrał numer. Odebrała kobieta, tak jak mówił Darek. Dźwięczny sopran wskazywał, że dość młoda, pewnie niespełna trzydziestoletnia.

Może nawet młodsza. Kiedy powiedział, kim jest i z kim chce pogadać, zapadła chwila krępującego milczenia, po czym w słuchawce wybrzmiała irytująca melodyjka, coś jak skrzyżowanie disco z bluesem.

Czekał dobry kwadrans, który ciągnął się niemal w nieskończoność. Piętnaście minut nerwów i obaw o powodzenie całego przedsięwzięcia. Nie musiał brać do ręki listu, żeby przeczytać zdanie, które zajmowało mu umysł od samego początku: „Jeśli wypadniesz obiecująco"... Co, jeśli nie wypadnie?

W końcu, gdy w kubku zamajaczyło dno, gdy pochłonął całą tabliczkę czekolady, gdy raz po raz musiał wycierać spocone czoło, chociaż temperatura w mieszkaniu nie przekraczała dwudziestu stopni, słuchawka ożyła. Usłyszał tylko jedno słowo: „SŁUCHAM". Poczuł się tak, jakby dostał cios w żołądek, ale tym razem zaciągnął emocjom hamulec ręczny, oczywiście tylko na tyle, na ile pozwalała adrenalina buzująca we krwi.

– Witam, z tej strony Jan Kowalski – powiedział.

Usiłował wtłoczyć do swojego głosu tyle pewności siebie, ile mógł, żeby zamaskować stres, ale przypuszczał, że poniósł druzgocącą klęskę. Szlag! Trudno, najwyżej wyjdzie na największego dupka na świecie, chociaż z drugiej strony Malarz powinien wiedzieć, że wzbudza w ludziach najróżniejsze uczucia, zwłaszcza te związane z wszelkimi odmianami strachu. Stąd odrobina lęku... No dobra, może trochę więcej niż odrobina, przecież gra toczyła się o najwyższą stawkę.

– Proszę, proszę, mój chłopiec.

Żadnego metalicznego brzmienia. Wyłącznie ciepło i serdeczność.

– Wolałbym... – Odniósł wrażenie, że mała kuchnia kurczy się do rozmiarów trumny, dlatego zamknął oczy, wziął kilka głębokich oddechów, po czym ciągnął z nieco większą wiarą we własne słowa: – Wolałbym, żeby zwracał się pan do mnie inaczej.

– Na przykład jak?

Zero złośliwości czy też drwiny, wyłącznie ciekawość.

– Może... panie Kowalski?

– Nie uważasz, że masz nieco pretensjonalne nazwisko, mój chłopcze?

Nigdy nie widział Malarza i wielokrotnie się zastanawiał, jak wygląda jeden z najniebezpieczniejszych ludzi w kraju. Nie znał żadnych szczegółów jego fizjonomii, koloru włosów, oczu, rzeźby nosa, kształtu ust. Nie miał nawet pojęcia, czy facet musi się schylać, gdy przekracza próg mieszkania, czy też wchodzi pod stół na stojąco.

Sąd, przed którym stanął morderca, wyłączył jawność postępowania z obawy przed zemstą rodzin ofiar oraz przed wywołaniem powszechnego niepokoju społecznego. Ludzi fascynuje zabijanie, szczególnie to uznawane za seryjne, ale tylko wówczas, gdy sprawca pozostaje anonimowy. Ktoś, kto nie ma twarzy i nie może spoglądać na otoczenie z pierwszych stron wszystkich ważniejszych dzienników w kraju, staje się niegroźny jak widmo straszące na ekranach telewizorów. Ale kiedy możesz takiemu spojrzeć w oczy, kiedy możesz mu zajrzeć w głąb duszy, wówczas albo zaczynasz odczuwać dyskomfort, albo robisz pod siebie z przerażenia.

– Zostałem postawiony przed faktem dokonanym – odparł Janek.

– Wszystko można zmienić.

– Tak... Na przykład zmienić w piekło życie niewinnych kobiet.

– Skąd pewność, że były niewinne?

Tym razem wyczuł w głosie Malarza lekką drwinę. Manipulator? Nie, wykluczone, bo niby dlaczego miałby manipulować rozmową, z której nie wynikało nic konstruktywnego, przynajmniej na razie. Na konkrety przyjdzie jeszcze czas, a wtedy…

– Czytałem akta – powiedział.

Nie kłamał. Parę miesięcy temu złożył na ręce prezesa Sądu Okręgowego w Gliwicach wniosek o wydanie pozwolenia na przeglądnięcie dokumentów sprawy. Po uzyskaniu zgody spakował do torby termos z herbatą, kanapki i tabliczkę gorzkiej czekolady, po czym ruszył na spotkanie z przygodą, bo w takich kategoriach widział tę sprawę. To, co zobaczył, wertując papiery, spowodowało, że przez kilka następnych nocy nie mógł zmrużyć oka, a przez kolejnych parę tygodni miewał tak realistyczne koszmary, że budził się z krzykiem i koszulką przyklejoną do pleców.

Okaleczone ciało ostatniej ofiary Malarza.

Krwawy wzór wykonany nożem wielkości małej kosy.

Odcięte najróżniejsze członki.

Ślady cierpienia na pozbawionej życia twarzy.

I zakopane w ogrodzie zwłoki w daleko posuniętym stadium rozkładu.

Szczątki…

Jezu!

– Akta zawierają niewielki ułamek prawdy – oznajmił Malarz.

Janek wstrzymał oddech. Jeżeli zdjęcia ofiar stanowiły zaledwie wierzchołek góry lodowej, albo raczej tylko wycinek rzeczywistości, to jak wyglądała cała reszta?

– Dlatego chcę z panem porozmawiać.

Moment ciszy. A później:

– Piszesz artykuł do gazety…

– Tak – potwierdził, ale zaraz doszedł do wniosku, że kilka stron w czasopiśmie może nie stanowić wystarczającej zachęty dla kogoś pokroju Malarza, i dodał: – Albo nawet książkę.

– Książkę?

– Zależy od ilości zebranego materiału. Chcę przedstawić pana z innej strony, tej... bardziej ludzkiej. – Dopiero teraz zdał sobie sprawę, że dłoń trzymającą telefon pokrywają wielkie krople potu. Zresztą, czoło również. Zrobił użytek z chusteczki wetkniętej do kieszeni spodni, po czym dodał: – Przecież oprócz... no wie pan... prowadził pan normalne życie... życie przeciętnego człowieka, prawda?

– Wszystko, co robiłem, było ponadprzeciętne, mój chłopcze.

– Tak... to znaczy, nie to miałem na myśli.

Milczenie. A po chwili:

– Jesteś żonaty, czyż nie?

Poczuł ukłucie irytacji. Facet usiłował wyważyć drzwi prowadzące na poletko przeznaczone tylko dla państwa Kowalskich, co podobało mu się mniej niż śnieg w drugiej połowie lipca. Po jaką cholerę pociąga za struny, które powinny pozostać poza sferą czyjegokolwiek zainteresowania? Sukinsyn.

– Nie pański interes.

– Jaka ona jest?

Nie potrafił odnaleźć drugiego dna w pytaniu zadanym beznamiętnym głosem. Może wyobraźnia płata mu figle, może Malarz pyta z czystej ciekawości? „Co zrobimy, jeśli facet wyrządzi ci krzywdę?" A później: „Obiecaj, że będziesz ostrożny". Koleś jest niegroźny, przecież siedzi za grubymi murami więzienia i wszystko, co może zrobić bez pozwolenia, to skorzystać w kibla.

– Dlaczego pan zabijał?

– Wysoka? Niska? Szczupła? Przy kości?

„Jest cwaniakiem..."

Nie, jest tylko gamoniem, który dał się złapać nieudacznikom w mundurach.

– Czemu pan to robił? – zapytał, starając się ściągnąć lejce nerwom, przywodzącym mu teraz na myśl rącze konie.

Im dalej brnął w rozmowę z Malarzem, tym silniejsze odnosił wrażenie, że traci kontrolę nie tylko nad kierunkiem, w którym podąża, lecz również nad emocjami. Nie może pozwolić, żeby jakiś palant odziany w czerwony drelich pociągał za wszystkie sznurki, choć zdawał sobie sprawę z tego, że to on występuje z prośbą, że to on jest gościem Malarza, nie odwrotnie.

– Pewnie jest piękna, czyż nie? – powiedział Malarz głosem, który mógłby wydobywać się z gardła robota, nie człowieka.

No tak, skoro mordował z zimną krwią, to chyba oczywiste, że wnętrze skuwał mu lód. Jak wielkim zwyrodnialcem trzeba się urodzić, żeby napadać, porywać, gwałcić, a później, jak gdyby na dokładkę, bo przecież aperitif nie wystarcza, torturować? Jak mocno toczone przez raka degeneracji trzeba mieć komórki mózgowe, żeby w głowie kiełkowały myśli o zabijaniu… i to w taki sposób?

– Nie rozmawiajmy o mnie.

– Kobieta musi emanować wewnętrzną zmysłowością, musi przyciągać mężczyzn jak ogień ćmę… a później spalić żarem… spopielić – mówił przerywanymi zdaniami, jakby każde słowo, które zamierzał wypchnąć językiem z ust, musiał przemyśleć. – Jesteś spalony, chłopcze?

Janek ścisnął telefon tak bardzo, że aż pobielały mu knykcie. Zaczynał tracić nad sobą kontrolę i nic nie potrafił na to poradzić, choć wiedział, że taki cel przyświeca seryjnemu mordercy.

– Czy pan nie rozumie? – zapytał przez zaciśnięte zęby, wysyczał niemal. Gdyby mógł, przeskoczyłby na drugą stronę linii i wytarł brudną więzienną podłogę gębą tego drania. – Chcę rozmawiać o panu!

– Jako człowiek musisz być tak samo interesujący.

– Dlaczego pan zabijał? One nie zasłużyły na śmierć!

Milczenie. Znowu. A później, po krótkiej chwili:

– Jak pachnie?

Nie może stracić nad sobą kontroli. Nie może przegrać tej rundy, bo do następnej nigdy nie dojdzie. Wziął kilka głębokich oddechów. Kciukiem zasłonił mikrofon telefonu, drugą ręką uderzył w ścianę. Ból, coś na kształt impulsu elektrycznego, przeszedł mu od dłoni przez ramię aż do obręczy barkowej. Chciał jęknąć, może nawet zawyć, ale progu warg nie pokonał żaden dźwięk. Dobrze, bo każda oznaka słabości w kontakcie z kimś pokroju Malarza uszczuplała i tak mocno nadszarpnięte pokłady pewności siebie.

– Pan jest…

– Wyluzuj, chłopcze, przecież tylko sobie gawędzimy, prawda?

– Tak, gawędzimy…

Cisza. Tym razem nieco dłuższa, wybrzmiewająca szmerem dwóch oddechów.

– Jeśli chcesz zrobić ze mną wywiad, musisz odpowiedzieć na jedno pytanie.

„Jest zdolnym manipulatorem”…

Nie, jest obłąkanym skurwysynem!

– Proszę pytać.

– Dlaczego chcesz ze mną porozmawiać, chłopcze?

Mógł postawić na proste kłamstwo, przecież wiedział, że takie pytanie w końcu padnie, i przygotował kilka wariantów odpowiedzi. Po pierwsze: „Kasa, misiu, kasa”. Po drugie: „Seryjni mordercy zawsze mnie fascynowali” lub: „Zastępuję znajomego, który wpadł na ten pomysł jako pierwszy” albo wreszcie: „Dostałem zlecenie od naczelnego jednej z największych gazet w kraju, więc nie mogłem odmówić”. Jednak czuł, że jeśli nie powie prawdy, że jeśli tylko spróbuje oszukać Malarza, usłyszy gong zwiastujący koniec walki i nie dostanie szansy, żeby wyjść do kolejnej rundy. A przecież chciał doprowadzić zaczęty projekt do szczęśliwego finału. Nie dla żony, nie dla czytelników, nie dla potomnych. Dla siebie.

Wziął parę głębokich oddechów, po czym oznajmił:

– Chcę zrozumieć.

Po drugiej stronie linii zapadło milczenie. Janek wbił wzrok w zegar, patrząc, jak wskazówka gna przed siebie. A Malarz nie puszczał pary z ust... nie puszczał... nie puszczał... i w końcu powiedział głosem jeszcze bardziej wypranym z jakichkolwiek emocji:

– Załatw pozwolenie u starego. – I odłożył słuchawkę.

Janek wytarł chusteczką spocone czoło i dłonie. Poczłapał do salonu, żeby pogrzebać w niewielkim barku. Wyjął butelkę wódki. Nalał do szklanki, po czym wypił setkę za jednym zamachem. Alkohol darł ścianki gardła niczym papier ścierny, na co w ogóle nie zwracał uwagi. Myślał tylko o tym, że wygrał pierwsze starcie. Kolejna porcja wódki.

O tak, wygrał i nic innego nie miało znaczenia.

5

Gdy wypełnianie papierów wychodziło im bokiem, rzucały wszystko w diabły i szły do pobliskiej restauracji na obiad – w Fanaberii podawano wspaniałe pierogi, wyśmienite kotlety i fantastyczne sałatki, w dodatku w cenach, które zbytnio nie obciążały budżetu. Katarzyna powtarzała, że odrobina rozluźnienia jeszcze nikomu nie zaszkodziła, czemu Anna zawsze przyklaskiwała. Spędzały w robocie ponad połowę doby – może więcej – zatem wykorzystywały każdą okazję do zaczerpnięcia oddechu. Przeklęta księgowość. W chwilach zwątpienia, gdy dokumentów przybywało i przybywało, Anna dochodziła do wniosku, że zejdzie z tego świata grubo przed pięćdziesiątką, bo przecież w takim tempie nie można zasuwać przez siedem dni w tygodniu, dwanaście miesięcy w roku. Do ciężkiej, jasnej, ciasnej cholery, po prostu nie można!

Niekiedy zazdrościła mężowi, że prowadzi pogoń za czymś, co kocha, co z jednej strony jest niebezpieczne, z drugiej pociągające, nieco tajemnicze. Jako dziennikarz pracujący na własną rękę zajmował się tym, co akurat uznał za godne uwagi, czyli w zasadzie cieszył się całkowitą niezależnością. Wprawdzie nie przynosił do domu wypłaty z regularnością kogoś, kto pracuje na etacie, ale czerpał satysfakcję z każdego ruchu, z każdego wykonanego posunięcia. A przecież o to chodziło, prawda? Pal licho puchnące konto bankowe... znaczy się... pieniądze stanowią ważną część życia, to oczywiste, ale za równie istotne uważała poczucie spełnienia. Czyli coś, czego do tej pory nie potrafiła osiągnąć.

Weszły na teren parku, tego samego, przez który wędrówka nocą okazywała się prawdziwą udręką. Teraz, kwadrans przed południem, gdy dzięki promieniom słońca mogła wyłowić z otoczenia nawet najmniejszy szczegół (na przykład psie odchody... ohyda!), wcześniejsze obawy traktowała w kategoriach najzwyklejszej paranoi. Któż chciałby skrzywdzić kobietę w mieście takim jak Racibórz? Pięćdziesiąt tysięcy mieszkańców i prawie zerowa przestępczość, z wyłączeniem włamań do piwnic, kradzieży torebek, napadów na jubilera i wymuszeń. Zatem, wychodzi na to, że wcale nie taka zerowa, no ale do poziomu przestępczości, która opanowała Wrocław i Kraków, nie mówiąc o Warszawie, wciąż pozostawała daleka i kręta droga. Więc skąd obawy, skąd niemal chorobliwa fobia związana z własnym bezpieczeństwem?

Odepchnęła od siebie wspomnienia splamione lękiem. Spojrzała na przyjaciółkę.

– Zatrucie pokarmowe? – zapytała, wracając do tematu, który poruszyły w biurze.

Katarzyna twierdziła, że musiała zjeść coś nieświeżego, na przykład rybę, kiełbasę lub jajko (nie potrafiła doprecyzować, o co konkretnie chodziło), w co Anna nie uwierzyła. Ktoś o zdrowiu zbliżonym do końskiego nie może tak po prostu polec w starciu ze zbukiem lub padliną.

– Przecież mówiłam, skarbie.

– Daj spokój, kto jak kto, ale ty nie chorujesz. Na nic. Żadnych problemów żołądkowych, żadnej grypy, żadnych przeziębień. Masz zdrowie, którego nie nadszarpnie nic, nawet epidemia czarnej ospy.

– Chyba mnie przeceniasz, to po pierwsze. – Katarzyna wyjęła z torebki paczkę papierosów. Zapaliła. Kiedy w powietrze wzbiły się pasemka szarego dymu, odetchnęła tak, jak gdyby zaspokoiła największą życiową zachciankę. – A po drugie... sugerujesz, że kłamię?

– Kto wie...

– Do diabła, ty nie wiesz!

Niewyparzony język Katarzyny.

– Nie, tylko przypuszczam. Wiesz, nie chodzi o to, że nie przyszłaś do roboty, przecież wypadki chodzą po ludziach. Zresztą, poradziłam sobie bez ciebie... – Anna posłała w przestrzeń szeroki uśmiech. Lubiła dogryzać przyjaciółce, zresztą, obie z wbijania sobie szpilek w tyłek uczyniły zwyczajowy element znajomości. – Po prostu czuję, że coś się stało, coś zdecydowanie bardziej ważnego niż zatrucie pokarmowe czy inne choróbsko. Tylko nie mam pojęcia co.

Katarzyna westchnęła.

– Kobieca intuicja czasami zawodzi, skarbie.

– Nie tym razem, ale skoro nie chcesz o tym mówić...

Szły drogą, którą Anna przemierzała już setki razy. Za dnia otoczenie sprawiało wrażenie bezpiecznego, ale w nocy... Wróciła myślami do olbrzymiego mężczyzny, którego widziała tamtego wieczoru. Zarys sylwetki, nic więcej. Jednak to wystarczyło, żeby zaczęła uciekać. Nie, ona spierniczała gdzie pieprz rośnie! Biegła w stronę światła, tam gdzie mogła znaleźć schronienie. Nikt przy zdrowych zmysłach nie zaatakuje na ulicy, wśród przypadkowych ludzi, wśród świateł rzucanych przez rząd ulicznych latarni. Chyba że trafisz na maniaka, na kogoś, kto depcze wszelkie konwenanse, komu zależy tylko na zaspokajaniu chorych potrzeb, kto z gwałcenia i zabijania uczynił cel swojej marnej egzystencji.

Malarz.

Objęła wzrokiem otoczenie. Nie dostrzegła niczego podejrzanego, niczego, co wykraczałoby poza ramy zwyczajności. Gromadka dzieci bawiących się pod czujnym okiem nauczycielek, kilku spacerowiczów z psami, paru staruszków zażywających kąpieli słonecznej w środku jesieni. Ot, standard. W dzień, bo w nocy, kiedy okolica zmienia się nie do poznania, kiedy wydaje się, że za każdym rogiem czyha zboczeniec lub morderca, to już zupełnie inna bajka.

– Ziemia do Anny, odbiór!

Kiedyś słyszała o przypadku... hmm... molestowania, albo próby molestowania, ponieważ napadnięta kobieta – i znowu nieprecyzyjne określenie, bo w zasadzie napastnik nie wyrządził ofierze najmniejszej krzywdy – nie doznała żadnego fizycznego uszczerbku na zdrowiu. Co innego z psychiką. Widok faceta masturbującego się na twoich oczach nie należy do najprzyjemniejszych, zwłaszcza grubo po zmroku, kiedy nawet osobnik odziany od stóp po czubek głowy wzbudza podejrzenia.

Oczywiście pominęła kwestie związane z Malarzem. Ten psychopata działał przez dziesięć lat, tak że wiele morderstw miejscowe społeczeństwo wspominało jak przez mgłę. Co więcej, parę kobiet zaginęło bez wieści, ale ich ciał nigdy nie odnaleziono, dlatego śledczy podejrzewali, że albo miały dość zaborczych mężów i wyjechały z kraju, albo po prostu... Wielu uważało, że Malarz maczał paluchy w każdym zaginięciu, jednak z braku dowodów podejrzenia nie wykraczały poza ramy hipotezy.

Może właśnie dlatego za każdym razem szła przez park z duszą na ramieniu? Może wciąż myślała o ofiarach gwałciciela i zabójcy? Rzecz jasna, sprawca trzynastu morderstw siedział za grubymi murami zakładu karnego, ale po świecie chodziło znacznie więcej potworów. Wystarczy jeden błąd, chwila nieuwagi, a lądujesz w ciemnej piwnicy na łasce i niełasce jakiegoś chorego zbira.

– Do diabła, Ania, najpierw ciągniesz mnie za jęzor, a teraz...

Wyrwana z zamyślenia przez ochrypły głos rzuciła okiem na przyjaciółkę.

– Pewnie, że słucham – powiedziała skruszona. – Co mówiłaś?

Katarzyna wzruszyła ramionami.

– Jestem w ciąży.

– Co!?

Gdyby spojrzała w lustro, zobaczyłaby nie człowieka, lecz istotę z kosmosu, pewnie przybysza z Marsa lub innej planety, o oczach wielkich jak piłki do tenisa, zmarszczkach brużdżących czoło i wypiekach na policzkach.

– Zapomniałaś umyć uszy, skarbie?

– Nie... nie... po prostu... – Przez chwilę zapomniała, tak, ale tego, w jaki sposób posługiwać się tym niewielkim kawałkiem mięsa, który przechowywała w ustach. Wzięła kilka głębokich oddechów, usiłując powrócić do równowagi. Katarzyna zaszła w ciążę! – Po prostu nie wiem, co powiedzieć. Zaskoczyłaś mnie.

Ostatnie zdanie wyrzuciła z siebie bez najmniejszego problemu. Ulga. Nie chodziło o to, że wiadomość o błogosławionym stanie przyjaciółki zwala z nóg (też). Prędzej o to, że oni, to znaczy ona i Janek, od jakiegoś czasu myśleli o dziecku (samym myśleniem nic nie wskórasz, czyż nie?), natomiast Katarzyna prowadziła życie pozbawione trosk, przynajmniej tych związanych z poszukiwaniem partnera (nazywaj rzeczy po imieniu, po prostu skakała z kwiatka na kwiatek), i wpadła, tak po prostu. Życie nie zna pojęcia „sprawiedliwość".

– Skoro nie wiesz, co powiedzieć, to może złóż gratulacje?

– Z chęcią, ale... znamy się kopę lat i coś mi podpowiada, że...

– ...nie uśmiecha mi się niańczenie dziecka?

Wzruszyła ramionami. Odetchnęła. Całe szczęście, że opanowała zaskoczenie i ujarzmiła stres (nie wiedziała, skąd ten nagły atak oszołomienia, przecież życzyła przyjaciółce jak najlepiej), w przeciwnym razie nadal dukałaby niczym papuga i wyszłaby na największą idiotkę chodzącą po świecie.

– Cóż... – Zamierzała złożyć te cholerne gratulacje, ale coś spowodowało, że zmieniła zdanie. Czasem lepiej postawić na szczerość, niż później pluć sobie w brodę. Gdzieś we wnętrzu Katarzyny kiełkuje nowe życie. Kto by pomyślał? – Znasz w ogóle faceta, z którym poszłaś do łóżka?

– Do diabła, o czym ty mówisz?

– Znam twoje upodobania do... nazwijmy to, beztroskich kontaktów.

Katarzyna włożyła marlboro do ust.

– Oszalałaś – powiedziała, po czym zaciągnęła się tak, jak gdyby chciała zabić zarodek, który umościł się w niej z nadzieją na rozkwit.

W takim stanie nie powinna palić, ale czy ktoś, kto traktuje potomka jak zło konieczne, zapomni o nałogach i postawi na zdrowy styl życia?

– Czyżby? Coś mi się wydaje, że...

Rzuciła niemal całego papierosa na ziemię. Nawet nie przydepnęła.

– W porządku, zagrajmy w otwarte karty, dobra? Nie mówiłam tego wcześniej, ale... spotykałam się z jednym takim... przystojniakiem. Wysoki, przyzwoicie zbudowany, nie tak jak Janek. – Zachichotała, wiedząc, że wbiła Annie szpilkę. – Ale jednak. I całkiem niezły w te klocki. Wszystko byłoby pięknie, gdyby koleś nie zapomniał o jednym.

– O żonie?

– Otóż to.

Tym razem to Anna pozwoliła sobie na beztroski śmiech.

– A mówiłaś, że kobieca intuicja lubi zawodzić.

Katarzyna machnęła ręką.

– Daj spokój... Koleś zrobił mi dzieciaka, którego oboje nie chcemy.

– Nie wiesz, do czego służą kondomy?

– Do nadmuchiwania i wieszania pod sufitem?

Wyszły z parku. Zmierzały teraz prosto do Fanaberii. Do pokonania pozostało im nie więcej niż pięćset, może sześćset metrów. Anna odetchnęła. Na otwartej przestrzeni, z dala od gęsto rosnących drzew, wśród których mógł ukryć się... ktoś, nie czuła dyskomfortu. Może powinna odwiedzić psychologa lub innego szarlatana grzebiącego w ludzkich mózgach? Jeśli podstawy irracjonalnego lęku leżały wyłącznie w psychice (oczywiście!), to ktoś kompetentny, ktoś, kto powiesił na ścianie dyplom ukończenia odpowiednich studiów, a w szufladzie chowa certyfikaty uzyskane na różnych szkoleniach, mógłby znaleźć lekarstwo na jej dolegliwości.

– Cholera, chyba muszę się rozejrzeć za zastępstwem – powiedziała, po czym zerknęła za siebie, jakby chciała nabrać pewności, że park nie wypluje jakiegoś gwałciciela, który ruszyłby pędem w ich kierunku w spodniach opuszczonych do kostek (to jest dopiero sztuka!).

– Kiedy zamierzasz pójść na chorobowe? A może posiedzisz w biurze tak długo, jak to możliwe? Zbliża się koniec roku i...

– Nigdzie się nie wybieram.

– Nie rozumiem.

Katarzyna wyjęła z paczki kolejnego papierosa.

– W porządku, nie wyraziłam się zbyt precyzyjnie. Mea culpa. Wybieram się, ale tylko do znajomego ginekologa. Facet… jest całkiem przystojny, wiesz? – powiedziała, robiąc maślane oczy. Cała ona. – W każdym razie facet zna kogoś, kto zna kogoś, kto z kolei może podać namiary na lekarza, który usuwa ciąże.

– Usuwa ciąże? – Anna od samego początku wiedziała, że przyjaciółka poszuka możliwości pozbycia się balastu (brzmi jak wyrzucanie za burtę łodzi zepsutych ryb), ale dopiero teraz realizm tej sytuacji dotarł do niej z całą mocą. Na podobne tematy rozmawiała z mężem wiele razy, za każdym razem dochodząc do tych samych wniosków: żadnych aborcji, żadnych zabiegów skierowanych przeciwko nienarodzonej istocie, przecież każde dziecko jest darem od Boga. Jak dobrze, że w tej kwestii Janek prezentował taką samą postawę. – Nie żartuj, chcesz zabić dziecko?

– Nie chcę, ale nie mam wyboru. – Katarzyna przez moment walczyła z krnąbrną zapalniczką, po czym, kiedy błysnął niewielki ogień, zapaliła papierosa. – Jestem samotna, facet nie chce słyszeć o porzuceniu żony i… cóż, powiem szczerze, nie dam rady wychować sama tego dziecka.

– Wiesz, to trochę zabawne… ale tylko odrobinę, bo my z Jankiem walczymy o powiększenie rodziny, a ty chcesz się pozbyć czegoś, co powinnaś nosić pod sercem dziewięć miesięcy. Życie nie jest sprawiedliwe.

Wzruszyła ramionami.

– Nigdy nie było. Gdybym trafiła na odpowiedniego faceta, mogła wyjść za niego za mąż, pewnie zdecydowałabym się na dziecko, ale w tej sytuacji… Jeszcze nie podjęłam ostatecznej decyzji, ale… chyba nie mam wyjścia, prawda?

– Zawsze jest wyjście.

Ostatni etap pokonały w milczeniu. Przeszły koło jednego z miejskich marketów, następnie w pobliżu małego parku (tu nie mogło im nic grozić, zwłaszcza za dnia), po czym skierowały kroki do Fanaberii. Gdy Katarzyna otwierała drzwi, wyczuły zapach pieczonego mięsa.

Anna zawiesiła spojrzenie na przyjaciółce.

– Straciłam apetyt.

– Zjem twoją porcję. Przecież jestem w ciąży, pamiętasz?

O tak, pamiętała.

I to doskonale.

6

Siedział przy biurku, wlepiając wzrok w ekran komputera. Anna już spała. Wprawdzie wróciła z biura o dziewiętnastej z minutami, ale zmęczenie sprawiło, że zjadła kolację, wzięła długą kąpiel i padła na łóżko.

Nie rozmawiali wiele, ot, zwykła pogawędka o wszystkim i o niczym. Tym razem nie poruszali drażliwych tematów, chyba oboje doszli do wniosku, że niekiedy należy odpuścić. Przez kwadrans leżeli wtuleni w siebie niczym dwa zmarznięte pingwiny i kiedy Anna odpłynęła do krainy nieświadomości, postanowił poszperać w sieci. Swego czasu przechowywał wycinki z gazet dotyczące seryjnych morderców, ale teraz, w dobie internetu, każdy szczegół miał na wyciągnięcie ręki, a niewygodny papier zaczynał lądować na śmietniku historii. Oto dwudziesty pierwszy wiek z całym dobrodziejstwem inwentarza.

Włączył swoją ulubioną stronę traktującą o wszelkiego rodzaju zwyrodnialcach. Gwałciciele, pedofile, psychopatyczni mordercy, nekrofile, sadyści. Kalejdoskop najbardziej zwichrowanych osobowości i najróżniejszych sposobów nie tylko zabijania, lecz również przemieniania ludzkiego życia w piekło. Encyklopedia wiedzy, którą inni uznaliby za bezwartościową, on natomiast traktował z właściwym pietyzmem, wręcz z namaszczeniem.

Skąd u niego taka fascynacja złem? Szczerze mówiąc, nie miał bladego pojęcia, tym bardziej że nigdy na nikogo nie podniósł ręki, że przenigdy nikogo nie zwymyślał, nie obraził, nie obrzucił błotem. Fakt, wielokrotnie sam bywał celem słownych ataków, ale przecież taka jest dzisiejsza rzeczywistość, że nie sposób uciec od pewnych zachowań. Szkoła, market, uczelnia, kościół, co więcej, nawet własny dom. Wszędzie możesz spotkać kogoś, kto zapragnie obić ci czaszkę jakimś tępym narzędziem, oblać benzyną i podpalić, wpakować kulkę w sam środek czoła. Psychopatów nie brakuje, o nie, wprost przeciwnie, ludźmi noszących w sobie niezbadane pokłady ukrytej wściekłości można by zapełnić miasto wielkości Londynu.

Krzysztof Gawlik, pierwsze nazwisko na liście. Seryjny morderca, tak zwany Skorpion, używający pistoletu maszynowego. Pięć zbrodni na koncie, wszystkie przypominające egzekucję. Najpierw strzał w głowę, później seria dźgnięć nożem. Szybka akcja i po sprawie. Nic nadzwyczajnego, wręcz banał w najczystszej postaci. Gdzież facetowi do wyrafinowania i artyzmu Malarza! Zabójstwo za pomocą kawałka ołowiu. Pociągnięcie za spust… KLIK!… i po wszystkim. Nuda, nuda i jeszcze raz nuda.

Mieczysław Zub, kolejny przyjemniaczek, gwałciciel i sadysta w jednym. Milicjant napadający na kobiety w służbowym mundurze, co znacznie ułatwiało mu sprawę. Skazany w połowie lat osiemdziesiątych, do końca swoich dni, kiedy to popełnił samobójstwo, opluwał jadem każdą dwunożną istotę, pałał nienawiścią zarówno do każdego współwięźnia, jak i do pracowników zakładu karnego. Prawdziwy twardziel. Podobno klawisze żartowali, że facet wciąż dzierży nieoficjalny rekord polskiego systemu więziennictwa – przebywał w izolatce tak długo, że skórę porosła mu krecia sierść.

Dalej. Zdzisław Marchwicki, joker w talii każdego miłośnika opowieści o seryjnych mordercach. Podobno zgwałcił, skatował i zamordował kilkadziesiąt kobiet, bez żadnych sentymentów, bez wyrzutów sumienia. Oczywiście, przecież ktoś taki, ktoś, kto najpierw pozbawia godności innego człowieka, później dręczy, często przez wiele tygodni, aż wreszcie po prostu zabija, nie nosi w sobie choćby namiastki dobra. Jest bestią, potworem, zwierzęciem. Jest chodzącym, pozbawionym empatii trupem. Jest bezduszną maszyną, niczym więcej.

Malarz...

Przeglądał sieć jeszcze przez dobry kwadrans, chłonąc informacje o najróżniejszych zabójstwach. Niektóre artykuły czytał już wielokrotnie, jednak wciąż odświeżał pamięć, jakby w obawie, że zapomni, iż upływ czasu zatrze istotne szczegóły. Fascynacja złem sprawiała, że wracał do znanych tematów z uporem maniaka, częściej i częściej, zwłaszcza nocami, gdy żona już spała.

Poszedł do kuchni, zaparzył kawę, po czym wrócił do pokoju z kubkiem pełnym dymiącego płynu. Upił kilka łyków i spojrzał na śpiącą żonę. Jest... przez chwilę szukał w głowie jakiegoś oryginalnego określenia, ale żadnego nie znalazł, dlatego wybrał „piękna". Jest taka piękna, tak po prostu...

Rzucił okiem na ekran komputera. Zło. Niektórzy twierdzą, że nikt nie przychodzi na świat jako zwyrodnialec, że proces zmian osobowości inicjują doświadczenia z młodości, wręcz dzieciństwa. Przeżyta trauma, bicie, poniżanie, wykorzystywanie seksualne. To wszystko sprawia, że psychika będąca dopiero w fazie rozwoju zbacza z utartych torów, lecz jeśli ktoś – rodzice, specjaliści od grzebania w ludzkich mózgach – zareaguje w odpowiednim momencie, może na nie powrócić. Niekiedy zaś, głównie z powodu braku zainteresowania ze strony otoczenia, zostaje wykolejona na stałe.

Druga teoria mówi, że gwałciciele i zabójcy, zwłaszcza seryjni, noszą w sobie zło od samego początku, nawet od momentu urodzenia, a tkwiący w nich morderczy potencjał potrzebuje katalizatora, czegoś, dzięki czemu wypłynie na światło dzienne. Potem jest już z górki, bo przecież instynktu nie sposób zagłuszyć chemią, impulsami elektrycznymi, wielogodzinnymi sesjami z psychologiem. Niczym. Człowieka przesiąkającego nienawiścią już w łonie matki nie można wyżąć jak mokrą szmatę. Chwila wysiłku i po kłopocie. W pewnym momencie swojego życia wejdzie na ścieżkę przestępstwa, to pewne, kwestią otwartą pozostaje czas. A to, jak długo będzie nią kroczył, zależy już wyłącznie od organów ścigania.

Wyłączył komputer, po czym stanął nad Anną z kubkiem chłodnej już kawy w ręku. Spojrzał na jej twarz otuloną mrokiem. Brutalny gwałt. Coś strasznego, wręcz makabrycznego. Jak można wyrządzić komuś tak wielką krzywdę? Jak można siłą wziąć to, co jest zarezerwowane dla kochającego męża, dla kogoś, komu można zaufać bez względu na okoliczności? Tego, kto odbiera drugiemu godność, odpowiedni ludzie powinni powiesić na szubienicy… to kiedyś, a teraz, w dzisiejszych czasach, poczęstować ogromną dawką trucizny. Jednego bydlaka mniej.

Usiadł koło żony, pogładził dłonią jej policzek. Gdyby Anna została splugawiona przez jakiegoś zwyrodnialca… Poczuł ściskanie w dołku. Do oczu napłynęły mu łzy. Nigdy nikogo nie kochał tak bardzo jak żony. Nigdy nie pozwoli, aby jakaś szumowina bez serca, jakiś psychopata bez skrupułów zbliżył się do niej na odległość mniejszą niż kilometr. Zabije każdego, jeśli uzna to za konieczne. Czym innym jest mordowanie dla chorej satysfakcji, a czymś zupełnie innym stawanie w obronie godności i człowieczeństwa.

Wstał, po czym ruszył w kierunku salonu. Przystanął w drzwiach i jeszcze raz spojrzał na Annę. Świat jest miejscem cuchnącym zgnilizną braku jakichkolwiek zasad. Seryjni mordercy, pedofile, gwałciciele, sadyści i pospolici złodzieje czy też faceci bez jaj, którzy uwielbiają obijać nerki swoich żon. Oni wszyscy chodzą po ulicach miasta, pracują w biurach, siedzą za kierownicami autobusów lub naprawiają pralki w domach niecierpliwych klientek. Opanowani, spokojni do granic możliwości, ale tylko pozornie, na pierwszy rzut oka. Niekiedy bowiem wystarczy jedno słowo, jeden gest, jedno spojrzenie, żeby obudzić drzemiącą w nich bestię. A wtedy…

Znowu potrząsnął głową…

„Nie myśl o tym, po prostu nie myśl!"

Wyszedł z sypialni.

7

Leżała, wtulając głowę w poduszkę, jednak nie spała. Janek buszował w sieci (nic nowego), przeglądając strony poświęcone seryjnym mordercom. Kątem oka widziała, jak przewija w górę poszczególne partie tekstu, jak spija z ekranu każdy akapit, ba, nawet każde słowo. Jak przebiera nogami, podekscytowany, niemal rozrywany podnieceniem, jakby wciągnął nosem zbyt dużą ilość białego proszku. Uzależniony od emocji dostarczanych przez uczynki innych – pozbawionych ludzkich uczuć dwunożnych zwierząt o ilorazie inteligencji zbliżonym do setki.

Nie rozumiała tej fascynacji złem... ale musiała ją akceptować. Taki paradoks. Stawianie ultimatum komuś, kogo darzysz uczuciem, nie może się dobrze skończyć, dlatego nie naciskała, przynajmniej jeszcze nie teraz. W porządku, niemniej istniało jedno podstawowe „ale" (zawsze jakieś istnieje) – pasja, która pochłaniała Janka coraz bardziej i bardziej, jakby po świecie chodzili tylko przestępcy. Przyjmowała do wiadomości argumenty męża (Malarz jest strzeżony lepiej niż prezydent Stanów Zjednoczonych, to po pierwsze, a po drugie, nie staną oko w oko, a jeśli nawet, to po dwóch stronach kuloodpornej szyby, której nie przebije nawet pocisk dużego kalibru), lecz wciąż odczuwała lęk. Może wcale nie chodziło o bezpieczeństwo Janka, może rozdmuchiwała tę kwestię ponad miarę, bo sedno tkwiło zupełnie gdzie indziej? Seryjni mordercy. Gwałciciele. Pedofile. Nekrofile. Paleta najróżniejszych zachowań i preferencji, które łączy wspólny mianownik – choroba psychiczna, dewiacja, zboczenie. Jak zwał, tak zwał.

Pragnęła, żeby Janek wrzucił na luz, żeby wykazał zainteresowanie czymś innym, na przykład... no, po prostu czymś innym. Czymkolwiek, byle nie morderstwami i tym całym brudem, który z sobą niosły. Ale nie, on mówił tylko o Malarzu, co więcej, on bez przerwy o nim myślał. A przecież pieniądze szczęścia nie dają, truizm, niemniej jakże prawdziwy. Poradzą sobie bez tych paru tysięcy, które zarobi na ewentualnej publikacji artykułu. Chyba że napisze i wyda książkę...

Janek wyszedł do kuchni, po czym wrócił z kubkiem gorącego napoju. Po chwili pokój wypełniła woń świeżej kawy. Kofeina o dwudziestej pierwszej? Chyba zwariował! Zwariował, jasne, nawet bardziej niż ktokolwiek mógłby przypuszczać. A skoro tak, to wymagał leczenia w takim samym stopniu jak Malarz, ten przeklęty świr, ten sukinsyn pozbawiony krztyny ludzkich uczuć.

„Jesteście siebie warci", pomyślała w przypływie złości, czego zaraz pożałowała. Nie powinna osądzać męża tak ostro, przecież zainteresowania nie czynią z człowieka psychopaty, czyż nie?

Janek psychopatą?

„Dziewczyno, jeśli ktoś tu zwariował, to na pewno nie on!"

Westchnęła, jednak na tyle cicho, że nie usłyszał. Albo i usłyszał, ale pochłonięty lekturą życiorysu kolejnego zwyrodnialca („Kogo tym razem wziąłeś na tapetę, gwałciciela, a może pedofila?"), po prostu nie zwracał uwagi na odgłosy płynące z otoczenia. Ciekawe, czy gdyby ryknęła mu do ucha, nadal moczyłby usta w kubku, wlepiał wzrok w ekran i siedział kompletnie niewzruszony? Pasja jest tym, co rozwija, co poszerza horyzonty, co wyzwala z przeciętności, to oczywiste, ale… do diabła, on brnął – i to z uporem maniaka! – w tematy zarezerwowane dla największych świrów!

Nie mogła zasnąć jeszcze przez jakiś czas. Kwadrans, godzina, któż to może wiedzieć? A kiedy zaczynała odpływać w przyjemny niebyt, dostrzegła, jak Janek wyłącza komputer, jak siada na łóżku, jak kładzie na jej policzku ciepłą, lekko spoconą dłoń. Czuły i kochający mąż. Ideał? Nie, w dzisiejszym świecie ideały nie istnieją (nigdy nie istniały), ale w skali określającej doskonałego partnera Janek uzyskałby przynajmniej osiem punktów na dziesięć. A może nawet dziewięć… No dobra, osiem i pół.

Zawstydzona brudem wcześniejszych rozważań poczuła, że się czerwieni. Jak mogła (jak może!) myśleć, że jej mąż jest wariatem? No, do jasnej cholery, jak mogła (jak może!)?! Janek chciał zapewnić im świetlaną przyszłość, ściśle związaną ze stabilizacją finansową, i jeśli rzeczywiście napisze książkę, hit na miarę powieści wydawanych za oceanem, to wszystkie wątpliwości odejdą w niepamięć, tam gdzie ich miejsce. A wtedy… żyć, nie umierać!

Siedział przy niej jeszcze chwilę, po czym wyszedł z sypialni.

Przewróciła się na drugi bok, wtuliła głowę w poduszkę.

Usnęła.

8

Jeszcze nie lało, ale gęste burzowe chmury wisiały tak nisko, że niemal szorowały brzuchami po ziemi. Listopad w pełnej krasie. Nie dość, że słońce jakby zapomniało o bożym świecie, zwinęło manatki i poszło gdzieś na południową półkulę, to na dodatek ziąb przenikał do szpiku kości, zwłaszcza jeśli ktoś, zamiast wbić ciało w grubą zimową kurtkę, włożył lekką wiatrówkę. Janek zaklął w myślach. Dobry Boże, głupotę trzeba piętnować, to oczywiste, ale żeby od razu z taką mocą i takim zaangażowaniem?

Przeszedł koło starego basenu miejskiego, gdzie obecnie wyrastało osiedle. Przeciął ulicę, po czym przystanął naprzeciwko wielkiego kompleksu więziennego. Poczuł nieprzyjemny dreszcz. Na teren raciborskiego zakładu karnego wchodził pierwszy raz w życiu. Nigdy nie myślał, że się tu znajdzie. Oczywiście, nie przybywał tu skąpany w świetle rzucanym przez flesze aparatów fotograficznych, z kajdanami na kostkach i nadgarstkach, w czerwonym drelichu, pod czujnym okiem strażników. Ale i tak nie mógł pozbyć się dziwnego wrażenia, że ten moment jest początkiem czegoś nowego, czegoś, co zmieni jego życie. Nie chodziło o Malarza, raczej o atmosferę, którą przesiąkło to miejsce.

Zło.

Czuł negatywną energię nawet tu, gdy stał w odległości trzydziestu metrów od głównego wejścia do więzienia. A skoro tak, to gdy już przekroczy próg, gdy wciągnie w nozdrza odór wielu niegodziwości...

Spojrzał na wysoki ceglany mur i na ogrodzenie osadzone na jego szczycie. Ciekawe, czy po drutach pełzło śmiercionośne napięcie. Pewnie tak, bo zakład karny, skrywający tajemnice zwyrodnialców, musi zostać zabezpieczony na wszelkie możliwe sposoby. Zerknął na wieżyczkę ulokowaną na samym środku kompleksu. Nie dostrzegł strażników z bronią, ale zdawał sobie sprawę z tego, że oni trwają na posterunku gotowi otworzyć ogień w każdej chwili. I bez żadnych sentymentów.

Oczyma duszy zobaczył podziurawione kulami ciało jednego z więźniów. Krew. Wszędzie mnóstwo krwi. Mózg rozlany na placu spacerowym. Tak kończą potencjalni uciekinierzy... tylko potencjalni, bo z tego, co wiedział, żaden ze skazańców nigdy nie sforsował grubych murów. Przynajmniej o zbiegach nigdy nie pisano w gazetach. Ani nie mówiono w telewizji.

Podszedł do głównego wejścia. Stanął przed wielkim weneckim lustrem, po czym nacisnął przycisk domofonu. Usłyszał dźwięk otwieranych drzwi. Położył dłoń na klamce. Szarpnął. Gdy wszedł do niewielkiego przedsionka zaopatrzonego w bramkę do wykrywania metalu, poczuł nieprzyjemne mrowienie w okolicach karku. Cholera, co się z nim dzieje? Przecież chciał tylko odbyć pogawędkę z dyrektorem, a nie spędzić w mamrze kolejnych dwudziestu lat swojego życia, ale atmosfera więzienia przytłaczała tak bardzo, że zatykała każdy por skóry, wdzierała się w każdy zakamarek ciała i duszy.

Wyjął z kieszeni chusteczkę. Przetarł spocone czoło.

Jasny gwint!

Z głośników popłynął suchy, pozbawiony emocji głos:

– Proszę włożyć dokument tożsamości do szuflady.

Spojrzał na coś, co rzeczywiście przypominało szufladę. Pogrzebał w portfelu. Zrobił, co kazano. Odczekał jeszcze moment, odnosząc wrażenie, że jest obserwowany przez wiele par oczu, po czym usłyszał ten sam dźwięk otwieranych drzwi co poprzednio. Szarpnął klamkę i wkroczył do pomieszczenia, w którym siedziało trzech uzbrojonych strażników.

Szare mundury. Kamizelki. Martwa cisza, jakby wszedł nie na teren więzienia, lecz cmentarza. Z drugiej strony... dla wielu skazańców przebywanie za grubymi murami jest równoznacznikiem śmierci. Dwadzieścia pięć lat pozbawienia wolności, tudzież dożywocie mogą zniszczyć chęć do życia nawet u tych najtwardszych. Ilu osadzonych skończyło w pokoju bez klamek, w kaftanie bezpieczeństwa albo z receptą wypisaną przez lekarza psychiatrę? Janek na pewno nie wytrzymałby tu nawet miesiąca. Egzystencja w kieracie narzuconym przez sztywny regulamin jest tylko wegetacją, a wegetacja jest powolną agonią, niczym więcej.

Jeden z mocno zbudowanych mężczyzn małym ręcznym wykrywaczem sprawdził, czy Janek nie miał przy sobie broni, gazu, telefonu lub jakiegoś nośnika danych. On jednak wszystko, co musiałby oddać w depozyt, zostawił w domu. Gdy stwierdzono, że jest czysty, powiedziano mu, jakich procedur musi przestrzegać i w którą stronę skierować kroki. Przeszedł przez kratę i ruszył na pierwsze piętro. Dotarł do końca wąskiego korytarza i w pomieszczeniu, do którego prowadziły drzwi z napisem „EWIDENCJA", poprosił o rozmowę z dyrektorem. Strażnik o twarzy pozbawionej wyrazu wykonał telefon, wymienił kilka zdań ze swoim rozmówcą, po czym zaczął wypisywać przepustkę. Trzech innych mężczyzn siedziało przed monitorami, układając pasjansa. Oddychał regularnie, usiłując pokonać stres. Nie przypuszczał, że wizyta w więzieniu wyciśnie z niego wszystkie soki. A przecież był tu dopiero od kwadransa, może dziesięciu minut. Aż strach pomyśleć, co nastąpi później, gdy stanie oko w oko z mordercą. Narobi w gacie ze strachu? A może po prostu nie wytrzyma ciśnienia i zawróci w połowie drogi do pomieszczenia przeznaczonego na wizyty?

„Weź się w garść!"

Po otrzymaniu przepustki ruszył we wskazanym kierunku. Do gabinetu dyrektora dotarł w dwie minuty. Najpierw wszedł do sekretariatu, a po chwili, gdy sekretarka, miła dziewczyna o przyjemnym głosie, zawiadomiła starego o przybyciu gościa, do właściwego pomieszczenia. Kiedy chwytał za klamkę, poczuł ściskanie w dołku, ale opanował targające nim emocje. Skoro dotarł tak daleko, skoro zrobił wszystko, żeby przeprowadzić rozmowę z Malarzem, to nie mógł schować głowy w piasek.

Wszedł do środka. Za wielkim dębowym biurkiem siedział dyrektor, mężczyzna grubo po pięćdziesiątce, a raczej przed sześćdziesiątką, mający na sobie szary garnitur o klasycznym kroju. Prawie łysy – o orlim nosie, ustach jakby napompowanych jadem kiełbasianym, uszach bez charakterystycznego płatka, który ma większość ludzi – sprawiał wrażenie wyciętego z horroru nakręconego za niewielkie pieniądze. Skrzyżował pomarszczone dłonie na płaskim brzuchu, po czym wyszczerzył w uśmiechu białe zęby.

– Pan Jan Kowalski – powiedział mocnym, zdecydowanym głosem, należącym do kogoś, kto od lat szlifuje umiejętność rozstawiania ludzi po kątach.

Nie wstał, nie wyciągnął ręki na powitanie, po prostu siedział na fotelu.

– Przyszedłem do pana…

– Wiem, po co pan przyszedł. Rozmawiałem z jednym z moich pracowników. Proszę usiąść. – Wskazał krzesło ustawione naprzeciwko.

Janek usiadł.

– Nie zamierzam marnować czasu, ani mojego, ani pańskiego. Dlatego pozwoli pan, że od razu przejdę do rzeczy? – Nie czekając na odpowiedź, ciągnął dalej. – Świetnie. W takim razie, czemu miałbym zezwolić na przeprowadzenie wywiadu z tym… tym świrem?

Konieczność odkrycia wszystkich kart już na początku rozmowy sprawiła, że Janek wpadł w chwilową konsternację. Przez moment filtrował myśli płynące przez głowę, szukając odpowiedzi na pytanie dyrektora. Sekunda… dwie… trzy. Postanowił pójść tropem wskazanym przez przyjaciela i zaproponować staremu kąpiel w światłach jupiterów. Miał nadzieję, że przynęta chwyci.

– Cóż – powiedział. – Myślę, że obaj na tym skorzystamy.

Dyrektor rozparł się w fotelu.

– To znaczy? – zapytał, nie spuszczając wzroku z Janka.

Szare bystre oczy mogłyby należeć do kieszonkowca, który obrabia staruszki przechadzające się po miejskim targowisku bardziej dla zabicia czasu niż z potrzeby zrobienia zakupów.

– Więziennictwo jest przedstawiane w mediach jako coś przeżartego przez korupcję, coś niedostępnego, odległego… – zaczął, czując, jak po plecach spływają mu strugi potu. Zdawał sobie sprawę z tego, że stąpa po cienkim lodzie i w każdej chwili może wpaść do lodowatej wody. Wystarczy jeden nieostrożny ruch, jeden fałszywy krok i… – Poza tym ludzie pracujący za murami zakładów karnych nie cieszą się powszechną estymą. Mój artykuł mógłby to zmienić i…

– Chwileczkę, bo czegoś tu nie rozumiem.

Dyrektor wstał, podszedł do niewielkiego barku, po czym nalał sobie szklaneczkę whisky. Po powrocie na miejsce powtórnie zmierzył Janka badawczym wzrokiem, pod którym mógłby się ugiąć nawet rozmówca całkowicie wierzący w to, co właśnie powiedział. Janek taki nie był.

– Tak?

Wzruszył ramionami.

– Cóż, myślałem, że chce pan napisać artykuł o tym... tym psychopacie, nie o strażnikach czy o dyrektorze. – Znowu błysnął uśmiechem. Zmarszczki okalające usta nadały twarzy wygląd gumowej maski. – O sprzątaczkach, o wychowawcach i Bóg raczy wiedzieć, o kim jeszcze!

Podkoszulek Janka przyjął taką ilość potu, że nadawał się tylko do wyżęcia.

– Tak, ale...

– Nie lubię, gdy ktoś robi ze mnie idiotę...

– Tak, ale...

– ...a pan przyszedł do mnie z prośbą w bardzo delikatnej kwestii i traktuje mnie jak umysłowego inwalidę! Jak pan śmie?! – Dyrektor przerwał na kilka łyków alkoholu. – Wie pan, co powinienem teraz zrobić? Nie, proszę nie odpowiadać. Powiem panu. Jedyna rzecz, która przychodzi mi do głowy, to wyrzucenie pana za drzwi. Uważa pan, że powinienem tak postąpić?

Janek przełknął ślinę. Odniósł wrażenie, że towarzyszący temu dźwięk przypomina grzmot. Nie przypuszczał, że zwykła rozmowa o wizycie u Malarza przerodzi się w walkę o przetrwanie. Albo niewłaściwie rozegrał tę partię i wówczas winę za taki obrót sprawy ponosił on, albo trafił na megalomana uwielbiającego zrównywać z ziemią nie tylko więźniów, lecz również każdego, kto stanie mu na drodze.

– Przepraszam, od razu powinienem odkryć wszystkie karty.

Dyrektor ponownie zamoczył usta w whisky. Odstawił szklankę na stół, zabębnił palcami o blat, po czym skrzyżował ręce na zapadniętej klatce piersiowej. Wysuszony jak śliwka leżąca na słońcu przynajmniej miesiąc, odstraszał zarówno wyglądem, jak i sposobem bycia. Przyłożył zwiniętą dłoń do warg. Chrząknął.

– Proszę zacząć od początku i darować sobie komunały, dobrze?

Janek odetchnął.

– W porządku. Co pan powie na gwarancję opisania pańskiej sylwetki, oczywiście rzeczowo, bez zbędnego koloryzowania, całkowicie obiektywnie? Malarz swoją drogą, ale uważam, że kilka akapitów warto poświęcić dyrektorowi.

Żaden mięsień na twarzy starego nawet nie drgnął.

– Proszę kontynuować… tylko bez wazeliny.

– Chcę pisać o Malarzu, to chyba zrozumiałe, ale nic nie stoi na przeszkodzie, żeby wpleść w tekst kilka słów o panu jako o człowieku, który trzyma w ryzach zakład karny.

– Kurwidołek, panie Kowalski. Nazywajmy rzeczy po imieniu.

Znowu konsternacja.

– Tak, niech będzie kurwidołek.

Janek wypuścił powietrze z płuc. Bezpośredniość dyrektora spowodowała, że napięcie zeszło z niego jak powietrze z przekłutego balonu. Dopiero teraz rzucił okiem na gabinet. Surowy wystrój, wszystko kanciaste, wykonane z drewna i metalu, zarówno tych kilka mebli: biurko, krzesła, barek, szafa, jak i reszta wyposażenia: lampa, wieszak na ubrania, łagodziły puchary stojące na półce i dyplomy wiszące na ścianie. Dyrektor musiał pękać z dumy za każdym razem, gdy przedstawiciele zakładu karnego

– zarówno ci biegający w drelichach, jak i ci w mundurach – zdobywali laury na zawodach o przynajmniej wojewódzkim zasięgu.

– Dla kogo pan pracuje? – zapytał stary.

– Jestem wolnym strzelcem, nie podlegam nikomu. Po napisaniu tekstu uderzę do kilku czasopism, oczywiście tych z odpowiednio wysokim nakładem. – Kłamał, bo wprawdzie miał paru kolegów w lokalnych gazetach i jednego zaufanego człowieka utrzymującego kontakt z grubymi rybami, ale do szefów tych, które drukowały w dziesiątkach tysięcy egzemplarzy, musiał robić podchody z pozycji nie kumpla, lecz petenta. – Jeszcze nikt nie przeprowadził wywiadu z Malarzem, więc publikacja artykułu jest niemal pewna.

Stary wypił kilka łyków alkoholu, po czym spytał:

– Dlaczego powinienem chcieć zaistnieć w jakiejś cholernej gazecie? Dlaczego powinienem wykazać zainteresowanie pańską propozycją? Czy wyglądam na jakiegoś bezmózgiego celebrytę? Po co mi to, panie Kowalski? Po co mi światła jupiterów i całe to gówno?

Janek nie potrafił wymyślić sensownej odpowiedzi, dlatego odparował:

– Każdy lubi o sobie poczytać.

– Czyżby?

Wzruszył ramionami. Im dalej brnął w dialog z dyrektorem, tym bardziej utwierdzał się w przekonaniu, że przegra. Chyba nie pozostało mu nic innego, jak zabrać swoje zabawki i pożegnać się z pomysłem przeprowadzenia wywiadu z Malarzem. Nic nie mógł na to poradzić, bo wszystko leżało w pomarszczonych dłoniach starego, który najwyraźniej nie zamierzał ułatwiać mu sprawy.

Postanowił chwycić się ostatniej deski ratunku.

– Jeśli przedstawię pana w odpowiednim świetle, oczywiście pozytywnym, to na pewno zyska pan w oczach przełożonych. Trudno mówić o korzyściach, skoro na razie pozostają w sferze hipotetycznych rozważań. Jednak wiem jedno. Nie zaszkodzę panu, a mogę pomóc. A co do artykułu... Rozmawiałem z przyjacielem, powiedzmy, moim agentem, i istnieje szansa, że podpiszę umowę z poważnym wydawnictwem.

Dyrektor wziął do ręki szklankę i zaczął obracać ją w palcach. Najpierw wbił wzrok w podłogę, jak gdyby szukał plam na starym linoleum, później przeniósł spojrzenie na twarz Janka.

– Zatem książka. Jest pan dobry?

Drodzy widzowie, oto finałowe pytanie! Zwycięzca zgarnie wszystko! Dosłownie! Od miliona złotych w stuzłotowych banknotach począwszy, poprzez szacunek konkurentów, na uwielbieniu tłumu kończąc. Czyż ta perspektywa nie pobudza waszych zmysłów?

Ależ tak!

– Najlepszy.

– Lubię pewnych siebie, nawet bezczelnych.

Gdyby drań wiedział, ile wysiłku Janek musiał włożyć w utrzymanie nerwów na wodzy! Czuł się jak uczniak stojący przed belfrem w szkole podstawowej. Władza nie spoczywa w twoich rękach. O nie, wprost przeciwnie, za sznurki pociąga facet w staromodnych okularach, sweterku zrobionym na drutach i spodniach w kancik.

– Proszę mi wierzyć, może pan wiele zyskać – powtórzył.

Cisza.

Po chwili dyrektor powiedział:

– Proszę złożyć wniosek o wydanie zgody na widzenie z osadzonym. Proszę nie zapomnieć o wpisaniu kilku zdań wyjaśniających pańską motywację. W razie kontroli chcę mieć czyściutkie papierki, zrozumiano?

Janek odetchnął.

– Odpowiednie druki pobierze pan w sekretariacie – ciągnął dyrektor. – Może pan skreślić coś od ręki, zaoszczędzi pan czas. Kiedy chciałby się pan spotkać z tym... tym świrem? Pasuje panu pojutrze... powiedzmy, o dziesiątej? Załatwicie wszystko przed obiadem, tak żeby później ten idiota mógł odbyć pogadankę z psychologiem.

– Oczywiście.

– Świetnie. Pisemną zgodę odbierze pan przed wizytą.

– Dziękuję.

– Proszę nie dziękować. Proszę nie dać dupy.

O tak, ten facet nie bał się żadnych konsekwencji ani swoich słów, ani czynów, w przeciwnym razie nigdy nie pozwoliłby sobie na picie alkoholu w gabinecie i na używanie wulgaryzmów.

– Oczywiście. Jeszcze raz dziękuję.

Janek wstał. Nie wyciągnął ręki w kierunku dyrektora, wiedząc, że i tak nie zostanie uściśnięta. Ruszył do drzwi, tym razem rozluźniony już na dobre. Osiągnął cel, dopadł starego, rozerwał go na strzępy argumentami... w porządku, może i przesadza, ale najważniejsze, że uzyskał zgodę na przeprowadzenie wywiadu z Malarzem. Wszystko inne schodziło na drugi plan. Chyba kupi kratkę piwa i uchleje się do nieprzytomności.

Zanim zdążył położyć dłoń na klamce, usłyszał głos dyrektora.

– Panie Kowalski...

Odwrócił się.

– Tak?

– Mieliśmy tu ostatnio sprawę... z więźniem. Niby nic wielkiego, ale chyba powinien pan o tym usłyszeć. Jeden z osadzonych został pobity przez drugiego. Kiepska sprawa, dużo siniaków, złamany nos, rozbita głowa. Oberwał naprawdę mocno. Zdenerwował się nie na żarty...

Wie pan, w tej sytuacji każdego wzięłaby kurwica. No więc złożył doniesienie, oskarżył kolegę o dotkliwe pobicie. W trakcie przesłuchania okazało się, że zdarzenie wyglądało nieco inaczej, niż to opisał, bo zapomniał wspomnieć, że obmacywał tego, który bił. Wiem, trochę to pokręcone, zatem uprośćmy sprawę. Pobitego nazwijmy więźniem A, tego drugiego więźniem B. Zatem A zapłacił B za to, żeby mógł sobie pomacać.

Dyrektor westchnął, po czym opróżnił zawartość szklanki.

– Pedały, odwieczny problem naszego systemu karnego – kontynuował. – Więc B wziął kasę za obmacywanie, ale w trakcie zdarzenia chyba macanko przestało mu sprawiać przyjemność, bo obił A mordę. Podczas rozprawy sądowej wyszły na jaw nowe fakty. Wie pan, u nas nic nie jest oczywiste. Otóż B został oskarżony nie tylko o pobicie, ale i o doprowadzenie A do innych czynności seksualnych. Nadąża pan? Po prostu kazał A zrobić sobie loda. Zaraz po pobiciu!

Wstał, podszedł do barku i napełnił szklankę po same brzegi. Zanim wrócił na miejsce, musiał wypić parę łyków, żeby nie rozlać alkoholu. Szkoda marnować whisky za siedem, może nawet osiem dych, nawet jeśli jest finansowana przez Skarb Państwa.

– Pewnie zachodzi pan w głowę, jaki był finał tej sprawy? Więzień A wycofał oskarżenie o doprowadzenie do innych czynności seksualnych, bo najwyraźniej połykanie męskich przyrodzeń sprawia mu sporo radości. Powiedział, że nie został do tego zmuszony, wprost przeciwnie, zrobił to, bo po prostu chciał. Sędzia nie dał wiary tym wyjaśnieniom, tym bardziej że A wcześniej zeznał, że wszystko, co odbyło się pod prysznicem… mówiłem panu, że chodziło o prysznic?… że wszystko, co odbyło się pod prysznicem, zrobił pod przymusem. Sędzia powiedział A, że nie może wycofać się z tej części zeznań, bo pod protokołem widnieje jego podpis. On na to, że jest niepiśmienny. Sędzia zadzwonił do nas, popytał strażników i wyjaśnił sprawę. Ten idiota A faktycznie nie umie czytać ani pisać, dlatego mógł zmienić pierwotne zeznania.

Dyrektor wyciągnął nogi na biurko. Stawy zapłakały chorobliwym trzaskiem.

– B dostał dodatkowe trzy miesiące do wyroku, A mógł sobie pomacać, połknął kutasa, a że zarobił w zęby... Kogo to obchodzi? Cholerne pedały. Kiedyś walczyliśmy z epidemią grypy, teraz usiłujemy wyplenić zamiłowanie więźniów do męskich odbytów, ale w tym wypadku nie działają ani prośby, ani groźby, ani kary w postaci wielu dni w izolatce. Dosłownie nic, jakby pociąg do fiuta przyćmiewał strach przed spędzeniem tygodnia w celi o wielkości wiejskiego wychodka.

– Dlaczego mi pan o tym opowiada?

– Chcę, żeby pan zrozumiał, jakie panują u nas zasady. To wszystko.

Janek skinął głową.

– Dziękuję.

Wyszedł, zamykając za sobą drzwi.

*

Leżeli w sypialni spleceni niczym włosy w warkoczu. Milczeli, choć wcześniej Janek nie potrafił zapanować nad słowotokiem. Opowiadał o wizycie w zakładzie karnym, o rozmowie z dyrektorem, o strażnikach, o procedurach obowiązujących za murami. Wyrzucał z siebie podekscytowanie całym dniem, zdanie po zdaniu, sylaba po sylabie, a gdy to nie pomogło, wziął żonę w ramiona i rzucił na łóżko. Musiał coś zrobić, żeby wypłukać krwiobieg ze złogów adrenaliny, która wciąż rozrywała mu żyły i za żadne skarby świata nie zamierzała odpuścić.

Nie pamiętał, żeby kiedykolwiek uprawiali seks z takim zaangażowaniem. Mocno. Intensywnie. Momentami nawet brutalnie. Gdy chwycił Annę za włosy, odciągnął głowę i zaczął całować kark – o mało nie wgryzł się w ciało! – przyszło opamiętanie. Coś w niego wstąpiło, coś rozrywało na strzępy zdrowy rozsądek, coś kazało potraktować żonę jak zdobycz, jak istotę przeznaczoną do rozpłodu, ale zdołał nad tym zapanować. Całe szczęście, bo przecież mógłby wyrządzić krzywdę ukochanej, mógłby zrobić ten jeden krok za daleko i... Jasny gwint, naprawdę niewiele brakowało!

Musi nieco odpuścić. Oczywiście chodziło o Malarza. Pochłonięty kwestiami związanymi z wywiadem zaczynał tracić kontakt z rzeczywistością. Liczył się tylko ten przeklęty gwałciciel, nic ponadto. Świetnie, żaden problem, tylko że musi wrzucić na luz, inaczej zaniedba nie tylko siebie – właśnie zdał sobie sprawę, że nie tknął żyletki przynajmniej od trzech dni, jeśli nie od czterech albo... cholera, nie pamięta! – ale również rodzinę. A przecież zamierzali postarać się o dziecko, z tym że aby czerpać satysfakcję z aktu miłości, należy wyczyścić głowę ze zbędnych myśli. A te kłębiły mu się pod czaszką niczym stado węży.

Pierwsza ciszę zdecydowała się przerwać Anna.

– Rozmawiałam z Katarzyną – szepnęła.

– No i?

– Zaprosiłam ją na jutrzejszą kolację. Masz coś przeciwko?

– Nie, skądże.

– Wiesz, ona jest nieszczęśliwa. Nigdy się do tego nie przyzna, ale przede mną może co najwyżej ukryć kubek po herbacie, nie uczucia. Skacze od jednego faceta do drugiego jak znudzony widz po kanałach... I wciąż szuka.

Odetchnął zapachem perfumowanego mydła. Anna po powrocie z biura zawsze najpierw brała gorącą kąpiel, po czym przyrządzała lekką kolację lub po prostu wchodziła do sypialni w szlafroku albo w samej bieliźnie. Czasami żartował, że szkoda zakrywać tak seksowne ciało materiałem, na co reagowała serdecznym, ciepłym śmiechem, takim, który wwiercał się pod czaszkę i uruchamiał obszary mózgu odpowiedzialne za pożądanie.

– Każdy jest kowalem swojego losu – odpowiedział.

Zapadło milczenie pozwalające odpocząć myślom.

– Jest w ciąży.

Pogrążony w letargu, w czymś przypominającym błogostan, musiał wytężyć umysł, żeby zrozumieć, o czym lub o kim mowa. Wsparł się na łokciach, po czym zapytał:

– Co?

Anna westchnęła.

– Zaszła w ciążę z jakimś żonatym facetem.

– No proszę... – powiedział, dając sobie czas na uporządkowanie myśli. Sprawy dotyczące Kaśki powinny pozostać poza kręgiem ich zainteresowań, ale przecież wiedział, że obok kwestii związanych z przyjaciółką żony nigdy nie będzie mógł przejść obojętnie. – My staramy się o dziecko, a ona idzie do łóżka z pierwszym lepszym facetem i... już, tak po prostu.

– Nie oceniaj po pozorach. Wiesz, skąd te poszukiwania? Kiedyś w liceum zadurzyła się w kolesiu od historii. Z wzajemnością, tak przynajmniej sądziła. Widywali się przez jakiś czas, uprawiali seks, a później facet powiedział, że muszą z tym skończyć, bo przecież nie może zostawić rodziny, nie może narażać na szwank kariery nauczyciela. Dupek. Od tamtej pory ona wciąż szuka.

Opadł na łóżko. Zajęty własnymi problemami, spoglądał na cudze, nawet te przypominające rozmiarami wieżowiec, z uśmiechem skrywającym politowanie. Niechciana ciąża. Kogo to obchodzi?

– Co zamierza zrobić? – zapytał nie z ciekawości, lecz z czystej kurtuazji. Jeśli rozmawiał z Anną na temat niewzbudzający w nim ani krztyny zainteresowania, próbował uczynić wszystko, żeby nie czuła się ignorowana.

– Usunąć ciążę.

– Co?

– To co słyszałeś.

Poczuł ukłucie potężnego rozczarowania, może nawet żalu. Usunąć ciążę. Wyskrobać nienarodzone dziecko. Po prostu zabić. Wspomnienia z dzieciństwa opadły na niego jak chmura ciężkiego pyłu, ale zdołał się otrzepać. Nie czas i nie miejsce na roztrząsanie przykrych spraw z przeszłości.

– Życie nie jest sprawiedliwe.

– To zabawne, bo wiesz, powiedziałam jej to samo.

– Nigdy nie pozwoliłbym ci usunąć ciąży. Nigdy, rozumiesz? – Rozmawiali już o tym kilkakrotnie i za każdym razem dochodzili do tego samego wniosku: aborcja jest złem, a zło trzeba zwalczać. Wniosek? Ktoś, kto składa wizytę lekarzowi odpowiedzialnemu za mordowanie nienarodzonych istot, powinien resztę życie spędzić w zakładzie karnym. No dobra, może i przesadzał, bowiem wszystko zależało od okoliczności, ale… Nie, żadne ale nie istniało. – Jak można zabić drugiego człowieka? No powiedz, jak można?

– To nie tak. Rozmawiałyśmy, jest rozbita, choć zachowuje się jak zwykle. To nie jest dla niej łatwa decyzja. Gdyby związała się z odpowiednim mężczyzną, to kto wie…

Zapadła cisza, bo żadne z nich nie zamierzało drążyć tematu. Niech Kaśka rozwiązuje problemy własnymi siłami, tylko, na Boga, niech przynajmniej robi to z głową! Usuwanie ciąży… przecież takie postępowanie podlega pod określony paragraf! Zanucił:

– Nie spodziewałbym się nigdy tego…

Anna przyszła mu w sukurs:

– …po tobie, że będziesz w mej osobie…

– Co zamierzasz przygotować?

– Na jutro? Jeszcze nie wiem, ale coś wymyślę.

Złożyła mu na ustach czuły pocałunek.

Przywarli do siebie, ciało w ciało.

Problemy tego świata przestały istnieć.

9

Mimo stosu papierów zalegających na biurku skończyły dzisiaj o szesnastej z minutami. Anna uznała, że skoro musi zrobić kolację dla trzech osób, to powinna wyjść wcześniej, żeby mieć czas na przygotowania. Poprosiła Janka, żeby poszedł do sklepu po trzy świeże pstrągi, siateczkę cebuli, dwie cytryny, kapustę pekińską, ogórki, pomidory i oliwki. No i białe wino pasujące do ryby jak nic innego. Oczywiście wiedziała, że nie stworzy potrawy, która rzuca na kolana, ale przynajmniej nie postawiła na tradycyjny zestaw kanapek i ciemne piwo.

Siedzieli przy stole w dużym pokoju. Wewnątrz dryfował zapach smażonego pstrąga. Chciała zapalić świece, jednak ostatecznie włączyła lampę. Uznała, że tym razem tworzenie romantycznej atmosfery nie jest najlepszym pomysłem, bo przecież jedli nie we dwoje, lecz w towarzystwie Katarzyny.

Czuła zadowolenie, że przebywa z dwojgiem najważniejszych osób w swoim życiu. I to tych, którzy przy życiu pozostali. Na krótką chwilę wróciła myślami do zmarłych rodziców. Oboje zmarli w sposób naturalny, najpierw matka, a tydzień później, zaraz po pogrzebie, ojciec. Zdumiewająca kolej rzeczy, ale tak po prostu wyszło. Kochany staruszek zawsze powtarzał, że nie wyobraża sobie wegetacji na tym świecie bez małżonki. Gdy to mówił, całował mamę w policzek.

Czasami Bóg wykazuje daleko idące zrozumienie. Tak, czasami…

Katarzyna nadziała na widelec kawałek mięsa.

– Jesteś niezrównana, skarbie. Pychota!

– Dziękuję.

– Nie dziękuj. Zapraszaj mnie częściej. – Zaczęła przeżuwać tak powoli, jakby trzymała w ustach nie rybę, lecz królewskie jadło. Po chwili, gdy popiła winem dojrzewającym w beczkach jednej z mołdawskich winnic, spojrzała na Janka i oznajmiła: – Słyszałam, że zamierzasz przeprowadzić wywiad z seryjnym mordercą. Nie boisz się?

Janek spojrzał na Annę.

– Moja żona nie potrafi dochować żadnej tajemnicy.

Musiała zaprotestować, chociaż w głosie Janka wyczuła tylko żartobliwe ciepło.

– Nieprawda. Na temat naszego pożycia nie puściłam pary z ust.

Katarzyna odstawiła kieliszek.

– A uwierz, kobiety uwielbiają plotkować na tematy zmierzające wprost do łóżka. – Przeczesała dłonią krótkie czarne włosy. Objęła kieliszek palcami, eksponując długie paznokcie pomalowane na czarno. – Wracając do meritum, nie boisz się, tak po prostu? To znaczy… rozmowa z kimś, kto gwałcił i zabijał, musi być naprawdę stresująca.

Anna wstrzymała oddech. Wiedziała, że Janek rozmyślał o Malarzu o każdej porze dnia i nocy i że teraz, gdy siedzieli przy zastawionym stole i gawędzili, chciał zapomnieć. Ale nie, Katarzyna musiała wyjechać z gadką o tym zboczeńcu.

– Tak, jest stresująca, podobnie jak rozmowa z kimś, kto dopiero zamierza zabić.

Katarzyna skrzyżowała ręce na piersiach.

– Nie rozumiem, skarbie.

Rozumiała. Wszyscy rozumieli.

„Janek, co ty wyprawiasz, do ciężkiej, jasnej, ciasnej cholery!?"

– Słyszałem, że zaszłaś w ciążę. I nie wiesz, jak postąpić.

Sprawiał wrażenie opanowanego, ale gdzieś w środku wrzał. Gdy już raz wbił sobie coś do głowy, to nigdy nie odpuszczał. Kiedyś postanowił przemalować sypialnię na kolor orzechowy, choć wiedział, a przynajmniej mógł przypuszczać, że odcień na pograniczu brązu i kawy z mlekiem jest zbyt ciemny, może nawet mroczny. Na nic zdały się prośby, wręcz błagania, zrobił swoje. Efekt? Musiał kupić dwie dodatkowe puszki farby, tym razem seledynowej, i zacząć pracę od nowa.

– Nie powinno mnie to obchodzić, ale skoro już tak sobie miło gawędzimy – ciągnął – to chyba wybaczysz staremu znajomemu odrobinę szorstkości?

Anna postanowiła wziąć sprawy w swoje ręce.

– Janek, przestań, proszę!

Katarzyna rzuciła Jankowi wyzywające spojrzenie. Niedobrze.

– W porządku, niech mówi.

– Świetnie – oznajmił z entuzjazmem w głosie, jakby brnięcie w kłótnię przynosiło mu sporo satysfakcji. – Powiem to tylko raz, bo jesteś inteligentną kobietą i pewne kwestie powinny dotrzeć do ciebie już dawno. Usunięcie ciąży jest zabójstwem. Zwykłym mordem dokonanym na ludzkiej istocie, rozumiesz?

„Dlaczego? Dlaczego? Dlaczego?" Anna nie miała pojęcia, czemu nastroszył się jak jeżozwierz. Poglądy Katarzyny nie powinny nikogo obchodzić, zwłaszcza na tak delikatne tematy, których rozkładanie na czynniki pierwsze mogło zniszczyć fundamenty ich przyjaźni.

Katarzyna parsknęła sztucznym śmiechem.

– Wierzysz w to, co mówisz? – zapytała, wlepiając wzrok w Janka.

Róż na policzkach maskował wypieki, ale drgająca dolna warga i pioruny sypiące się z oczu stanowiły dostateczne świadectwo targających nią emocji.

– Oczywiście. Bez względu na to, czy zarodek tkwi w tobie od tygodnia, od miesiąca czy od pół roku, jest człowiekiem. Człowiekiem, rozumiesz, czy muszę przeliterować? A ktoś, kto poddaje się aborcji, jest mordercą.

– Po pierwsze, jeszcze nie podjęłam decyzji. Po drugie, zanim zaczniesz pouczać, pomyśl, co czuje i myśli inny człowiek. Po trzecie, życie to nie czerń i biel. Po czwarte, nie wchodź z buciorami w moje życie, dobrze, skarbie?

– Nie podjęłaś decyzji, w porządku, ale..

– Nie podjęłam, a jeśli nawet podejmę – powiedziała, podnosząc głos – to ciebie w ogóle nie powinno to obchodzić. Popełniłam błąd, wiem o tym, ale nie cofnę czasu, choćbym bardzo tego chciała. Rozumiesz czy może nie ogarniasz tej kwestii swoim małym rozumem?

– Za błędy się płaci – odparł zupełnie niewzruszony, przynajmniej na pierwszy rzut oka. Sprawiał takie wrażenie, jakby przed momentem wypił herbatę zaparzoną z trzech torebek melisy.

– Jeśli przyjdzie mi zapłacić, to ze swojej kieszeni.

Anna poczuła się tak, jakby siedziała w pierwszym rzędzie przy ringu i obserwowała krwawą bijatykę. Nie mogła już patrzeć, jak wymieniają kąśliwe uwagi. Oszaleli? Najwyraźniej. „Przestańcie, do diabła!"

– Dajcie spokój – powiedziała. – To nie jest tego warte.

Janek przygwoździł Katarzynę wzrokiem.

– Kiedy zamierzasz to zrobić?

Lewy sierpowy.

– Chcesz mi w tym pomóc, skarbie?

Prawy hak.

– Sądzę, że na jakąkolwiek pomoc jest już za późno.

Podbródkowy.

– Mówisz o sobie?

Kombinacja prostych.

– Rozmowa z morderczynią nie sprawia mi przyjemności.

Anna nie wytrzymała. Zerwała się na równe nogi, oparła dłonie na blacie stołu. Sprawiała wrażenie nie rozjemcy orzekającego w delikatnej sprawie, lecz kata, który przybył na rynek dokonać krwawej egzekucji.

– Janek, do diabła! – ryknęła na całe gardło.

Musiała tak postąpić, po prostu musiała, choć nie pamiętała, kiedy ostatni raz w ogóle krzyczała. Zaprosiła Katarzynę na kolację, tymczasem tych dwoje skoczyło sobie do gardeł niczym wygłodniałe dobermany.

Katarzyna sięgnęła po papierosa. Włożyła go do ust, ale nie zapaliła. Wiedziała, że Anna nie pozwala na puszczanie dymka w mieszkaniu, i mimo że wrzał w niej gniew, a adrenalina rozrywała żyły, nie zrobiła kroku dalej. Przynajmniej jeszcze nie.

– Myślałam, że lubisz takie klimaty – zagadnęła. – Gwałty, zabójstwa, ćwiartowanie zwłok, może nawet nekrofilia. Staje ci, gdy o tym myślisz? A może sam nieco praktykujesz na boku? Nam możesz powiedzieć, jesteś wśród swoich.

Anna sądziła, że Janek wybuchnie, a strumień złości zaleje wszystko dookoła, ale nie. Siedział na miejscu nieporuszony, jakby słowa Katarzyny nie robiły na nim najmniejszego wrażenia...

– Ktoś, kto pieprzy się po kątach z kim popadnie, powinien ponosić konsekwencje swoich czynów. Jednak ty wolisz schować łepetynę w piasek, bo tak jest wygodniej, prawda? Zamiast urodzić i wychować to dziecko, wolisz je zabić. Nie jesteś warta więcej niż ten skurwysyn siedzący za trzynaście morderstw.

– Jesteś głuchy? A może nie umyłeś uszu? Powiedziałam, że jeszcze nie podjęłam decyzji! Zresztą, jesteś ostatnią osobą, której powinnam się tłumaczyć.

Wzruszył ramionami.

„Co się z nim dzieje, do diabła".

– Najpierw pieprzyłaś się dla własnej przyjemności, a teraz...

– Przyjemności, której ty nigdy nie zaznałeś, co?

Albo raczej, co się z nimi dzieje, bo agresja Katarzyny również wykraczała poza wszelkie normy. Tak Bogiem a prawdą, to Anna pierwszy raz w życiu widziała, jak przyjaciółka nie potrafi zapanować nad emocjami. W porządku, pewnie nigdy nie dostała szóstki z zachowania, ale żeby od razu bronić swojego stanowiska z zajadłością rozwścieczonego psa?

– Przestańcie! Przestańcie w tej chwili!

Katarzyna chwyciła torebkę.

– Przepraszam, skarbie, ale skoro padłam ofiarą bezpodstawnego ataku, to muszę się jakoś bronić, nie sądzisz? – powiedziała już nieco bardziej opanowana, choć z maskowania emocji nie mogłaby uczynić drugiego źródła dochodu. – Jestem u was gościem i, do diabła, nie pozwolę, żeby twój mąż robił ze mnie szmatę!

– Jeżeli ktoś robi z ciebie szmatę – skontrował Janek – to tylko ty sama.

– Słyszysz? Miałaś rację, nie jest ideałem. Dzięki za kolację.

Ruszyła w kierunku drzwi.

– Katarzyna, zaczekaj! – zawołała Anna.

Katarzyna nie zareagowała. W przedpokoju włożyła płaszcz, wzuła buty, po czym sięgnęła po zapalniczkę, którą ledwo utrzymała w drżących dłoniach. Spojrzała w oczy Annie, pokręciła głową i zapytała:

– Na co? Na co, do diabła, mam zaczekać?

Anna nie odpowiedziała. Chciała wyrzucić z siebie jakiś banał, coś w stylu: „Nie zjadłaś ryby" albo: „Porozmawiajmy jak cywilizowani ludzie", ale przypuszczała, że namawianie przyjaciółki do pozostania na terytorium wroga – „Tak, Janek, jesteś jej wrogiem" – jest pozbawione sensu. Lepiej pozwolić, żeby emocje opadły, dopiero później można sięgnąć po dyplomację.

Katarzyna wyszła, zamykając za sobą drzwi.

Po powrocie do salonu Anna usiadła przy stole, po czym wypiła duszkiem cały kieliszek wina. Po chwili nalała kolejny, znowu opróżniła i wbiła spojrzenie w Janka, który patrzył gdzieś w okno, sprawiając wrażenie nieobecnego duchem.

– Co w ciebie wstąpiło?

Wzruszył ramionami.

– O co chodziło z tym ideałem? – spytał.

„Nie spodziewałbym się tego po tobie"...

10

Siedział przed komputerem z gorącą kawą i tabliczką gorzkiej czekolady. Tym razem nie przeglądał sieci, lecz usiłował napisać wstęp do artykułu... albo do książki. Próbował nie myśleć o kłótni z Kaśką, w zasadzie starał się wymieść spod czaszki wszystko prócz informacji zebranych o Malarzu. Jeśli chce odnieść sukces, jeżeli pragnie zasilić konto przyjemną sumką, to musi zwierać poślady i zapieprzać. Bez determinacji i wiary we własne siły ani rusz. Tu zaczynały się schody.

O ile wcześniej nie dopuszczał do siebie żadnych wątpliwości, o tyle teraz, po wizycie w zakładzie karnym, zaczynał odczuwać coś na kształt dziwnego psychicznego dyskomfortu. Atmosfera więzienia przytłaczała tak bardzo... wyciskała z człowieka wszystkie soki, wyżymała z energii psychicznej niczym wprawne ręce praczki. Wciąż miał przed oczyma pozbawione życia wnętrze, nadal widział surowe ściany, czuł atmosferę przesiąkniętą złem. Czy wytrzyma starcie z psychopatycznym mordercą, z kimś, kto o uczuciach czytał wyłącznie w czasopismach? Oto pytanie, na które jeszcze tydzień temu – a nawet jeszcze wczoraj! – chciał poznać odpowiedź, a dzisiaj... cóż, dzisiaj najchętniej przyłożyłby głowę do poduszki i odpłynął w niebyt.

Zmęczony, pozbawiony sił witalnych, a nawet chęci do normalnej ludzkiej egzystencji, wypił kilka łyków kawy. O dziwo, kofeina nie dawała żadnych efektów, wprost przeciwnie, po opróżnieniu kubka nadal dryfował na granicy umysłowego otępienia. Co się z nim dzieje, do diabła?

Dzwonek telefonu. Nachalny, wiercący dziurę w uszach.

Spojrzał na zegarek. Południe z małym okładem. Trzy kwadranse wycięte z życiorysu. Drzemka? Najwyraźniej. Potrzebował odpoczynku, to już ustalił, jednak nie mógł sobie pozwolić ani na chwilę przerwy. Praca, praca i jeszcze raz praca. Osiągnięcie celu wymaga wielu poświęceń, głównie tych związanych z potrzebami ciała. Jesteś gotowy podjąć wyzwanie? Jesteś gotowy na wkroczenie do krainy zarezerwowanej dla psychopatów różnej maści?

Spojrzał na wyświetlacz komórki. Heniek.

Cholera!

Wątpliwości, nic, tylko one.

Przyłożył telefon do ucha.

– Cześć.

Po drugiej stronie linii wybrzmiał niski, tubalny głos:

– Cześć. Pchnąłeś nasz temat do przodu?

– Nasz temat?

– No… kurna, nasz, myślałem, że działamy razem.

Z Heńkiem złapał kontakt jakiś czas temu, kiedy pisał artykuły do „Niesamowitych Historii". Uczciwy, pracowity, skrupulatny naczelny czasopisma miał tylko jedną, ale za to zasadniczą, wadę. Mianowicie, kiedy wbił coś sobie do tej wielkiej głowy, to szedł do celu z gracją warczącego buldożera. Kiedy po raz pierwszy usłyszał o planach Janka, uznał, że to najlepszy pomysł od czasu wynalezienia koła.

– Nie siedzieliśmy, nie siedzimy i nie będziemy siedzieć w tym razem, jasne? – zapytał Janek i zrobił krótką przerwę na kilka łyków kawy. Telefon od znajomego sprawił, że znużenie odeszło, przynajmniej na chwilę, zastąpione przez gotowość do podjęcia akcji. – Siedzę w tym sam, od początku do końca, a ty kolejny raz dzwonisz i mnie naciskasz.

– Naciskam? Kurna, wolne żarty! Chcę tylko, żebyś zarobił trochę grosza, to po pierwsze. A po drugie, dzięki mnie masz szansę wypłynąć na szerokie wody. Tego pragnąłeś, prawda? Oświeć mnie, jeśli było inaczej. Artykuł...

– Kontaktowałeś się z wydawcami?

Heniek westchnął. W wyobraźni Janek zobaczył, jak wielkie zwały tłuszczu przyklejone do niemal monstrualnego korpusu falują w rytm każdego, nawet nieznacznego, ruchu. Prawdziwy wieloryb.

– Z jednym.

– I co?

– Lepiej powiedz, co masz – powiedział ze zniecierpliwieniem w głosie.

– Rozmawiałem z nim. Przez telefon.

– Kurna, że co?

Janek wyszczerzył zęby w uśmiechu. Trafiony, zatopiony!

– To, co słyszysz.

– Jaki on jest? – zapytał podniecony Heniek.

– Stuknięty.

– Powiedz mi coś, czego nie wiem.

– Nie rozmawiałem z nim zbyt długo, to znaczy... jakiś kwadrans. Trudno określić. Facet jest zimny jak biegun. Nie wyciągnąłem od niego zbyt wiele. Szczerze mówiąc, prawie nic.

Heniek zarechotał niczym dorodna żaba. Ciągi śmiechu, w które wpadał, mogły trwać prawie w nieskończoność i zdarzało się, że jego rozmówca zdążył w tym czasie skorzystać z toalety, zaparzyć herbatę lub po prostu uciąć sobie krótką drzemkę. Tym razem opanowanie przyszło na tyle szybko, że Janek zdołał tylko opróżnić kubek.

– A co myślałeś – powiedział, zapewne wycierając łzy spływające po policzkach – że sprzedasz mu kilka miłych słów, a facet otworzy się przed tobą jak puszka sardynek? Kurna, podejdź drania, użyj jakiegoś fortelu, nie wiem, może...

– Jest mały problem.

– Jaki?

– Zaczynam mieć wątpliwości.

Kiedy szedł korytarzami więzienia, czuł się tak, jakby zmierzał na własną egzekucję. Nawet teraz, gdy o tym pomyślał, rozpiął ostatni guzik flanelowej koszuli. Duszno, bardzo duszno. „Dajcie tu więcej tlenu! Na co czekacie, do diabła!?"

– Jak to, zaczynasz mieć wątpliwości? Jak to, kurna chata, zaczynasz mieć wątpliwości!? Przecież bez twojego zaangażowania, bez pasji, bez wiary... bez tego wszystkiego ani rusz! Błagam, nie mów mi, że masz jakieś wątpliwości w momencie, kiedy nawiązałeś kontakt z tym psychopatą! Nie, teraz nie możesz mieć żadnych wątpliwości, rozumiesz?

– No...

– Przez ciebie znowu jesteśmy w czarnej dupie!

– Jesteśmy?

– Tak, kurna, jesteśmy. Obaj!

– Pracuję nad tym – oznajmił Janek, zresztą zgodnie z prawdą.

Chciał poznać motywacje seryjnego mordercy, pragnął prześwietlać osobowość psychopatycznego zabójcy centymetr po centymetrze, dzień po dniu, aż do momentu, w którym zbierze wystarczającą ilość informacji, żeby napisać książkę. Ale dzisiaj, znużony, wyczerpany, marzył tylko o odpoczynku, długim, nieprzerwanym, ładującym baterie po same brzegi.

– Kurna, słyszysz sam siebie? Pracuje nad tym! On nad tym pracuje!

– Co z wydawcą?

– Pytasz o wydawcę, a tkwisz w czarnej dupie? Litości!

Zjadł dwie kostki gorzkiej czekolady. Poszedł do kuchni z telefonem przy uchu, napełnił kubek kawą, po czym wrócił przed komputer. Artykuł nie przyniesie mu ani rozgłosu, ani zadowolenia, teraz już to wiedział. Książka. Tylko jeśli napisze dwieście, trzysta stron, może osiągnąć sukces. Wyrobić sobie nazwisko, zgarnąć trochę grosza, zapewnić im przyszłość.

– To tkwię w tym solo czy tkwimy obaj, bo sam już nie wiem.

Westchnienie.

– Gdybym nie był ci dłużny…

Swego czasu Janek napisał cykl artykułów o największych zwyrodnialcach w historii ludzkości. Gwałciciele, seryjni mordercy, nekrofile, pedofile. Jednym słowem, śmietanka psychopatów, tacy, którzy przyszli na świat bez genów odpowiedzialnych za empatię. Lekkie pióro autora i chwytliwy temat sprawiły, że na propozycję opublikowania tekstów odpowiedziało kilku naczelnych, w tym Heniek. A że szef „Niesamowitych Historii" nie trzymał w ręku przekonujących argumentów finansowych, musiał się uciec do obietnic innego rodzaju. „Jeśli zechcesz napisać książkę – powiedział – wal do mnie jak w dym, zorganizujemy coś wspólnymi siłami". „W porządku, przyjacielu, właśnie przychodzę po spłatę długu!"

– Ale jesteś – odparł.

– Tak, kurna, to mój największy życiowy problem.

– To chyba jesteś szczęśliwym człowiekiem.

– Mam jeszcze jeden. Z wydawcą.

– To znaczy?

– Cóż, jak już mówiłem, rozmawiałem z moim znajomym. Facet jest poważnym graczem, możesz mi wierzyć, i jeśli zaczyna angażować się w jakiś projekt, to całym sercem i całą duszą.

– Brzmi świetnie.

– Tak, kurna, tylko że wymaga od autora poświęcenia. A ty wyjeżdżasz mi z tekstem, że tracisz motywację... czy też, że masz wątpliwości. Człowieku, jeśli mu o tym powiem, to nici z umowy!

Janek wstał, rozprostował kości i łyknął odrobinę kawy. Odstawił kubek na stolik, zjadł kolejną porcję czekolady, po czym powiedział:

– Umów mnie z nim.

– Zwariowałeś – rzekł Heniek z niepewnością w głosie.

– Przez grzeczność nie zaprzeczę.

Zapadło milczenie, wypełnione skrzypieniem trybów pracujących w mózgu. Janek myślał o spotkaniu z mordercą, o tym, jakim tonem mówić, czy postawić na naturalność, czy też odegrać jedną z wcześniej ustalonych ról, ba, nawet o tym, co na siebie włożyć. A Heniek... cóż, któż to może wiedzieć?

– W porządku, zadzwonię do niego – powiedział Heniek.

– Świetnie. Czekam na odpowiedź.

*

Obiekcje pozostały, w tej materii nic nie uległo zmianie, jednak Janek czuł, że rozmowa z kimś naprawdę ważnym, z kimś, kto jest w stanie zagwarantować mu konkretną umowę – oczyma duszy zobaczył sporą zaliczkę za napisanie książki – rozwieje wszelkie wątpliwości. Nic tak nie motywuje człowieka jak wizja szybko odniesionego sukcesu i wagonu forsy.

Skorzystał z toalety i wykonał kilka podciągnięć na drążku przymocowanym do futryny łazienki. Forma może i nie leciała w dół na łeb na szyję, ale na pewno spadała. Nic dziwnego, przecież ostatnimi czasy skupiał uwagę na artykule, książce… no, na szeroko pojętej karierze, nie na kondycji fizycznej. Nic straconego, jeszcze wszystko można nadrobić. Jak tylko stanie się znanym i szanowanym obywatelem, to kupi wiadro odżywki białkowej i rozpocznie pracę nad sylwetką. Nie wyglądał źle... chociaż z dnia na dzień coraz gorzej. A wszystko przez stres, zmęczenie, brak snu i wieczną pogoń za spełnieniem marzeń. Cóż, nikt nie obiecywał, że będzie łatwo.

Telefon zadzwonił w momencie, gdy przygotowywał szybki posiłek. Wydawca.

Tak, spotka się z nim jutro.

Tak, chce pogadać w cztery oczy.

Tak, przygotowuje umowę.

Samo południe, restauracja BraxTon.

Janek odłożył słuchawkę. Dopiero teraz zdał sobie sprawę, że miele w ustach brudną marchew, którą miał obrać na sałatkę. Splunął do zlewu. Odkręcił kran, po czym przemył twarz. Kiedy wycierał ręce, zastanawiał się, jakiej kwoty zażądać na poczet honorarium. Trzydzieści tysięcy? Pięćdziesiąt? Siedemdziesiąt z okładem? A może od razu okrągłą stówę?

„Hej, kolego – pomyślał – pazerność nie jest cnotą".

Parsknął śmiechem.

„E tam, jak szaleć, to szaleć".

11

Siedziała w biurze od piątej rano, wlepiając wzrok w monitor. Wypiła cztery duże kawy, zjadła trzy pączki i odwiedziła toaletę niezliczoną ilość razy. A wszystko po to, żeby na koniec miesiąca na koncie bankowym nie widniał debet. Do ciężkiej, jasnej, ciasnej cholery, zaczynała żałować, że nie została w magistracie, gdzie pensja spływała do kieszeni z godną podziwu regularnością, a dodatek stanowiły trzynastki, wczasy pod gruszą, bony z okazji świąt i tym podobne bzdury.

„Nie – upomniała się w myślach – lepiej umrzeć, niż wrócić na stare śmieci". Może i musiała walczyć o każdą złotówkę, może i goniła za zleceniami, może i obrzucała przekleństwami niesolidnych zleceniodawców (chociaż akurat w tym prym wiodła Katarzyna), ale przynajmniej robiła to, o czym marzyła od wielu lat – pracowała na siebie, bez ostrza gilotyny wiszącego nad głową, bez wysłuchiwania pretensji jakiegoś dupka w garniturze, noszącego na piersi plakietkę z napisem „KIEROWNIK". Lepiej ledwo wiązać koniec z końcem niż udawać, że pada deszcz, kiedy ktoś pluje ci w twarz.

Westchnęła. Spojrzała na zegarek. Dochodziła siedemnasta. Dzień zaczynał ustępować nocy. Potrząsnęła głową, jakby chciała opróżnić umysł z niechcianych myśli, tych związanych z samotnym powrotem do domu. Oczywiście mogła pójść nie przez park, lecz przez miasto, ale doszła do wniosku, że musi stawić czoło wyimaginowanym lękom. Zarośla skrywają wyłącznie... nie, one nie skrywają niczego, bo w tym przeklętym parku nigdy nie widziała żadnego zwierzęcia, ani wiewiórek, ani myszy, ani zajęcy, ani... Tylko ptaki. Jeśli nie weźmie się w garść i nie odepchnie od siebie strachu, to prędzej czy później zejdzie na zawał lub wyląduje w pokoju bez klamek.

– Chcesz tego, skarbie? – zapytała, naśladując sposób mówienia Katarzyny, po czym wybuchła głośnym, ale nieco wymuszonym śmiechem.

Każdy sposób na wypłukanie z krwiobiegu pokładów stresu jest dobry, a przecież ona potrzebowała rozluźnienia, nawet naznaczonego sztucznością. Strzeli jeszcze jedną kawę, posłucha muzyki, oczywiście wszystko z nosem wetkniętym w papiery, po czym wróci do domu (przez park, skarbie, przez park), położy głowę na poduszkę i uśnie twardym, głębokim snem. Proste, czyż nie?

Wyrwana z rozmyślań przez dzwonek telefonu, wzięła do ręki komórkę. Katarzyna. Przyjaciółka nie przyszła dzisiaj do pracy, dlatego Anna wysnuła oczywisty wniosek, że pojechała do kliniki czy też do gabinetu jakiegoś szarlatana, żeby usunąć ciążę. Wahała się, oczywiście, ale obie zdawały sobie sprawę z tego, że nie urodzi dziecka, bo przecież przespała się z żonatym facetem, który ani myślał porzucać dla niej rodziny. Cóż mogła zrobić? Odwiedzić gabinet ginekologiczny. Tak, świetnie, z tym że pewnie dostanie trzy dni chorobowego, może tydzień, zatem to na Annę spadnie konieczność odwalenia całej brudnej roboty. Życie nie jest sprawiedliwe, o nie... Chyba już gdzieś to słyszała, prawda?

Odebrała.

– Chcesz przeprosić za wczorajsze zachowanie? – zapytała z przyganą w głosie, choć obie wiedziały, że bardziej wciela się w rolę groźnej przełożonej, niż jest nią w istocie. W gruncie rzeczy za zepsucie atmosfery na kolacji obwiniała zarówno przyjaciółkę, jak i męża, rzecz jasna po równo.

– Musimy do tego wracać, skarbie?

Anna westchnęła nieco zbyt teatralnie.

– Skoro nie chcesz…

– Czekam na zabieg – oznajmiła Katarzyna drżącym, nieswoim głosem.

Zazwyczaj pewność siebie niemal parowała jej uszami, teraz po kablach płynął może nie lęk, ale przynajmniej stres. Aborcja nawet dla kobiety tak silnej jak Katarzyna jest traumatycznym przeżyciem.

„Masz, czego chciałaś", pomyślała Anna i przez moment miała wrażenie, że te słowa opuściły próg warg… ale nie, zdążyła powściągnąć zapędy nieposłusznego języka.

– Siedzę w palarni… Wiesz, że urządzili w tym przeklętym gabinecie całkiem przyjemną palarnię? Ćmię fajkę za fajką… wypaliłam już chyba ze sześć… i czekam na zabieg. Oszaleć można!

– Więc jednak się zdecydowałaś…

– Tak… to znaczy, wiesz… nadal nie jestem pewna, czy robię dobrze, ale nie wyobrażam sobie wychowywania dziecka samotnie… wiesz, że podporządkuję mu całą przyszłość – powiedziała Katarzyna półszeptem, jakby struny głosowe zaczynały odmawiać jej posłuszeństwa. – Gdybym trafiła na odpowiedniego faceta… Dlaczego życie jest takie trudne?

Anna nie odpowiedziała. O tak, życie jest trudne, tylko czy mogą coś na to poradzić?

– Czemu nie zadzwoniłaś wcześniej? – zapytała.

– Załatwiałam wszystkie sprawy. No i ten cholerny

stres. Trzeba było łykać pigułki lub kazać temu draniowi nałożyć gumę. Jest dupkiem...

– Ojciec dziecka?

– Nie, twój mężulek, ale mimo to od czasu do czasu trafia w punkt.

– Jeszcze niedawno chciałaś mu wskoczyć do łóżka, a teraz...

– Teraz nadal chcę.

Cała Katarzyna.

– Przepraszam za niego – powiedziała Anna, choć Bogiem a prawdą to oni powinni przeprosić. Zepsuli kolację, zniszczyli miłą atmosferę, a wszystko przez głupią wymianę jeszcze głupszych poglądów. W porządku, może i trzymała stronę Janka, może i nigdy nie usunęłaby ciąży, ale też przenigdy nie wchodziłaby w ubłoconych buciorach w życie drugiej osoby, szczególnie przyjaciółki.

„Janek, draniu, co w ciebie wstąpiło?"

– Nie przepraszaj. Też mam sporo za uszami.

– Potrzebujesz gąbki i mydła?

– Dzięki, ale wolę pumeks.

– Jak samopoczucie?

– Bywało lepiej.

– Tylko tyle?

– A co, chcesz usłyszeć, że nerwy skręcają mi wnętrzności? – Katarzyna westchnęła. – Najchętniej dałabym nogę, ale... chyba nie mam wyboru, muszę usunąć ciążę. Nie spałam całą noc, sporo o tym myślałam i szczerze mówiąc, rozpada mi się już głowa.

Zawsze sprawiała wrażenie twardej sztuki, lecz w niektórych sytuacjach człowiek pęka, a z wcześniejszej pewności siebie nie pozostaje dosłownie nic. O tak, życie jest trudne, ale czy ktoś obiecywał, że będzie inaczej?

– Trzymasz się jakoś?

– Sądziłam, że przetoczę się przez ten gabinet, wrócę do domu i zapomnę, ale to nie jest takie łatwe. Mogłabym urodzić to dziecko, wiesz, chyba zaczynam być na to gotowa… a może wcale nie. Do diabła z tym!

„Trzeba było o tym myśleć wcześniej. Najlepiej wtedy, gdy kotłowałaś się w pościeli z… tym gościem".

– Jestem z tobą – oznajmiła Anna.

Rzuciła okiem za okno. Mrok. Każdy ucieka przed własnymi demonami…

Katarzyna zakaszlała.

– Dzięki.

– Zadzwoń, jak będzie po wszystkim.

– Jak już będzie po wszystkim, skarbie – powiedziała Katarzyna z większą pewnością w głosie – to opróżnię butelkę whisky i nie znajdę telefonu przez kilka najbliższych dni. A może i przez tydzień. Cześć.

Anna siedziała w biurze jeszcze kilka godzin, popijając zimną kawę. Jak tak dalej pójdzie, to zejdzie na zawał lub nadciśnienie, ale szczerze mówiąc, nie przejmowała się tym. Kiedyś każdy musi umrzeć, czyż nie? Tak, ale… chyba powinna powalczyć z wszelkimi nawykami, szczególnie niekorzystnymi dla zdrowia, zwłaszcza że pragnęła dziecka. Kofeina, cukier, gluten, przemęczenie, stres. Zabójcza kombinacja. Jeśli naprawdę zamierza zajść w ciążę, musi rzucić to wszystko w diabły i odpocząć. Świetna myśl, tylko że Janek zarabiał nieregularnie, zaś ona ślęczała przed komputerem po dwanaście godzin na dobę.

Zamiast stawić czoło własnym lękom (czy to rzeczywiście najlepsza metoda walki z wyimaginowanymi demonami?), postanowiła poszukać pomocy specjalisty. Przez ostatnie tygodnie usiłowała działać na własną rękę, lecz nie przyniosło to oczekiwanych rezultatów. Fobia narastała i narastała z każdym upływającym dniem, jak gdyby umysł nie przyjmował do wiadomości żadnych racjonalnych argumentów. Z jednej strony park, ciemność, teren odgrodzony od cywilizacji ścianą wysokich drzew, z drugiej ścisłe centrum, bliskość najbardziej ruchliwej ulicy miasta, ciąg jasno świecących latarni. Skąd obawy, skąd lęki, skąd wręcz niezachwiana pewność, że gęsty mrok skrywa psychopatę?

Zaczęła przeglądać sieć. Szukała psychologa. Nazwiska. Wiele nazwisk, żadnych skojarzeń. Chciała wybrać najlepszego fachowca, ale gdy tylko użyła w myślach tego określenia („Najlepszy fachowiec od ponownego skręcania wyprostowanych zwojów mózgowych! Jezu, jak to brzmi!"), opadły ją wątpliwości. Ona, silna kobieta sukcesu... „Dobra, dobra, chyba przesadzasz..." Wygięła usta w uśmiechu. A więc ona, kobieta, która postanowiła samodzielnie pokierować swoją karierą, szuka pomocy u kogoś, kto czerpie korzyści materialne z wysłuchiwania zwierzeń innych, głównie tych słabych, niemających za grosz pewności siebie. Czy naprawdę nie jest w stanie poradzić sobie bez pomocy z zewnątrz? Czy musi wcielić się w rolę biernego pacjenta tylko po to, żeby wyczyścić umysł z zalegających tam brudów?

Wybrała pierwszy lepszy numer telefonu. Sięgnęła po komórkę. Wciąż niezdecydowana, nadal niepewna tego, czy postępuje rozsądnie, położyła kciuk na klawiaturze, jednak nie wykonała żadnego ruchu. Kozetka w gabinecie lekarskim, cicha, relaksująca muzyka, opuszczone rolety w oknach, miękki głos terapeuty i... sto złotych za pojedynczy seans. Biedna zakompleksiona dziewczynka tkwiąca w szambie paranoi. „Tym właśnie jesteś", powiedziała do siebie w duchu, po czym pokręciła głową. Nie powinna tak myśleć, ale...

Wstała, rozprostowała kości i kiedy znowu usiadła, wzięła telefon do ręki i wystukała numer. Stefania Kwiecień. Brzmi całkiem nieźle. Czekała dłuższą chwilę, oczyma wyobraźni widząc siebie leżącą na kanapie w niewielkim, przytulnym pomieszczeniu. W powietrzu unosi się przyjemna woń kadzidła, a pauzy w spowiedzi wypełnia ciepły głos pani psycholog. Jeśli tak wyglądają prawdziwe sesje, to czemu nie?

Po kilku sekundach uzyskała połączenie.

Stefania Kwiecień. Całkiem miła babka.

Zarezerwowała najbliższy wolny termin.

Jutro zaraz po pracy.

12

W restauracji królował zapach smażonego mięsa, jednak mimo pierwszych oznak głodu Janek zamówił wyłącznie kawę. Po pierwsze, z otwarciem karty dań postanowił zaczekać na wydawcę… kultura, etykieta i te sprawy. A po drugie, miał wątpliwości, czy w tym stanie, w stanie permanentnego stresu, przełknie chociażby kęs. „Skaranie boskie z tym światem", pomyślał. Gdyby wiedział, ile wysiłku kosztuje spłodzenie kilku stronic opowieści o seryjnym mordercy, pewnie cisnąłby to w diabły. A tak…

„Kości zostały rzucone, przyjacielu. Tak, na to wygląda".

Książka. Pisarz. Tłum fanów na spotkaniach autorskich, mnóstwo rozdanych autografów, prelekcje, kto wie, może nawet nagrody i – co chyba oczywiste – cała fura szmalu. Widok korzyści płynących z napisania biografii wyrafinowanego zabójcy przysłaniał wszelkie wątpliwości… ale tylko na moment, bo przecież nie podpisał żadnego papierka, ba, nawet nie rozmówił się z wydawcą. Marzenia swoją drogą, życie swoją. Ktoś, kto siedzi w branży po same uszy, nie zaoferuje debiutantowi wielkich pieniędzy. Teraz, gdy myślał o tym na poważnie, brał to za pewnik, tym bardziej że Malarz tonął w odmętach zapomnienia.

„Nie – pomyślał – seryjni mordercy zawsze przyciągają uwagę dziennikarzy, adwokatów, prokuratorów, gawiedzi… wszystkich". Wprawdzie sukinsyn tkwi za kratami od dekady i zainteresowanie jego obrzydliwymi zbrodniami przygasło niczym zduszony płomień, ale wystarczy odrobina tlenu, jeden mały podmuch świeżego powietrza, żeby ogień buchnął w górę ze zdwojoną siłą. Jak tego dokonać? Jak rozniecić prawdziwy pożar? Napisać coś, co rzuci na kolana, coś, co pobudzi wyobraźnię, coś, co wyrwie Antoniego Filipa Grzędę z medialnego niebytu.

„Więc na co czekasz, przyjacielu? Do dzieła!"

Upił mały łyk kawy. Nie tak prędko, wszystkie posunięcia wymagają dokładnego planowania i zachęty finansowej, bez której trudno złapać za pióro. Rozmowa z Heńkiem sprawiła, że poczuł napływ umiarkowanego optymizmu, ale teraz… cóż, teraz wszystko zależało od wydawcy. Jeśli facet zaproponuje mu dobre warunki, to podpisze umowę bez mrugnięcia okiem, przytuli zaliczkę, po czym wyskoczy z żoną do sklepu na solidne zakupy.

Spotkanie w cztery oczy. Poważny gracz na rynku. Brzmi naprawdę groźnie, ale i ekscytująco. Mimo że temperatura w restauracji nie przekraczała dwudziestu stopni, musiał wyjąć z kieszeni chusteczkę, żeby przetrzeć czoło. Ile może dostać na początek? Dziesięć, piętnaście tysięcy? A może nie powinien zawracać sobie tym głowy? Kasa nie jest w życiu najważniejsza, choć bez niej ani rusz. Grunt to wyrobić sobie nazwisko, zakotwiczyć na stałe w jakiejś prężnie działającej firmie wydawniczej i pisać, pisać, pisać. Reszta przyjdzie sama.

Obrzucił spojrzeniem ściany niewielkiej sali. Goła cegła, mająca nadać temu miejscu indywidualny rys. Płaskorzeźby przedstawiające ludzi z aureolami. Sklepienie w kształcie wielu symetrycznych kopuł. W przejściach łuki pokryte freskami... Średniowiecze, barok, renesans, szczerze mówiąc, nigdy nie interesował się architekturą. Piwnice lokalu tworzyły sieć wąskich pomieszczeń, w których umieszczono po kilka stolików – idealne miejsce do prowadzenia rozmów, zwłaszcza tych o charakterze biznesowym. Pytanie, czy facet przyjedzie do miasta po to, żeby ustalić warunki współpracy, czy raczej wystąpi z pozycji siły.

Kiedy z głośników podwieszonych pod sufitem wypłynęły pierwsze słowa jakiejś rockowej ballady, po schodach zszedł niski mężczyzna w garniturze. Gabaryty jak u czołgisty – im węższy w barach, tym lepszy. Przystanął przy stojaku z halabardą, potoczył wzrokiem po sali, po czym bez wahania ruszył w kierunku stolika, przy którym siedział Janek. Pewny, sprężysty krok, jak u kogoś, kto przeświadczenie o własnej wartości spijał litrami z matczynej piersi. Krawat, fioletowa koszula i pantofle wypastowane tak, jakby przed momentem wpadły do kubła z oliwą. W ręku skórzana teczka, nic specjalnego, przynajmniej na pierwszy rzut oka... na drugi również, ale czy Janek miał jakieś pojęcie o ekskluzywnych przedmiotach?

No właśnie.

Facet stanął przy krześle z wysokim oparciem i zapytał niskim, ochrypłym głosem pasującym do wokalisty zespołu metalowego, nie do człowieka interesu, czołowego wydawcy w kraju:

– Pan Kowalski?

Janek skinął głową.

– Tak.

– Witam, moje nazwisko Witek.

Wydawca wyciągnął rękę. Miał zdecydowany, mocny uścisk, zapewne ćwiczony podczas setek takich spotkań. Niedbałym ruchem wskazał siedzisko krzesła.

– Mogę?

– Tak, tak, proszę.

Położył teczkę na kolanach, zabębnił o nią palcami. Sprawiał wrażenie zniecierpliwionego. Kolejne spotkanie za kwadrans? A może na zewnątrz zostawił kogoś – na przykład kochankę – komu obiecał, że załatwi sprawę bez zbędnej zwłoki?

– Nie mam zbyt wiele czasu – oznajmił Witek, a raczej Konus, nie przestając bębnić palcami o teczkę. – Dlatego od razu przejdę do rzeczy. Jestem właścicielem wydawnictwa i... jestem zainteresowany pańską książką. Rynek zalewa masa kiepskiej literatury grozy, lecz wywiad z seryjnym mordercą to jest naprawdę coś. Słyszałem, że nawiązał pan z nim kontakt.

– Tak, ale tylko przez telefon.

Facet nawet nie spojrzał na kartę dań. Prowadzenie rozmów o charakterze biznesowym przy pustym stole wydało się Jankowi dziwnym zwyczajem, jednak nic nie powiedział.

– Jak poszło? – spytał Konus.

– Jestem umówiony na pierwszą wizytę – odparł.

Konus tylko skinął głową. Pokerowa twarz.

– Świetnie.

Janek wskazał kartę dań.

– Może coś do picia? – zapytał.

– Nie, dziękuję, za moment mam kolejne spotkanie. – Konus pozwolił sobie na cień uśmiechu: kąciki wąskich ust drgnęły, lecz tylko nieznacznie. – Wie pan, interesy. Racibórz jest piękny, może warto poświęcić kilka stron na opisanie tutejszej atmosfery. Cisza, spokój, wszechobecna zieleń... a w tle bezwzględny seryjny morderca. Proszę o tym pomyśleć.

– Zna pan to miasto?

– Dorastałem tu.

– O proszę, jaki ten świat mały.

– Wracając do tematu, podobno traci pan motywację… albo, ujmując rzecz nieco precyzyjniej, zaczyna pan mieć wątpliwości – oznajmił Konus swoim ochrypłym głosem tnącym pewność siebie na setki kawałków. – Powiem wprost. Nie mogę inwestować czasu i pieniędzy w kogoś, kto nie jest pewny tego, czy podąża właściwą drogą. Rozumie pan?

Janek wziął kilka głębokich oddechów, po czym powiedział:

– Kontakty z mordercą nie należą ani do łatwych, ani…

– Zdaję sobie z tego sprawę. Ale wiem też, że każdy z moich autorów – Konus położył nacisk na ostatnie słowo – musi być w stanie poświęcić wszystko, dosłownie wszystko, żeby osiągnąć cel. Fakt faktem, pracuję tylko z najlepszymi, z najbardziej zdeterminowanymi. Jeśli brakuje panu pewności, to… cóż, bardzo mi przykro, ale… Czy wyrażam się dostatecznie jasno?

Janek zacisnął pięść, nawet o tym nie wiedząc.

– Zrobię to, proszę mi zaufać.

Przez chwilę siedzieli w milczeniu, patrząc na siebie jak szachiści walczący w finale poważnych zawodów. Kamienna twarz, niepewność u Janka, a u Konusa coś, co można nazwać głębokim namysłem.

Po kilkunastu sekundach wydawca zabębnił palcami o teczkę i powiedział z wyraźnym wahaniem:

– No nie wiem…

– Jak już mówiłem, kontakty z mordercami nigdy nie należały ani do łatwych, ani do przyjemnych, ale… siedzę w tym od wielu lat i jeśli ktoś powinien… albo jest w stanie popełnić taką książkę… autentyczną, pełną kolorów, pasji i zaangażowania w problematykę… Nie znam nikogo innego, kto mógłby podołać wyzwaniu.

Konus poprawił węzeł krawata.

– Brzmi coraz lepiej. Ile potrzebuje pan czasu?

– Dostałem zgodę na sześć widzeń, jednak przypuszczam, że w razie konieczności uzyskam kolejną. Dyrektor jest nastawiony do sprawy bardziej niż pozytywnie. Proszę dać mi cztery miesiące, myślę, że to wystarczy.

– Niech pan nie gna przed siebie na złamanie karku, z doświadczenia wiem, że najlepsze utwory powstają nawet latami. Oczywiście my nie możemy sobie pozwolić na obrabianie książki w nieskończoność, ale cztery miesiące... – Wydawca zrobił pauzę, przejechał dłonią po włosach i dodał: – Za cztery tygodnie chciałbym dostać kilka pierwszych rozdziałów, później zobaczymy.

Janek poczuł ściskanie w dołku. Facet tylko wymagał, nie dając nic w zamian. A przecież on musiał utrzymać rodzinę, chciał zmienić mieszkanie, kupić samochód... może kiedyś. „Wykładaj forsę na stół, bez tego ani rusz!"

– Co z umową? – zapytał.

Konus otworzył teczkę, po czym położył na stole plik kartek.

– Proszę.

Janek wziął je do ręki. Zdawał sobie sprawę z tego, że to wydawca trzyma w dłoni wszystkie atuty, niemniej nie zamierzał sprzedać tekstu zbyt tanio. Powalczy, choćby nawet...

BUM!

Poczuł się tak, jakby dostał pięścią między oczy. Popatrzył na kwotę zaliczki, potem spojrzał na Konusa. Po chwili znowu na pięciocyfrową liczbę z dwójką na przodzie. Przez moment nic nie mówił, w obawie że struny głosowe odmówią mu posłuszeństwa, a oderwanie języka od podniebienia okaże się wyzwaniem ponad siły. Wreszcie po minucie, może dwóch wydukał niczym papuga:

– Dwadzieścia tysięcy.

Konus przytaknął.

– Mało?

Niechęć do wydawcy znikła, tak jakby nigdy nie istniała.

– Dziesięć procent od każdego sprzedanego egzemplarza.

– Umowa nie podlega negocjacji. Przykro mi, chciałbym zaproponować panu więcej, ale jest pan autorem bez nazwiska, więc będziemy musieli podwoić nakłady na promocję. Proszę mi wierzyć, to sporo kosztuje.

Janek wciąż nie przyjmował do wiadomości tego, że wystarczą dwa podpisy, żeby zasilić konto sporą ilością gotówki. Dwadzieścia tysięcy. Połowę nowego samochodu. Jedna szósta dużego mieszkania. To na początek, bo przecież po napisaniu książki zarobi jeszcze więcej. O, przepraszam, dużo więcej. Mnóstwo! Za pół roku weźmie kąpiel w wannie pełnej kasy! Żyć nie umierać!

Jezu…

– Wierzę – odparł.

Kiedy złożyli podpisy na umowie, wydawca schował papiery do teczki, wstał, po czym skinął głową, jakby wyrażał uznanie dla zdolnego, choć nieco niesfornego ucznia. Podali sobie dłonie. Mocny uścisk, bez dwóch zdań.

– Będziemy w kontakcie – powiedział Konus. – Do widzenia.

Janek patrzył, jak rusza w kierunku schodów, jak idzie tym swoim pewnym, sprężystym krokiem, pan i władca świata, facet, który banknotami podciera tyłek, kiedy skończy posiedzenie w toalecie. Gdy zamierzał z powrotem usiąść, Konus przystanął, odwrócił się, posłał mu spojrzenie surowego nauczyciela i powiedział:

– Bez pośpiechu, bez wątpliwości, rozumie pan?

– Oczywiście.

Gdy został sam, podszedł do baru i zamówił pięćdziesiątkę czystej.

Jeden szybki strzał, tak dla rozluźnienia.
Dwadzieścia kawałków.
Wygiął usta w uśmiechu.
Konus okazał się całkiem przyzwoitym facetem.

13

Stała pod drzwiami gabinetu psycholog Stefanii Kwiecień, wahając się, co zrobić. Wątpliwości powróciły, nachalne, agresywne, żłobiące we wcześniejszym zdecydowaniu kilka głębokich bruzd. Kobieta sukcesu („Hej, hej, wyluzuj!") poszukuje wsparcia u specjalisty od prostowania skrzywionej psychiki. Dobry żart, prawda?

W trakcie spaceru (wyszła z pracy przed szesnastą), kiedy brnęła przez miasto tętniące życiem, miała pewność, że podjęła jedyną słuszną decyzję. Wizyta u kogoś, kto pomógł setkom takich jak ona... albo seria wizyt, garść środków na uspokojenie, oczywiście takich, które nie wywołują skutków ubocznych, miesiąc urlopu i aktywny wypoczynek gdzieś u podnóża Beskidów albo Tatr. W porządku? Jeszcze przed kwadransem wierzyła, że terapia pomoże, że dzięki rozmowom z psychologiem powróci do równowagi, ale teraz... Westchnęła. Teraz niczego nie była pewna, nawet tego, że trafiła pod właściwy adres.

Spojrzała na tabliczkę przymocowaną do drzwi. Wszystko w jak najlepszym porządku. Wystarczy przekroczyć próg, utonąć w wygodnym fotelu, uprzednio kładąc na stole przynajmniej stówę (dopiero teraz zdała sobie sprawę z tego, że w trakcie rozmowy przez telefon nie zapytała o kwestie finansowe), i pozwolić, żeby kojąca muzyka zrobiła swoje. Usunięcie brudu zalegającego pod czaszką nie jest prostym zadaniem, ale musi spróbować... po prostu musi! Oczywiście tylko pod warunkiem, jeśli pragnie – naprawdę pragnie! – odsunąć od siebie lęk, skopać mu tyłek, wyrzucić za ring... uśmiercić raz na zawsze, bezwzględnie.

O tak, pragniesz...

Wzięła kilka oddechów.

...zatem na co czekasz?

Nacisnęła klamkę. Weszła do środka. W przedsionku, który wcześniej, zanim mieszkanie przekształcono w gabinet, musiał pełnić funkcję przedpokoju, za dużym dębowym biurkiem siedziała korpulentna kobieta tuż przed pięćdziesiątką albo tuż po. Czarne kręcone włosy opadające na plecy niczym peleryna. Oczy osadzone głębiej niż u przeciętnego zjadacza chleba. Nieco bezkształtny nos, przywodzący na myśl dorodny kartofel, pokryty ledwo widoczną siateczką pęknięć. Szerokie usta. Całość schowana za kotarą utkaną z niezbędnych atrybutów wszystkich kobiet: różu, tuszu i szminki w ilościach hurtowych.

Psycholog. A może asystentka lub sekretarka?

Kobieta rozparła się w fotelu, po czym posłała Annie szeroki uśmiech. Spomiędzy grubych warg błysnęły dwa rzędy zdrowych końskich zębów, takich, którymi można by rozgryzać orzechy laskowe.

– Pani...

– Kowalska. Jestem umówiona.

Kobieta skinęła głową.

– Pamiętam. Stefania Kwiecień. Pierwszy raz u psychologa?

Anna nie odpowiedziała od razu. Wstyd. Mnóstwo wstydu. Przecież mogłaby góry przenosić, nie potrzebuje więc pomocy, wszak z każdym trudnym zagadnieniem dotyczącym psychiki można powalczyć samodzielnie, ewentualnie przy niewielkim wsparciu bliskich. Istniał tylko jeden problem, mianowicie na obecnym etapie ich wspólnego życia Janek zmagał się z masą własnych problemów.

– Tak... – wydukała w końcu. – I szczerze mówiąc, jestem nieco spięta.

Z twarzy psycholog nie schodził przyjazny uśmiech.

– Rozumiem. Zapraszam do gabinetu.

Weszły do przestronnego salonu urządzonego skromnie, ale gustownie. W centralnym punkcie stały naprzeciwko siebie dwa wielkie fotele obite brązową skórą, nieco dalej sofa pokaźnych rozmiarów. W oknach wisiały, teraz zaciągnięte, cienkie zasłony. Pod ścianą stała meblościanka pełna najróżniejszych książek. W każdym kącie pomieszczenia ustawiono ręcznie rzeźbione drewniane stojaki z paroma donicami. Anna zwróciła uwagę na palmy – jedna była młoda, mniej więcej roczna, druga najlepsze lata miała za sobą. Jeszcze komoda, lustro oraz niewysoka wieża, z której głośników sączyła się przyjemna muzyka.

Psycholog przystanęła przy jednym z foteli.

– Proszę zdjąć okrycie i spocząć.

– Dziękuję.

Anna zdjęła kurtkę i powiesiła ją na wieszaku stojącym przy drzwiach. Przeszła po grubym perskim lub tureckim dywanie, nie słysząc odgłosu własnych kroków, a przecież miała na nogach pantofle na obcasach. Usiadła w fotelu... Usiadła, a raczej utonęła, jak wessana przez ruchome piaski. Nieprzyjemne doznanie, ale tylko na początku, bo już po chwili poczuła kojący spokój, coś, czego nie doświadczyła nigdy wcześniej. Rzecz jasna, nadal walczyła ze stresem... tak, ze stresem, to chyba dobre określenie, bo lęk, strach, obawa odeszły w niepamięć, przynajmniej na moment. Miała nadzieję, że prędko nie wrócą.

Psycholog zajęła miejsce naprzeciwko. Nie przestawała się uśmiechać.

– Pewnie uważa pani – podjęła wątek rozpoczęty w przedsionku – że wizyta u mnie nie przystoi komuś takiemu jak pani, kobiecie pracującej, może nawet realizującej się zawodowo, niezależnej...

Anna odwzajemniła uśmiech.

– Myślałam, że trafiłam do psychologa, nie jasnowidza.

– Zajmuję się również hipnozą, ale tylko w określonych przypadkach.

Psycholog objęła palcami oparcie fotela, prezentując silne, niemal męskie dłonie ozdobione kilkoma różnymi pierścionkami: złoto, srebro, cyrkonie i prawdopodobnie, w tej kwestii Anna nie miała pewności, jakiś prawdziwie szlachetny kamień.

– Proszę mi wierzyć, pomocy w gabinetach specjalistów szuka coraz więcej osób, głównie tych, które odnoszą w życiu sukcesy. Paradoks współczesności. Osiąganie wyżyn jest ściśle związane z zaburzeniami psychiki.

Anna spojrzała na dyplomy i certyfikaty wiszące na ścianie. Stefania Kwiecień musiała kochać swoją pracę, bo oprócz tego, że mówiła całkiem do rzeczy, to jeszcze poszerzała wiedzę na wszelkie możliwe sposoby.

– Znak naszych czasów – zgodziła się.

– Właśnie. Dlatego proszę się rozluźnić, stres w tym miejscu nie jest pani sprzymierzeńcem, ale od razu dodam, nie jest też niczym niezwykłym. Proszę spróbować, od tego może zależeć powodzenie terapii.

– Rozumiem.

– Świetnie, z czym pani przychodzi?

Zaczęły się schody.

– No...

– Spokojnie, tutaj nic pani nie grozi, tutaj nikt pani nie skrzywdzi – mówiła psycholog miękkim, ciepłym głosem, takim, który stanowi lekarstwo na każdy rodzaj stresu. – Coś pani powiem. Problemy większości pacjentów biorą się stąd. – Postukała palcem w skroń. – A skoro tak, to nie mają odzwierciedlenia w rzeczywistości. Przypuszczam, że tak jest również w pani przypadku.

Anna westchnęła. Chciała wyczyścić psychikę z zalegających tam toksyn, chciała pokazać środkowy palec wszelkim lękom i obawom, ale nie potrafiła. Wewnętrzny opór. Niektórym opowiadanie o swoich słabostkach przychodzi zdumiewająco łatwo, ale ona... jasny gwint, ona wolała rozmawiać z Katarzyną o pierdołach, niż zdzierać z siebie poszczególne warstwy psychicznego brudu w towarzystwie psychologa!

„Więc po co tu przyszłaś? Dobre pytanie".

W końcu, po długiej chwili milczenia, powiedziała:

– Rozumiem. Chodzi o to, że... że odczuwam paniczny lęk przed... przed gwałtem... albo nie przed samym gwałtem, tylko przed tym, że ktoś wyrządzi mi krzywdę. Wiem, że to nie brzmi najrozsądniej, ale tak właśnie jest. Pracuję do późna... w zasadzie zawsze, i... żeby zyskać na czasie, wracam do domu przez park... w kompletnej ciemności. A tam... Do diabła z tym!

– A tam za każdym drzewem czyha gwałciciel – dokończyła psycholog.

Anna spuściła wzrok.

– Otóż to – potwierdziła, czując, jak spływa z niej napięcie.

Pierwsze koty za płoty, pomyślała zadowolona, że wreszcie przełamała swą niemoc. Najtrudniejszy jest pierwszy krok, później idzie już zdecydowanie łatwiej.

– Bierze pani jakieś środki na uspokojenie?

– Piję melisę.

Psycholog się uśmiechnęła.

– To nie wystarczy.

– Tak przypuszczam.

– Próbowała pani z tym walczyć?

– Tak – odparła bez namysłu, wiedząc, że tylko pełna otwartość daje nadzieję na końcowy sukces.

Kilkakrotnie usiłowała zwalczyć strach, stawiając przed sobą wyzwanie największe z możliwych, bo walka z fobią jest poważnym wyzwaniem, jednak za każdym razem przegrywała.

Psycholog złączyła palce, tak że dłonie utworzyły trójkąt.

– W jaki sposób? – zapytała poważnym tonem.

– Cóż, nie jestem biegła w psychologii… Po prostu idę przez ten przeklęty park, w nadziei że… pokonam własne lęki… wypchnę z głowy… że wyślę strach do wszystkich diabłów – mówiła przerywanymi zdaniami, nie zważając na poprawność językową. Postawiła nacisk na uczucia, na autentyczność, na spontaniczność. Zresztą, w towarzystwie pani psycholog czuła wyłącznie spokój. – Na razie bez rezultatu.

– Metoda polegająca na samopomocy nie zawsze zdaje egzamin. Prawdopodobnie cierpi pani na zaburzenia lękowe, choć oczywiście muszę przeprowadzić przynajmniej kilka sesji, żeby postawić diagnozę. Zaburzenia lękowe nie są niczym nadzwyczajnym, zwłaszcza u kobiet, proszę mi wierzyć. – Uśmiech powrócił na twarz Stefanii Kwiecień jak przytwierdzony na gumce. – Nasza konstrukcja psychiczna, dużo bardziej skomplikowana niż męska, jest również bardziej narażona na przypadłości tego rodzaju. Uwaga, teraz coś optymistycznego. Poradzimy sobie z tym.

Anna dopiero teraz uświadomiła sobie, że zaciska palce niemal do bólu, tak że aż zbielały jej knykcie. Odwzajemniła uśmiech, rozwarła pięści, splotła ręce na klatce piersiowej, po czym powiedziała:

– Już mi lepiej.

– Czy pani matka cierpiała na podobne dolegliwości?

– Nie przypominam sobie.

– Potrzebujemy pewności.

Anna myślała przez chwilę.

– Mam pewność.

– Czy żyje pani w ciągłym stresie?

Anna wzruszyła ramionami.

– Prowadzę firmę i... Tak, odczuwam stres, jak każdy przedsiębiorca, lecz... chyba nie ponad normę. Chociaż... dużo pracuję, znacznie więcej niż inni. Ale żyjemy w miarę normalnie, spokojnie... z mężem. Stanowimy zgrany duet, choć... wie pani, jak to jest z małżeństwami.

– Lęk pociąga za sobą dolegliwości fizyczne?

– To znaczy?

– Bóle nadbrzusza, ucisk w klatce piersiowej...

– Nie.

– Bezsenność?

Anna kiwnęła głową.

– Zdarza się.

– Każdej nocy?

Czasami nie potrafiła zasnąć, oczywiście, ale w takich momentach zawsze sądziła, że jest przemęczona, nic poza tym. Praca, praca i jeszcze raz praca, nawet po dwanaście godzin na dobę, musi odcisnąć na organizmie piętno, nie inaczej. Dotychczas nie łykała żadnych specyfików pobudzających szyszynkę do wzmożonej aktywności, ale może w końcu warto spróbować?

– Raczej raz w tygodniu, może dwa – odparła.

– Rozumiem.

– Jak mogę z tego wybrnąć?

Psycholog założyła nogę na nogę, eksponując czarne pantofle na niskich obcasach. Spojrzała na Annę jak na trzyletnie dziecko rzucone przez matkę na pastwę bezwzględnego świata. Współczucie, może nawet litość, choć również odrobina zaciekawienia. Silna kobieta szukająca pomocy u specjalisty.

– Nie obiecam, że już za tydzień będzie pani innym człowiekiem – oznajmiła psycholog. – To nie działa w taki sposób. Ale przy odrobinie pracy, a czasami po wielkich mękach… każdy z nas jest inny… wyjdzie pani z tego. Na pierwszy ogień pójdą odpowiednie leki uspokajające, nic poważnego, to środki dostępne bez recepty niemal w każdej aptece. A dalej… cóż, proszę mnie źle nie zrozumieć, ale chodzenie po parku w środku nocy, żeby zwalczyć fobię, nie jest zbyt dobrym rozwiązaniem. Potrzebuje pani spokoju, musi pani nabrać dystansu do sprawy. Tylko w ten sposób możemy cokolwiek osiągnąć.

– Myślałam, że w ten sposób pokonam wszelkie lęki.

Psycholog pokręciła głową.

– Oczyma wyobraźni widzi pani sceny, w których pani lęki ziszczają się, następuje kontakt fizyczny z napastnikiem. Wychodzenie naprzeciwko tym urojeniom nie jest najlepszym pomysłem, proszę mi wierzyć. Aby wygrać z nimi takim sposobem, potrzebna jest wielka determinacja i pewność siebie, a przecież tego pani brakuje. Na razie proszę omijać park szerokim łukiem, unikać stresu i dużo odpoczywać. Jest pani w stanie to zrobić?

Omijać park szerokim łukiem? Może o tym pomyśleć.

Unikać stresu? Z tym będzie nieco trudniej.

Dużo odpoczywać? Chciałaby, nawet bardzo…

– Spróbuję – oznajmiła.

Psycholog przyjęła tę odpowiedź z wyraźnym zadowoleniem.

– Świetnie. Terapię wcielimy w życie na kolejnym spotkaniu.

Po wyjściu z gabinetu Anna odetchnęła.

Przyszłość.

Nigdy przedtem nie myślała o niej z takim ładunkiem optymizmu.

Gdy wróciła do mieszkania, Janek siedział przed komputerem i stukał w klawisze. Nawet nie spostrzegł, że weszła do pokoju. Dopiero kiedy położyła mu dłoń na ramieniu, drgnął, odwrócił się, po czym wyszczerzył zęby w szerokim uśmiechu. Wyglądał tak, jakby wygrał milion na loterii.

– Udało się! – wrzasnął, obejmując Annę w pasie. Podniósł ją, okręcił dookoła własnej osi i zaczął całować po ustach, po oczach, po policzkach i czole. – Udało się, udało!

Zdezorientowana, odwzajemniła uśmiech.

– Janek, przestań!

Nie posłuchał.

– Udało się, rozumiesz!? Udało się!

W końcu, po długiej wymianie czułości, zdołała wyswobodzić się z jego objęć. Spojrzała mu w oczy, położyła dłonie na biodrach w zaczepnym geście i zapytała z przyganą w głosie:

– To świetnie, ale co?

– Nadal nie mogę w to uwierzyć! – wołał, skacząc po pokoju niczym chłopiec trzymający w rękach wóz strażacki, o którym marzył od niepamiętnych czasów.

– Janek!

Przystanął, ułożył dłoń na kształt pistoletu, po czym wypalił:

– Podpisałem umowę z wydawcą!

Więc jednak.

Kiedy wracała do mieszkania, myślała w zasadzie wyłącznie o wizycie w gabinecie Stefanii Kwiecień. Teraz, gdy entuzjazm męża przyćmiewał wszystko inne, postanowiła nie wspominać o terapii. Tak, o terapii, nie bała się użyć takiego określenia. Zaczęła leczenie i mogłaby o tym opowiadać godzinami – w tym momencie była równie podniecona jak Janek – jednak nie chciała mącić ekscytacji męża. Najpierw temat umowy, reszta może poczekać.

– Naprawdę? – zapytała.

Zamiast odpowiedzieć, pobiegł do kuchni na złamanie karku, po czym wrócił do pokoju z szampanem i dwoma kieliszkami.

– Musimy to uczcić!

Skrzyżowała ręce na piersiach. Zrobiła minę: „jestem obrażona".

– Nie wspominałeś o spotkaniu z wydawcą – powiedziała tonem oburzenia, oczywiście udawanego.

W gruncie rzeczy sukces męża traktowała jak własny, w końcu jechali na tym samym wózku.

Janek posłał jej szeroki uśmiech.

– Chciałem, żeby to była niespodzianka.

– Jest!

Otworzył szampana. BUM! Korek trafił w sufit, lecz nie zostawił śladu na gipsowej powierzchni. Janek napełnił kieliszki po same brzegi, podał jeden Annie i oboje zaczęli pić. On łapczywie, jakby za minutę świat miał dokonać żywota, ona jak zwykle zamoczyła w alkoholu tylko usta. Za dużo wrażeń jak na krótki dzień. O tak, zdecydowanie za dużo.

Odstawił kieliszek na biurko.

– Poczekaj, to jeszcze nie wszystko!

Parsknęła śmiechem.

– Matko Boska, chcesz mnie zabić?

– Przytrzymaj się czegoś!

– No mów wreszcie!

Chrząknął, po czym oznajmił:

– Wynegocjowałem zaliczkę!

Spojrzała na niego z powątpiewaniem, chociaż wiedziała, że skoro podniecenie niemal paruje mu przez skórę, to kwota zaproponowana przez wydawcę musiała rzucać na kolana. Po chwili milczenia zapytała:

– Ile?

– Dużo.

– Ile?

Puścił oczko.

– Bardzo dużo!

Sprzedała mu kuksańca.

– Hej, nie drocz się ze mną!

– Dwadzieścia kawałków!

Musiała usiąść, żeby nie upaść. Dwadzieścia kawałków? Co on bredzi, do ciężkiej, jasnej, ciasnej cholery? Dwadzieścia kawałków!? Nikt przy zdrowych zmysłach nie zaproponuje początkującemu autorowi tyle pieniędzy za wydanie debiutanckiej książki. Nikt!

– Boże... – wyszeptała.

Janek zajął miejsce obok niej.

– Wiedziałem, że ten przeklęty morderca jest żyłą złota – powiedział z rosnącym entuzjazmem, który i tak sięgał już szczytów. – Trzeba tylko umiejętnie podejść do tematu. Dwadzieścia kawałków! Dwadzieścia tysięcy polskich złotych! Dwójka i cztery zera! Jesteś w stanie w to uwierzyć?

Poczuła się tak, jakby coś wyssało z niej całą energię.

– Miałeś rację.

– W sprawie Malarza? Oczywiście, że miałem rację! Odwiedzę drania kilka razy, skrobnę kilkaset stron, a później... – Przerwał na moment, jak gdyby szukał w myślach odpowiednich słów. – A później zmienimy mieszkanie, kupimy samochód... wszystko, czego dusza zapragnie.

Zamierzała odpowiedzieć, może coś w stylu „gratuluję” albo „to naprawdę cudownie”, choć wiedziała, że to banały, jednak zamknął jej usta czułym pocałunkiem. Na samą myśl o nadchodzących latach poczuła ciepło rozchodzące się w okolicach serca. Frustracja rodzi niesnaski, sukces wręcz odwrotnie. A oni, głównie przez wzgląd na ostatnie zajęcia męża, potrzebowali czegoś, co zawróci ich ze ścieżki prowadzącej ku nieporozumieniom.

Wymienili spojrzenia.

– Pani Anno, jest pani żoną słynnego pisarza – oznajmił.

– Poleciałam na kasę.

Włożył dłoń pod jej bluzkę.

– I na intelekt.

– Nie rozpędzaj się!

Odszukał palcami zapięcie stanika. Rozpiął.

– Dopiero wychodzę z bloków.

– Nie zrób falstartu.

Kolejny pocałunek.

– Bez obaw, panuję nad sytuacją.

Rzeczywiście, panował.

14

Siedział przy stole w pomieszczeniu o powierzchni nie większej niż cztery metry kwadratowe. Twarde oparcie drewnianego krzesła uwierało w plecy. Biel ścian przywodziła na myśl dziewictwo, coś w stylu wiecznej czystości, a przecież przebywał w pokoju widzeń jednego z najsurowszych zakładów karnych w kraju, gdzie dominowały myśli najbrudniejsze z brudnych. Zabębnił palcami o blat. Zerknął na sufit, pod którym wisiała kamera. Podsłuchują każde słowo? Na pewno. Na XI oddziale, oddziale dla niebezpiecznych, wydarzyć się może dosłownie wszystko, chociaż… chyba przesadza, bo przecież przyprowadzą Malarza skutego łańcuchami i co chyba najważniejsze, będą obserwować na ekranach monitorów. Jeden fałszywy ruch i… żegnaj, wydymańcu.

Przed sobą miał szybę osadzoną w plastikowej ramie, coś w stylu zwykłego okna, z tym że podobno – przynajmniej tak oznajmił jeden ze strażników – wytrzymuje zarówno kopnięcie, jak i uderzenie ciężkim metalowym przedmiotem. Słowem, nie do ruszenia. Po drugiej stronie również ustawiono stół oraz krzesło. Pomyślał, że w takich warunkach mógłby odbyć rozmowę nie tylko z gwałcicielem, czyli kimś, kogo interesują wyłącznie kobiety, ale również z jakimś debilem polującym na męskie genitalia. Kiedyś słyszał o facecie, który atakował młodych chłopców, trzymając w dłoni nóż wielkości maczety, i...

CIACH! CIACH! CIACH!

Ponownie zabębnił palcami o blat. Wziął w dłoń słuchawkę, chcąc sprawdzić, czy działa. Po drugiej stronie wybrzmiewał charakterystyczny szum, świadczący o tym, że z urządzeniem wszystko jest w najlepszym porządku. Wypuścił powietrze z płuc. Pogadają sobie... O tak, pogadają niczym starzy kumple.

Wnętrzności nie skręcało mu zdenerwowanie, co najwyżej delikatny stres. Przed wyjściem z mieszkania łyknął tabletkę relanium, tak na wszelki wypadek. Gdyby nie chemia, teraz pewnie nie potrafiłby zapanować nie tylko nad drżeniem poszczególnych członków, lecz również całego ciała. Odłożył słuchawkę na miejsce. Spojrzał na wyprostowaną dłoń. Nic, zero reakcji. Świetnie, właśnie o to chodziło. Jeśliby tylko pokazał mordercy, że traci kontrolę nad emocjami, że z pewnego siebie mężczyzny przemienia się w dygoczącego nastolatka, przegrałby już na samym starcie. A przecież chciał wyciągnąć od sukinsyna wiele cennych informacji. Pragnął zrozumieć, co kieruje człowiekiem, który zabija z zimną krwią.

Jak to zrobić? Nic prostszego, trzeba trzymać nerwy na wodzy i udawać twardziela.

Udawać...

Zwinął palce w pięść.

Tak, to chyba odpowiednie określenie.

Ciężka atmosfera więzienia przygniatała do samej podłogi. Tam po drugiej stronie grubej szyby musiało siedzieć wielu zabójców, nie tylko seryjnych, ale także tych zwyczajnych, którzy zabili jedynie raz, wielu gwałcicieli, najróżniejszych psychopatów, sadystów, facetów z wyprostowanymi zwojami mózgowymi. Gdy o tym pomyślał, poczuł dreszcze na plecach. Ciekawe, który z nich stanowił największy wrzód na chorym organizmie społeczeństwa...

Malarz.

Minął przynajmniej kwadrans, a Malarz wciąż nie przychodził. Oczywiście Janek zdawał sobie sprawę z tego, że zastosowanie wszystkich więziennych procedur wymaga czasu, ale każda upływająca minuta rodziła w nim napięcie.

Usłyszał jęk skorodowanych zawiasów. Przełknął ślinę. Zawiesił wzrok na drzwiach prowadzących do drugiej części pomieszczenia, tej znajdującej się za szybą. Poczuł, jak serce najpierw podjeżdża mu do gardła, następnie odbija się od jabłka Adama, potem spada gdzieś w kierunku kości ogonowej, żeby w końcu powrócić na swoje miejsce.

„Bez nerwów. Bez nerwów. Bez nerwów. Do diabła, przecież jestem całkowicie opanowany!"

Do pokoju weszło trzech mężczyzn: dwóch uzbrojonych w strzelby strażników i Malarz. Niepozorny, odziany w czerwony drelich, ogolony niemal na zero, sprawiał wrażenie kogoś, kto skończył pięćdziesiątkę trzy, może cztery lata temu. Wymienił spojrzenie z klawiszami, po czym usiadł na krześle. Ciszę zmąciło brzęknięcie rozhuśtanych łańcuchów.

Członkowie obstawy wyszli niemal bezszelestnie, pozostawiając Janka sam na sam z osadzonym.

Poczuł, jak po plecach spływa mu strużka potu, choć temperatura wewnątrz pomieszczenia nie przekraczała dwudziestu stopni. Chciał wyjąć z kieszeni spodni chusteczkę, żeby wytrzeć zroszone czoło, lecz nie chciał okazywać słabości już na wstępie.

Podniósł słuchawkę, ale Malarz tylko pokręcił głową.

– Witaj, mój chłopcze. Zaskoczony? – zapytał Malarz z nikłym uśmiechem na twarzy pokrytej siateczką zmarszczek.

Przed dekadą, może nieco wcześniej, musiał przyciągać kobiece spojrzenia gładką, przyjemną dla oka powierzchownością i czymś, co można nazwać jowialnością. Patrzył na świat oczyma o intensywnym, głębokim błękicie, w których próżno było szukać jakichkolwiek oznak psychicznych zawirowań. Na dodatek lewy policzek ozdabiał mu pieprzyk... albo raczej spora kurzajka.

Janek odłożył słuchawkę na stół. Szyba przepuszczała dźwięki, mogli zatem prowadzić rozmowę bez użycia sprzętu. Świetnie, bo dłoń trzymającą plastik zapewne od razu pokryłaby warstwa wilgoci.

– Nie rozumiem...

– Nie stresuj się, przecież nie gryzę. Chodzi mi o to, czy właśnie tak sobie mnie wyobrażałeś... A może sądziłeś, że jestem większy, bardziej masywny, lepiej zbudowany?

Janek wzruszył ramionami.

– Fakt, zastanawiałem się nad tym, ale nie doszedłem do żadnych wniosków – oznajmił, nie spuszczając skazanego z oczu.

Malarz podwinął rękawy drelichu. Na przedramionach nie widniał żaden więzienny tatuaż. Facet sprawiał wrażenie czystego, o ile takim określeniem można obdarzyć seryjnego mordercę.

– Wolałem zobaczyć pana na żywo, niż wikłać się w domysłach.

– A więc piszesz artykuł do gazety...

– Albo książkę. Jestem po rozmowach z dużym wydawcą. Z tego, co wiem, jeszcze nikt nie przeprowadził z panem wywiadu... To znaczy... pisali artykuły, ale nikt z panem nie rozmawiał w cztery oczy. Dziękuję, że wybrał pan właśnie mnie. To wiele dla mnie znaczy.

Dopiero po chwili Malarz spytał:

– Jak wiele?

– Nie rozumiem...

Uśmiech znikł z twarzy Malarza, zastąpiony przez zaciętość. W jednej chwili skazaniec z człowieka o dobrodusznym spojrzeniu przeistoczył się w surowego nauczyciela, który odpytuje nieprzygotowanego ucznia.

– Co jesteś w stanie poświęcić, żeby ze mną porozmawiać, chłopcze?

Przed przyjściem do więzienia Janek analizował wiele wariantów odpowiedzi na najróżniejsze pytania, ale jak widać, niektórych nie przewidział. Co jest w stanie poświęcić? Do diabła, a czy musi cokolwiek poświęcać?!

– Nie wiem.

– Nie wiesz?

Dopiero teraz zdał sobie sprawę z tego, że dłoń, którą położył na blacie, drży w nerwowym tańcu. Zwinął palce w pięść i schował ręce pod stół, z daleka od spojrzenia mordercy.

– Zaskoczył mnie pan.

– Nie myślałeś o tym? Nie sądziłeś, że zadam to pytanie?

Janek poczuł ukłucie w dołku. Odniósł wrażenie, że traci kontrolę nie tylko nad rozmową, lecz również nad własnym ciałem. Mimo relanium nie potrafił zapanować nad emocjami, nie mógł odepchnąć od siebie stresu kąsającego mu duszę.

– W zasadzie… nie…

Malarz wstał. Rozkołysane łańcuchy wydały z siebie cichy jęk. Położył dłonie na stole, pochylił się nieznacznie w stronę szyby, po czym oznajmił tonem brzęczącym zimną stalą:

– Cóż, w takim razie wróć, kiedy dorośniesz.

Janek poczuł, jak zapadnia ukryta pod stopami otwiera się z hukiem, a on leci w dół na spotkanie ze skałami niosącymi śmierć. Zdał sobie sprawę z tego, że został pokonany przez własną głupotę, że nie wykorzystał szansy. A przecież zrobienie wywiadu otwierało multum możliwości... możliwości, których już nigdy nie dostanie. Zamknął drzwi prowadzące na salony dziennikarstwa jednym niefortunnym zdaniem. Nie zdaniem, raczej słowem!

– Proszę zaczekać!

Desperacja zawarta w głosie wypełniła całe pomieszczenie. Malarz najpierw wyprostował się, później skrzyżował dłonie na płaskim brzuchu, a na końcu opadł na krzesło powolnym, jakby teatralnym ruchem. Nieznaczny uśmiech zaczął mu tańczyć w kącikach ust.

– Słucham.

Janek odetchnął.

– Powiedziałem prawdę. Nie wiem, ile jestem w stanie poświęcić, bo... proszę wybaczyć szczerość, ale nie jest pan laureatem żadnej prestiżowej nagrody, nie nosi pan na piersi orderów. Pan zabijał... pan gwałcił...

– W nieco innej kolejności.

– Tak, w nieco innej. Wiem, co chciałby pan usłyszeć. Pewnie to, że poświęcę wszystko, dosłownie, ale... znowu proszę o wybaczenie, nie jest pan tego wart.

Wybrał prawdę, która pozostała jedynym orężem w walce z tym sukinsynem. Kiedy wyrzucał z siebie potok słów, pomyślał o ostrzeżeniu przyjaciela: „Jest zdolnym manipulatorem". Nie, jest tylko chorym draniem, nic poza tym.

– Chcę napisać ten artykuł... w zasadzie książkę... chcę jak jasna cholera, ale nie poświęcę wszystkiego.

Stres gdzieś odszedł, pozostawiając po sobie pustkę.

– Doceniam twoją szczerość, chłopcze.

Janek wzruszył ramionami.

– Wyłożyłem karty na stół i chciałbym, żeby pan zrobił to samo.

Nastała cisza przenikająca do ciała niczym promienie rentgena.

– Co na to twoja żona?

– Prosiłem, żebyśmy nie rozmawiali o niej.

– Chcesz tylko brać, nie dając nic w zamian. Myślisz, że to uczciwy układ? Sądzisz, że odkryję siebie kawałek po kawałku i powierzę wszystkie tajemnice jakiemuś dziennikarzynie, który wróci do domu, przytuli kobietę, napisze książkę i będzie żył długo i szczęśliwie? Jesteś aż tak naiwny, chłopcze?

Chłopcze, chłopcze, chłopcze.

Dopiero teraz zdał sobie sprawę, że wyobrażenia o Malarzu, które przechowywał gdzieś w głowie, nie mają nic wspólnego z rzeczywistością. Nie chodziło o powierzchowność, raczej o zachowanie, o sposób bycia i patrzenia na świat. Seryjny morderca mówił pełnymi zdaniami, używał poprawnych sformułowań, nie podnosił głosu, ba, nawet nie przeklinał, co wydawało się niemal niemożliwością. Sprawiał wrażenie inteligentnego faceta, który odebrał dobre wykształcenie, wiedział, czym jest takt i dyplomacja.

– Proszę powiedzieć bez ogródek, czego pan chce?

Znowu uśmiech.

– Odrobiny rozrywki. Chyba nie żądam zbyt wiele, prawda?

– Porozmawiamy czy nie?

– Przyniosłeś dyktafon?

Janek przecząco pokręcił głową.

– Proszę nie żartować – powiedział.

– Oczywiście, oczywiście… Trudno, najwyżej później wszystko spiszesz. Tylko nie pomiń szczegółów. To, co robiłem, wymaga odpowiedniego przedstawienia, rozumiesz, mój chłopcze?

– W porządku.

Zapadło milczenie.

Janek, wciąż chowając dłonie pod stołem, czekał na

ruch Malarza. Skoro facet chciał wyrzucić z siebie wszystkie brudy, to powinien zacząć w tej chwili, póki zostało im trochę czasu.

– Jakich perfum używa?

„Skurwysynu! Cholerny draniu! Obwiesiu!"

Chciał wstać i wyjść, ale takim zagraniem nie osiągnąłby nic, prędzej wszystko by stracił. Dlatego zacisnął zęby, wypuścił powietrze z płuc i oznajmił najbardziej obojętnym głosem, na jaki mógł się zdobyć:

– Nie znam się na perfumach.

Malarz pokiwał głową.

– Jesteś przeciętnym człowiekiem, nieco bezbarwnym.

Janek przełknął ślinę.

– Proszę mnie źle nie zrozumieć, ale nie mamy zbyt wiele czasu.

– Przyniosłeś fajki?

– A powinienem?

– Powinieneś, chłopcze, powinieneś.

Skrzyżował ręce na wychudzonej piersi.

A potem, po kilku chwilach milczenia, rozpoczął spowiedź.

15

Zawsze stawiałem na żywioł, a kierowało mną coś, co niektórzy nazywają impulsem. Nie zależało mi na tym, czy awansuję mężatkę, pannę, rozwódkę czy wdowę. Stan cywilny nie miał żadnego znaczenia…

Ślepy traf…

Pierwszą poznałem dokładnie dwadzieścia lat temu…

W telewizji nadawano same bzdury, więc postanowiłem iść do kina…

Na *Wywiad z wampirem*…

Ciekawy obraz… doprawdy interesujący…

Siedziałem trzy rzędy za nią, patrząc na krótkie czarne włosy odsłaniające smukłą szyję. Przypuszczałem, że dba o ciało jak nikt inny na świecie… Nie, wiedziałem to… albo raczej czułem gdzieś pod skórą. Takie rzeczy nie umykają fachowcom, możesz mi wierzyć… W połowie seansu poszedłem do toalety, spryskałem usta odświeżaczem, po czym wróciłem na miejsce… Nie, nie na miejsce, usiadłem obok niej, pytając, czy można… Zgodziła się…

Po seansie uzięliśmy sobie krótką pogawędkę przy dużych kubkach kawy.

Nosiła obrączkę… Trafiłem na mężatkę…

Wymienialiśmy spostrzeżenia odnośnie do filmu...

Ona chwaliła grę aktorów, szczególnie adwokata... a może diabła...

Zgodziła się pojechać do mnie na lampkę wytrawnego wina...

Miała na sobie niebieski sweter, na który narzuciła czarny żakiet. Temperatura nie przekraczała dziesięciu stopni, jednak to wystarczyło, żeby nie robić użytku z grubych zimowych kurtek...

Cóż, może nie mogłaby stanąć koło modelek pląsających po wybiegu... miała nieco więcej centymetrów to tu, to tam... ale emanowała wewnętrznym seksapilem, czymś takim, co działa na mężczyzn świadomych walorów kobiecego ciała...

Na mnie...

Miała w sobie to coś...

Czasami siła tkwi nie w szczegółach, lecz w całym opakowaniu. Właśnie taka była, zbudowana ze zwyczajnych części, które dopiero zlepione w całość dawały oszołamiające wrażenie.

Włożyłem do magnetofonu kasetę z nagraniami Lady Pank...

Kryzysowa narzeczona...

Zacząłem nucić...

I wdychałem zapach perfumowanego mydła, którym wcześniej umyła skórę...

Zaczęło padać. Włączyłem wycieraczki. Gdzieś w oddali zagrzmiało. Błysło. Podskoczyła na siedzeniu pasażera i położyła mi dłoń na kolanie. Interesujące doznanie, naprawdę...

Spojrzałem na jej smukłe palce zakończone długimi paznokciami pomalowanymi na czerwono. Piękny widok, naprawdę wspaniały, taki... seksowny. Mimo to nie czułem nic, kompletnie... Ślepy traf...

Mężatka, wdowa, panna...

Każda...

Zaparkowałem na podjeździe. Wysiadłem pierwszy, wyjąłem parasol z bagażnika, po czym otworzyłem drzwi po stronie pasażera. Pozwoliłem, żeby wzięła mnie pod rękę. Zrobiłem to celowo...

Usiedliśmy w salonie z kieliszkami wina w dłoniach...

Interesująca krzywizna ust, rzeźba nosa, brody...

Surowa uroda... nawet bardzo surowa...

Działała na mnie...

Na dębowym stole leżały trzy świece i zapalniczka. Zrobiłem z nich użytek...

Posłała mi nieznaczny uśmiech...

Zamoczyła usta w winie.

Rozmawialiśmy o wszystkim i o niczym...

O pogodzie, o kinie, o literaturze. Nie dość, że atrakcyjna... rzecz jasna, na swój sposób, to jeszcze inteligentna, oczytana, obeznana z kulturą i sztuką. Problem tkwił w tym, że nosiła obrączkę... Chociaż nie, to nie stanowiło problemu...

Nigdy...

W pewnym momencie położyła mi dłoń na udzie...

Zbliżyła twarz do mojej twarzy i... pocałowała mnie...

Woń kobiety... ten cudowny zapach wtargnął mi w nozdrza ze zdwojoną siłą. Miała słodkie usta... słodkie, miękkie, wilgotne, jakby gotowe na coś więcej, na coś, czego nie dostawała od męża...

Nie spała z nim od miesiąca...

Przynajmniej dobrowolnie, bo siłą brał to, co uznał za stosowne.

Nie widziałem ani podbitych oczu, ani zadrapań na policzkach...

A przemoc zawsze rodzi obrażenia…

Kłamała…

Czemu przez cały wieczór nie była sobą, lecz kimś innym?

Coś we mnie zawrzało…

Bywa…

Poprosiłem, żeby odstawiła wino, a kiedy zobaczyłem spojrzenie przepełnione zdumieniem, podniosłem głos. Tylko nieznacznie, tylko odrobinę, ale to wystarczyło, żeby posłuchała…

Grzeczna dziewczynka…

Palcem wskazałem wyjście. Powiedziałem, żeby sobie poszła…

Nie toleruję kłamstwa…

Wzięła żakiet, włożyła buty i ruszyła do drzwi. Oczywiście były zamknięte na klucz, o czym przekonała się w chwili, gdy położyła dłoń na klamce. Szarpnęła raz i drugi. Bezskutecznie…

Naiwna…

Odwróciła się, spojrzała na mnie… Zdawała sobie sprawę z tego, że coś jest nie tak, że najpierw pozwalam jej odejść, a później – a może wcześniej – przekręcam klucz w zamku…

Coś nie tak…

Podszedłem do niej…

Pogłaskałem policzek…

Zapach mydła zmieszał się z wonią strachu.

Strach…

Strach…

Strach…

Spojrzała mi w oczy. Zaczęła szlochać…

Poprosiła, żebym nie robił jej krzywdy, żebym pozwolił jej odejść…

Wziąłem ją za rękę. Poprowadziłem na kanapę…

Zacząłem całować nie tylko w usta, lecz również po policzkach.

Zlizywałem łzy. I strach…

Tej nocy debiutowałem…

Zerwałem z niej ubranie. Obejrzałem smukłe ciało. Siniaki na udach i pośladkach. Zadrapania na małych, ale jędrnych piersiach. Ślady ukąszeń na płaskim brzuchu. I w okolicach dolnej partii kręgosłupa…

Nie kłamała… Kłamała… Nie kłamała…

Bez znaczenia…

Wszystko trwało dwa kwadranse…

A później ją awansowałem…

16

W kamienicy wysiadło ogrzewanie, dlatego Anna siedziała w biurze w dwóch swetrach – jeden zawsze tu trzymała na wszelki wypadek – raz po raz parząc herbatę. Niestety, gorący napój wytracał temperaturę w błyskawicznym tempie, dlatego już w południe zaczęła rozważać szybszy powrót do domu. Marzenia ściętej głowy. Miała do przerzucenia tonę papierów – dosłownie! – a że pracowała sama, bez żadnego wsparcia…

Westchnęła, po czym wstała, żeby rozprostować kości. Sukces męża zepchnął na drugi plan wizytę w gabinecie Stefanii Kwiecień… Niemniej nie zapomniała o sugestii pani psycholog. Nie wychodź naprzeciwko własnym słabościom, raczej unikaj stresu i odpoczywaj. W porządku, jasna sprawa, z tym że nie chciała chować głowy w piasek, wolała skopać tyłek lękom, obawom, paranoi… po prostu tym wszystkim bzdurom. Świetnie, w takim razie kiedy? Dzisiaj?

Nie, raczej bez znaku zapytania.

Dzisiaj.

No, teraz lepiej.

Usiadła za biurkiem, po czym rzuciła okiem na ekran komputera, ale w tym momencie w ogóle nie myślała o pracy. Książka. Wyzwanie z najwyższej półki. Oczywiście motywacja nie pozostawała tu bez znaczenia. Dwadzieścia tysięcy zaliczki, kwota, którą nie można pogardzić. Świetnie, tylko dlaczego wciąż nie potrafi odsunąć od siebie wątpliwości, czemu nadal uważa, że kontakt z seryjnym mordercą nie jest wart żadnych pieniędzy?

Doceniała zaangażowanie Janka, jednak bała się, tak po prostu, i nie chodziło o stany lękowe związane z kwitnącą paranoją. Umysł męża zanieczyszczały tony śmieci, a wszystko przez zainteresowanie morderstwami różnej maści. Nie lepiej poświęcić się czemuś, co nie wypycha na przedramiona gęsiej skórki, co nie powoduje bezsenności? Dla niej sprawa wydawała się oczywista, tymczasem on chciał zrobić krok dalej, zamierzał spojrzeć w oczy samemu diabłu, żeby... No właśnie, po co?

„Dwadzieścia kawałków", powiedziała do siebie w myślach.

Pokręciła głową.

Nie, on parłby przed siebie nawet bez finansowej motywacji.

A może demonizuje problem, może Janek kontroluje sytuację od początku do końca? Jeszcze ta horrendalnie wysoka zaliczka, będąca dopiero preludium przed prawdziwym dopływem kasy. Wszystko zależało od liczby sprzedanych egzemplarzy, a ona czuła, że ludzie zaczną walić do księgarń drzwiami i oknami, żeby tylko przeczytać niewiarygodną opowieść o mordercy. Na dodatek spisaną przez kogoś, kto stał z nim twarzą w twarz.

Zaparzyła następną herbatę, po czym wróciła do pracy. Spędziła za biurkiem kolejne godziny, nawet nie wiedząc, kiedy umknęły. Papiery, papiery i jeszcze raz papiery, to teraz, bo na horyzoncie majaczyło dwadzieścia tysięcy złotych. Ich pieniądze. Myśl, że będzie musiała ślęczeć nad dokumentami wyłącznie osiem godzin dziennie, zamiast dwunastu albo czternastu, spowodowała, że posłała w przestrzeń szeroki uśmiech. Może gra jest warta świeczki?

Wyszła z budynku o dwudziestej pierwszej z minutami. Czując na twarzy silny podmuch wiatru, postawiła kołnierz płaszcza. Dzisiaj temperatura spadła do zera, na jutro zaś synoptycy zapowiadali opady śniegu. Cudownie, przynamniej biały puch rozjaśni nieco mrok spowijający park. Czekała na to od dwóch, może trzech miesięcy, czyli od momentu, kiedy musiała wracać do mieszkania w gęstym mroku. Oczywiście zawsze mogła wybrać trasę biegnącą przez miasto…

Nie, musi odepchnąć od siebie strach mimo zaleceń pani psycholog. Paranoja jest gorsza od schizofrenii, bo życie we dwójkę jest lepsze od samotnej wegetacji w oparach wiecznego strachu. Jeśli w najbliższym czasie („Dzisiaj, paniusiu, dzisiaj!") nie stawi czoła wyimaginowanym lękom, to już wkrótce skończy w szpitalu dla czubków, gdzie lewatywa jest uważana za najlepsze lekarstwo, przynajmniej zaraz po elektrowstrząsach, a pigułki łykasz przed każdym posiłkiem, w jego trakcie i po nim. Na zdrowie!

Weszła na teren parku. Ciemność. Niech ten przeklęty śnieg wreszcie spadnie… albo niech ktoś odpowiedzialny za oświetlenie w mieście ustawi tu przynajmniej kilka lamp. Ale nie, lepiej inwestować w muszle koncertowe (kto wyciągnął spod kopuły tak idiotyczny pomysł?), średniowieczne grody (Jezusie kochanieńki!) i przystań dla kajaków (o, matko!). Ktoś musi za to odpowiedzieć, ktoś…

Wystrzelałaby wszystkich sukinsynów zasiadających w radzie miasta.

Bez wyjątku!

Pięćset metrów. Do przejścia w trzy, góra cztery minuty. Bułka z masłem, prawda? Tak, jasne, tylko dlaczego zaciska dłoń na pojemniku z gazem łzawiącym wetkniętym w lewą kieszeń płaszcza i czuje, że zaraz zemdleje? Powinna odpuścić, powinna zapomnieć o drodze przez park, powinna wybrać tę bezpieczniejszą, ale... przez całe dotychczasowe życie chowała głowę w piasek i wreszcie chciała pokonać strach. Przecież w samym środku miasta, nawet w miejscu otoczonym grubym murem mroku, nikomu nie może stać się krzywda, czyż nie? NIKOMU! Skoro tak, to chyba nie powinna drżeć z obawy o zdrowie. Chyba...

Zaczęła śpiewać. Albo raczej melodia wypłynęła z krtani bez żadnej kontroli, jak gdyby ożyła gdzieś w okolicach strun głosowych i zapragnęła odetchnąć rześkim powietrzem, pofrunąć gdzieś w przestworza.

– Nie spodziewałbym się nigdy tego po tobie...

Pokonała połowę dystansu. Słyszała już zgiełk głównej ulicy. Widziała światła usiłujące się przebić przez gałęzie drzew i krzewów. Już niedaleko. Za dwie minuty wyjdzie z parku bez jednego zadrapania, z torebką nadal wiszącą na ramieniu. Zawartość portfela pozostanie nietknięta i w najbliższej przyszłości wciąż będzie mogła korzystać z wszystkich kart płatniczych (wszystkich dwóch), karty do biblioteki, nieużywanej karty ze stacji benzynowej i karty gwarantującej dziesięć procent zniżki u znajomego jubilera. „Aha, nie zapomnij o karnecie na saunę, który stracił ważność prawie trzy lata temu". Gdy o tym pomyślała, omal nie parsknęła śmiechem.

Znowu reakcja obronna na stres?

– ...że będziesz w mej osobie widziała kogoś lepszego, niż jestem...

Stukot obcasów o chodnik przybierał na sile. Dopiero teraz zdała sobie sprawę z tego, że przyspieszyła. Jeszcze nie biegła, wciąż zachowywała zdrowy rozsądek („Jesteś bezpieczna, jesteś bezpieczna, jesteś bezpieczna"), ale paranoja zaczynała brać górę nad podszeptem racjonalności.

Co ona wyprawia, do ciężkiej, jasnej, ciasnej cholery?

Gdzieś w oddali zawył klakson samochodu. Sto metrów. Otaksowała wzrokiem otoczenie. Nikogo, kto mógłby stwarzać jakiekolwiek, choćby najmniejsze, niebezpieczeństwo. Ścisnęła pojemnik z gazem tak mocno, że gdyby nie zwyczajne odgłosy wydawane przez żyjące miasto pewnie usłyszałaby chrupnięcie chrząstek. Psychika jest darem, ale i największym przekleństwem człowieka, wiedziała o tym nie od dziś, ale dopiero teraz odczuła tę starą prawdę na sobie.

Szlag!

– ...ja nie muszę wiedzieć, dlaczego tak wybrałaś...

Pół minuty do celu. Może mniej.

Odetchnęła. Posłała w przestrzeń szeroki uśmiech. I wtedy poczuła uderzenie w potylicę. Upadła na trawnik. Lewy policzek rozdarło szarpnięcie. Kamień? Twarz zalała ciecz. Krew? Próbowała wstać, lecz przyciśnięta do ziemi przez coś tak ciężkiego, że wysysało z płuc powietrze, nie była w stanie.

Ból.

Usiłowała krzyknąć, ale z ust zakrytych wielką męską dłonią nie wypłynął żaden dźwięk. Poczuła na karku czyjś oddech. Próbowała zrzucić z siebie napastnika, lecz facet musiał ważyć chyba ze sto kilogramów. Jak nie więcej.

Usłyszała niski gardłowy głos. Głos, który mógł należeć do kogokolwiek, a najpewniej do jakiegoś podłego sukinsyna.

– Współpracuj, a wyjdziesz stąd w jednym kawałku, zrozumiano?

Nie odpowiedziała, bo usta wciąż kneblowała jej potężna dłoń. Próbowała skinąć głową, ale – sparaliżowana strachem – nie mogła wykonać najmniejszego ruchu. Zginie w tym cholernym parku! A jeśli nie zginie, to... Dlaczego ona?

Czemu nie ktoś inny, na przykład...

Chciała pomyśleć o Katarzynie (już to zrobiła!), lecz zdała sobie sprawę z tego, że to droga prowadząca donikąd albo wyłącznie na śmietnisko człowieczeństwa. Nie życz drugiemu, co tobie...

– Nie szamocz się, nie krzycz, nie utrudniaj. Szkoda ozdobić tak ładną buźkę paroma siniakami – mówił spokojnym półszeptem, jakby wiedział, że w parku jest panem sytuacji. W jego głosie dźwięczały nuty nie tylko triumfu, ale i szyderstwa. – Daj mi kilka minut... Zrobię, co trzeba, i po kłopocie. Nikt z nas nie chce kłopotów, prawda?

Zdarł z niej najpierw spodnie, później majtki. Poczuła na udach chłód. Wytężyła wszystkie siły, żeby zrzucić z siebie tego gnoja, ale nie osiągnęła nic prócz naciągnięcia mięśni pleców. Usiłowała chwycić palce napastnika w zęby i zacząć gryźć, gryźć, gryźć, ale drań unikał pokąsania z godną podziwu wprawą. Bo miał wprawę. Tak, zapewne gwałcił już wiele razy... całe mnóstwo... i nigdy nie został złapany.

Krocze rozpalił ból. Tylko jęknęła, lecz gdyby nie dłoń tego zboczeńca... wrzasnęłaby na całe gardło. Mimo wszechogarniającego chłodu na jej czoło wstąpiły wielkie krople potu. Spojrzała przed siebie, tam, skąd mógł nadejść ratunek. Tumult ustawał, choć światła wciąż rozjaśniały główną ulicę miasta. Niech ktoś przejdzie przez park, choćby staruszka z psem, choćby pijane małolaty, choćby jakiś bezdomny. Ktokolwiek!

Przód. Tył. Przód. Tył.

Policzki pokryła warstwa wilgoci. Łzy. To z bezsilności. Nie mogła wykonać najmniejszego ruchu. Ba, nie mogła nawet krzyknąć. Leżała na trawie, zimno wciskało się w każdy zakamarek jej ciała, samochody wciąż sunęły po ulicach miasta, jakiś parszywy drań używał sobie na niej, a ona nie mogła nic zrobić. Nic!

Dlaczego nie posłuchała Stefanii Kwiecień?

Boże, czemu zrobiła wszystko na odwrót?

Przód. Tył. Przód. Tył.

– Jak leci, suko? – wyszeptał. – Zafundowałem ci najlepsze rżnięcie w życiu... a to dopiero początek! Przygotuj się na coś naprawdę ekstra! Na coś naprawdę wspaniałego, coś z górnej półki...

Na moment przestał. Pomyślała, że skończył (dziękowała Bogu, że przeżyła ten koszmar bez większych obrażeń, bo przecież drań mógł chwycić za nóż), ale ulga nie trwała długo. Poczuła, jak potworny ból rozdziera jej odbyt, jak coś napiera z taką mocą, że...

Jezu!

Przód. Tył. Przód. Tył.

Zacisnęła zęby, usiłując pokonać ból. Usłyszała głos napastnika: „Coś tak wspaniałego, coś tak wspaniałego, coś tak wspaniałego", lecz tylko w głowie, bo sukinsyn nie wypowiedział ani słowa. Tylko dyszał... i dyszał... i dyszał. Niemal bez końca...

Życie nie jest sprawiedliwe.

Nie, nie jest.

Przód. Tył. Przód. Tył.

Przyspieszył. Wykonywał teraz mocne, niemal zwierzęce pchnięcia. Czuła się tak, jakby ktoś położył jej na krocze parę rozżarzonych węgli. Ogień. Wbiła palce w ziemię. Połamała paznokcie, ale ból, który temu towarzyszył, mógłby wywołać tylko uśmiech politowania.

Czemu nie posłuchała Stefanii Kwiecień?

Przód. Tył. Przód. Tył.

Dlaczego uparła się, żeby iść przez ten przeklęty park?

Przód. Tył. Przód. Tył.

Boże... Przód. Tył. Przód. Tył.

Czas stanął w miejscu. Odnosiła wrażenie, że leży na trawie od godziny, dwóch, może całą wieczność. Usiłowała się wyłączyć, odciąć od tego, czego doświadcza. Wciąż bolało, ale teraz nieco słabiej. Nadal słyszała postękiwania tego psychopaty, jednak w tym momencie dochodziły do niej jakby z oddali.

Aż w końcu... Nie zrozumiała, dlaczego to zrobił, dlaczego przed strzałem przełożył kutasa. Ale zrobił to... i doszedł. Poczuła ciepło kontrastujące z wcześniejszym chłodem. Wypełniona spermą, zaczęła szlochać. Teraz już nie z bezsilności, raczej z powodu zrezygnowania. Dlaczego ona? Czemu nie ktoś inny, na przykład jakaś prostytutka lub pijaczka? Mnóstwo tych samych pytań, żadnych odpowiedzi. Może zasłużyła na taki los? Może zgrzeszyła myślą, uczynkiem lub zaniedbaniem, lub... jakkolwiek?

Nie, Bóg nie jest aż takim draniem, żeby grzechy piętnować w taki sposób.

A może...

Po raz kolejny poczuła na karku oddech tego sukinsyna.

– Dzięki, złotko, było naprawdę wspaniale.

Gdy leżała na trawniku, wcześniejsze myśli o śmierci („Kiedyś każdy musi umrzeć, czyż nie?") majaczyły gdzieś daleko, na horyzoncie spowitym gęstą, nieprzeniknioną mgłą.

Umrzeć?

Nie, teraz już wiedziała, że najważniejsze jest to, żeby przetrwać.

17

Siedział w sypialni, wlepiając wzrok w ekran komputera. Wprawdzie spłodził już kilkanaście stron, ale wciąż odnosił wrażenie, że nie uchwycił istoty działalności Malarza. Potrafił pisać, wiedział o tym nie od dziś, jednak dzisiaj każde zdanie wydawało mu się banalne, pozbawione głębszego sensu. Próba opowiedzenia historii o poczynaniach seryjnego mordercy nie przynosiła efektów, przynajmniej na razie, lecz wierzył, że po następnej wizycie w zakładzie karnym odnajdzie natchnienie i wyjdzie z tekstem na prostą. Cierpliwości, przecież nie musi pędzić z robotą na złamanie karku, bo wydawca dał mu trochę czasu. A więc może stukać w klawisze do woli, aż wreszcie uzyska odpowiedni rezultat. Czemu zatem po plecach spacerują mu dreszcze stresu?

Zmęczenie. Albo napięcie. A może wszystko naraz?

Spowiedź przestępcy szokowała do tego stopnia, że nawet teraz, kilka godzin po opuszczeniu murów więzienia, czuł się tak, jakby ukończył morderczy bieg. Malarz mówił spokojnym, pozbawionym emocji głosem, z którego biło nieludzkie wręcz opanowanie. Pewnie z równym brakiem jakiegokolwiek poruszenia zabijał, bo przecież posłał na tamten świat trzynaście kobiet.

Odszedł od komputera, żeby rozprostować kości.

W kuchni zaparzył herbatę z melisy, zjadł kawałek gorzkiej czekolady, po czym poszedł do salonu. Usiadł w fotelu z dymiącym kubkiem, wyciągnął nogi na stół i pozwolił myślom błądzić po zakamarkach czaszki bez żadnego skrępowania. Dzisiaj przeszedł tak wiele… naprawdę tak wiele, że Anna o takiej ilości doświadczeń mogła tylko pomarzyć. Cóż, niektórzy prowadzą emocjonujące życie dziennikarza, innych zadowala nudna wegetacja księgowego. Chociaż… praca z cyferkami jest dla kobiety o niebo lepsza niż bieganie za sensacją.

Ciepło. Przytulnie. Gra muzyka. Kawka. Plotki.

„Awans"…

Malarz opowiedział historię pierwszego zabójstwa z wszystkimi szczegółami. Zdumiewał fakt, że drań pamiętał każdy smak, każdy zapach, każdą część garderoby, każdą myśl. Zupełnie jakby zabił nie dwadzieścia lat temu, lecz wczoraj. Umysł szaleńca kryje wiele tajemnic, z których morderstwo jest tylko wierzchołkiem góry lodowej. Janek czuł, że przestępca nie otworzył się przed nim tak, jak tego oczekiwał… ale zrobi to, wyjdzie z okopów braku zaufania i przedstawi każdy, nawet najmniej istotny fakt ze swojej przeszłości. A wtedy książka nabierze odpowiedniej głębi, brał to za pewnik.

„Awans".

Oryginalne określenie zabójstwa z zimną krwią.

Co tak naprawdę oznaczało? Na razie nie miał bladego pojęcia… ale tylko na razie, bo przecież rozmawiał z psychopatą zaledwie raz. Po kolejnym, albo po jeszcze następnym, zrozumie motywy, którymi kierował się psychopata. Bo chciał zrozumieć. O tak, pragnął tego najbardziej na świecie. Wniknąć pod czaszkę największego zwyrodnialca chodzącego po planecie. Prześwietlić myśli. Znaleźć odpowiedź na pytania: dlaczego, po co, w jakim celu? Wyzwanie dla prawdziwego dziennikarza z pazurem, którym miał nadzieję się stać. A może już nim był?

Usłyszał dzwonek telefonu. Zerknął na zegarek. Za kwadrans dwudziesta druga. Anna? Przesiadywała w biurze coraz dłużej i dłużej, zwłaszcza teraz, gdy Kaśka zaszła w ciążę i planowała skrobankę.

Zerknął na wyświetlacz. Dariusz. Poczuł ukłucie rozczarowania. Odstawił kubek na stół.

– Dzwonisz, żeby życzyć mi wszystkiego najlepszego? – zapytał drwiącym tonem.

Nie miał ochoty na rozmowę, przynajmniej nie na rozmowę z klawiszem pijusem, ale nie mógł nie odebrać, gdy telefonował najlepszy przyjaciel. Najlepszy, bo jedyny.

– Urodziny obchodzisz za parę miesięcy... chyba w kwietniu... lub w maju.

– Co z tego? Dobrego słowa nigdy za wiele. Znowu chlejesz?

Szkoda, że nie wymyślili aparatów określających stan rozmówcy, chociaż z drugiej strony wiedział, że o tej porze Darek opróżnił pierwszą butelkę wódki i szukał następnej – jest gdzieś tam... o tam! – ale był tak nawalony, że nie potrafił podnieść tyłka z kanapy.

– Nie chleję, lecz piję, dostrzegasz różnicę?

Janek westchnął.

– Dostrzegam, że jest z tobą coraz gorzej, stary.

Darek zarechotał.

– Racja, ale tylko dlatego, że zbyt rzadko oliwię organizm.

– Kiedyś skończysz na dworcu.

– Może, ale z walizką i z biletem w dłoni. Jak poszło z Malarzem?

– Rozmawiałem z nim.

– Masz mnie za idiotę?

– Zauważyłem kilka nieścisłości – powiedział Janek, porzucając ironiczny ton. – W aktach napisano, że wybierał wyłącznie mężatki, on zaś twierdzi, że nikogo nie wybierał, lecz zdawał się na przypadek.

– Brednie. Dokładnie wiedział, co robi.

– Czyżby? – zapytał, wciąż słysząc słowa mordercy: „Nie zależało mi na tym, czy awansuję mężatkę, pannę, rozwódkę czy wdowę". – A może stan cywilny ofiar nie miał dla niego żadnego znaczenia? Może chodziło mu tylko o atrybuty ciała...

– Cholera, o co? Mów po ludzku, do diabła! A wracając do sedna, koleś wybierał mężatki, udowodniono to. Wiesz, dlaczego to robił? Po pierwsze, jest chorym sukinsynem, a po drugie, bo nakręcał się tym. Przelecieć kobietę jest fajnie, ale przelecieć taką, która należy do innego samca, to jest dopiero frajda. Taka sama jak z przyjaciółką żony.

Przed oczyma stanęła mu zgrabna sylwetka Kaśki. Energicznie pokręcił głową, jakby usiłował strząsnąć na ziemię grubą warstwę łupieżu.

– On twierdzi co innego.

– Choroba.

– Słucham?

– On jest stuknięty, rozumiesz? Znaczy się... nie z medycznego punktu widzenia, bo podczas mordowania pozostawał poczytalny, ale... jest stuknięty... a do tego niebezpieczny jak cholera. Mówiłem już, że uwielbia traktować ludzi z buta? Chyba mówiłem. W każdym razie właśnie dlatego wciska ci ciemnotę. Uważaj na siebie, stary. Uważaj, bo możesz wdepnąć w gówno.

Westchnął.

– Dobrze, mamo.

– Nie wierzysz? – zapytał Darek i kiedy nie dostał odpowiedzi, dodał: – Nie, nie wierzysz. W takim razie pogadaj z gościem, który posłał drania za kraty. Facet nazywa się Alfred Bomba, jest komisarzem policji, obecnie na emeryturze. Adres znajdziesz w książce telefonicznej.

Jasne, mógłby pogadać z jakimś gliniarzem, tylko po co, skoro siedział twarzą w twarz z seryjnym mordercą i wysłuchiwał prawdziwej spowiedzi, poznawał szczegóły brutalnych gwałtów i zabójstw? W gruncie rzeczy nie potrzebował kolejnego źródła informacji, tym bardziej takiego, które albo już wyschło, albo właśnie wydawało ostatnie tchnienie.

– I co powie mi ten… ten komisarz?

Ostatnie słowo wypowiedział ze sporą dozą ironii.

– Nie wiem, w każdym razie na pewno zasugeruje, że jesteś przeklętym niewiernym Tomaszem. I że nie powinieneś zabierać się do spraw, o których nie masz zielonego pojęcia, kapujesz?

Tak, mamusiu. Tak, tatusiu.

– Dzięki za pomoc.

– Musisz sam sobie pomóc. Nikt nie zrobi tego za ciebie. Na razie.

Alfred Bomba. Zapisał nazwisko w notesie. Może kiedyś, kto wie?

Jeszcze przez krótką chwilę siedział na kanapie, rozmyślając o rozmowie z przyjacielem, po czym usłyszał chrobot klucza obracanego w zamku. Anna. Spojrzał na zegarek. Kwadrans po dwudziestej drugiej. Nareszcie. Gdyby nie Kaśka, żona wracałaby do domu o przyzwoitej godzinie, a tak musiała szlajać się po mieście pogrążonym w mroku.

Odgłos torebki odkładanej na komodę.

– Kochanie, nareszcie! – powiedział, nie wstając z kanapy.

Stukot obcasów o panele. Dziwnie nieregularny, odrobinę podejrzany.

– Anna, wszystko w porządku?

Zamiast odpowiedzi usłyszał huk... ciała upadającego na podłogę? Nie, wykluczone... a może jednak? O żeż! Zerwał się z miejsca. Pobiegł do przedpokoju. To, co zobaczył, wyssało mu z płuc powietrze. Krew na twarzy. Potargane włosy. Rozbita warga. Poplamione spodnie. Odniósł wrażenie, że patrzy nie na swoją piękną żonę, lecz na ofiarę wypadku samochodowego. A jeśli nie wypadku, to...

Nie chciał dopuścić do głosu tej wstrętnej myśli, ale... do diabła, od ścian czaszki odbijało mu się jedno jedyne słowo: GWAŁT. Ktoś skrzywdził Annę, ktoś dopadł Bogu ducha winną kobietę gdzieś w ciemnym zaułku bezpiecznego miasta, ktoś wyjął ze spodni...

Nie, nie, nie! Wypierał tę myśl ze świadomości, usiłował przekonać sam siebie, że popada w paranoję, lecz gdzieś w głębi duszy wiedział, że się nie myli. Nie dzisiaj, kiedy żona całą sobą stanowiła świadectwo ostatnich wydarzeń.

Kurwa mać!

Wziął zamroczoną Annę w ramiona. Zaniósł do sypialni. Wciąż wyrzucał z siebie jedno pytanie, który w tym momencie wydawało mu się kluczowe:

– Co się stało?

Dzień, dwa tygodnie, może miesiąc później zrozumiał, że przecież nie musiał o nic pytać, że wiedział. Wiedział, że padła ofiarą jakiegoś chorego skurwysyna.

– Boże... – wyszeptał, zdejmując z żony ubranie.

Delikatnie, bez pośpiechu, żeby nie sprawić jej dodatkowego bólu. Bo cierpiała jak diabli, widział to. Twarz pokryta nie tylko krwią, lecz również warstwą brudu, w którym koryta wyżłobiły strumyczki płynących łez. Dlaczego ona? Czemu nie ktoś inny, na przykład dziwka stojąca przy głównej drodze lub... Kaśka?

Zdjął najpierw bluzkę. Później spodnie. Pomyślał, że może wcale nie padła ofiarą gwałtu, lecz zwykłej napaści na tle rabunkowym. Takie rzeczy się zdarzają, szczególnie o tej porze roku, gdy mrok zaczyna opadać na świat już przed siedemnastą. Tak, jakiś podrzędny złodziejaszek na pewno ukradł żonie torebkę…

Torebka. Pierwszy słaby punkt tej wersji wydarzeń. Gdyby facet chciał coś ukraść, cokolwiek, to przecież wyszarpałby torebkę i uciekł, bo każda sekunda zwłoki działałaby na jego niekorzyść.

Chwycił w palce dolną część bielizny i dopiero teraz stwierdził, że jest lepka, mokra… czerwona. CZERWONA! Jezus Maria! Oczy zaszły mu łzami.

Zdjąwszy majtki, zobaczył zadrapania, ślady po penetracji. Łzy sforsowały tamę powiek i zalały mu twarz. Płakał jak małe dziecko, jak ktoś, komu odebrano najcenniejszą rzecz w życiu. Ogarnięty przez kompletną bezsilność, rozkleił się niczym stary, znoszony trzewik. Jako mężczyzna powinien dbać o swoją kobietę, powinien rozpościerać nad nią parasol ochronny za każdym razem, gdy niebo zasnuwała gruba kołdra chmur. Tymczasem skrewił na całej linii, pozwolił, żeby padła ofiarą jakiegoś skurwysyna. Co z niego za facet? Czemu dał nieme przyzwolenie na to, żeby wracała po zmroku zupełnie sama? Czemu przynajmniej nie zamówił taksówki, skoro brakowało mu motywacji, żeby wcielić się w rolę osobistego ochroniarza małżonki?

Dlaczego? Dlaczego? Dlaczego?

Ponownie wziął żonę na ręce. Zaniósł do łazienki. Położył w wannie. Napuścił ciepłej wody. Nie protestowała. Sprawiała wrażenie pogodzonej z losem, obojętnej na ból, na cierpienie. Upokorzona, zapadła się w głąb siebie, odcięła od bodźców zewnętrznych. Organizm reaguje na stres w najróżniejszy sposób. Najwyraźniej mózg Anny, wskutek przebytego szoku, wyłączył rejony odpowiedzialne za emocje. Przypominała teraz człowieka dotkniętego głębokim stadium upośledzenia, kogoś, kto nie tylko nie może utrzymać sztućców w dłoniach, ale również nie jest w stanie kontrolować żadnego z członków ciała. Warzywo. Gdy patrzył na kobietę, której kiedyś ślubował miłość, widział wyłącznie roślinę, co sprawiało, że czuł obrzydzenie do samego siebie.

– Zadzwonię na pogotowie – oznajmił.

Ratownicy medyczni zabiorą Annę do szpitala i sprawdzą, czy nie doznała obrażeń wewnętrznych. Musi zrobić przynajmniej tyle, zresztą, nic innego nie przychodziło mu do głowy.

– Żadnego lekarza – wymamrotała.

Zaskoczony, w pierwszej chwili nie miał pojęcia, co odpowiedzieć. Z jednej strony poczuł ulgę, że nie jest z nią tak źle, jak pierwotnie przypuszczał, z drugiej nie potrafił pojąć, dlaczego nie pozwala sobie pomóc.

– O czym ty mówisz?

Zamoczył gąbkę w wodzie. Najpierw natarł, później namydlił ciało. Zmywał nie tylko brud, ale i zły dotyk. Facet obmacywał Annę... wszędzie, po szyi, po piersiach, po udach, po pośladkach... Obmacywał i posuwał. Gdy o tym pomyślał, poczuł ściskanie w dołku. Powinni gnoja złapać, stłuc, następnie ocucić, ponownie mu wpieprzyć, znowu przywołać do świata przytomnych, aż w końcu wykastrować. Obcinać jaja, kawałek po kawałku, tak żeby poznał, czym jest prawdziwe cierpienie, to samo, które on fundował innym.

– Żadnego lekarza... spać...

Zaczął pracować w gorączkowym pośpiechu. Nie chciała, żeby zadzwonił po pogotowie. Dlaczego? Nie roztrząsał tej kwestii, bo wiedział, że wrócą do niej jutro, kiedy Anna odzyska nieco sił. Ślady gwałtu nie znikną z dnia na dzień, tak jak topnieje śnieg po nadejściu niespodziewanego ocieplenia. O nie, przez tydzień lub nawet miesiąc będą namacalnym świadectwem tego, co wydarzyło się tego wieczoru. A psychika…

Kurwa!

– Spokojnie, kochanie, wszystko się ułoży.

Wybrał banał, bo nic innego nie przychodziło mu do głowy. Pomógł żonie wyjść z wanny. Powycierał ręcznikiem, uważając na newralgiczne miejsca. Następnie odział wciąż lekko wilgotne ciało w luźną koszulę nocną, którą swego czasu – dwa, może trzy lata wstecz – kupiła na wyprzedaży. Gdy skończył, wziął bezwładną Annę na ręce. Sprawiała wrażenie śpiącej, może rzeczywiście przysypiała, chociaż oczywiście zdawał sobie sprawę z tego, że to bardziej rodzaj swoistej apatii, coś jak zobojętnienie na bodźce wysyłane przez otoczenie.

W sypialni położył żonę na łóżko i przykrył kołdrą. Odetchnął, jakby chciał wyczyścić organizm ze stresu, ale nic nie wskórał. Gdy tak stał i patrzył na leżącą Annę, do oczu znowu napłynęły mu łzy. Dlaczego? Mnóstwo pytań, na które nigdy nie znajdzie odpowiedzi. A jeśli znajdzie, to pewnie dopiero w chwili, gdy już nic nie będzie takie samo jak wcześniej. Nic.

Poszedł do salonu. Otworzył barek, z którego wyjął butelkę wódki, po czym napełnił szklankę. Wypił zawartość za jednym zamachem i nalał następną. Anna została brutalnie zgwałcona.

Znowu zapłakał, jednak tym razem krótko, tylko przez moment. Musi zachować zimną krew, bo przecież Anna potrzebuje teraz silnego męskiego ramienia bardziej niż kiedykolwiek wcześniej, chociaż… może nie bardziej niż wtedy, gdy jakiś zboczeniec wyciskał z niej nie tylko chęć do życia, ale również człowieczeństwo. Gdzie wówczas grzałeś kapcie, twardzielu, co?

Opróżnił szklankę i wrócił do sypialni. Położył się obok żony. Regularny oddech świadczył o tym, że spała. Dlaczego ona? Czemu nie ktoś inny?

Zabije gnoja.

Załatwi faceta na amen!

18

Gdy otworzyła oczy, na zewnątrz świtało. Początkowo nie wiedziała, gdzie przebywa ani co tu robi, jednak już po chwili zrozumiała, że leży we własnym łóżku, a obok… Zerknęła na śpiącego Janka. Najwyraźniej jakimś cudem dotarła do mieszkania, jednak wskutek szoku nie pamiętała drogi powrotnej. Musiała iść przez miasto… i co dalej? Nikt nie zareagował, widząc pokiereszowaną, utykającą kobietę? Nikt nie wezwał pogotowia, nikt nie zawiadomił policji, wreszcie nikt nie zadzwonił po taksówkę… Pewnie nawet nikt na nią nie spojrzał.

Obrazy związane z ostatnimi wydarzeniami powróciły z potworną siłą. Pozwoliła opaść powiekom. Wzięła kilka głębokich oddechów. Miała nadzieję, że wspomnienia gwałtu odejdą w zapomnienie, ale one wciąż siedziały pod czaszką i atakowały mózg. Wytarła pojedynczą łzę spływającą po policzku. Została sponiewierana przez jakiegoś sukinsyna. Została odarta z człowieczeństwa. Została oskubana z godności. Została upokorzona, tak po prostu. Nikt nie zareagował. Stanęła oko w oko ze zboczeńcem nad zboczeńcami, z jakimś obłąkanym bydlakiem i została opuszczona nawet przez Stwórcę. Czym sobie na to zasłużyła?

Gdyby nie obecność męża, pewnie zaczęłaby szlochać. Jednak wzięła się w garść, wstała (o dziwo, ciało nie płakało bólem, jedynie krocze i wewnętrzna strona ud paliły żywym ogniem), po czym pokuśtykała do łazienki. Stanęła przed lustrem. Rozcięcie na twarzy okazało się płytkie i nie wymagało szycia (lekarz pewnie użyłby sformułowania „otarcie" albo „zadrapanie"), ale pod lewym okiem rozlał się siniak wielkości męskiej pięści. Przyłożyła dłoń do opuchlizny. Jęknęła. Nie pamiętała, żeby dostała cios w te okolice, lecz... przecież mogła nie zarejestrować każdego uderzenia, każdego ruchu gwałciciela. Chociaż nie, ruchy tego drania pamiętała nad wyraz dobrze, szczególnie te posuwiste...

Napuściła do wanny gorącej wody. Zdjęła koszulę nocną. Spuściła wzrok na krocze. Nie chciała tam patrzyć, bojąc się tego, co może zobaczyć, ale nie miała innego wyjścia. Wstrzymała oddech. Czerwień. Nie krew, ale zadrapania, otarcia, podrażnienia skóry. Włożyła palec do środka, usiłując zbadać głębokość ran. Musiała zacisnąć zęby, żeby nie zawyć. Nie potrafiła stwierdzić, czy potrzebuje pomocy lekarza, lecz wiedziała jedno: jeśli chce uniknąć niewygodnych pytań, nie może pójść do jakiegoś konowała. Oczyma wyobraźni widziała nalaną mordę faceta przed sześćdziesiątką, który z ironicznym uśmiechem naciąga na dłonie lateksowe rękawiczki (zaatakowana skojarzeniami z kondomem, omal nie zwymiotowała) i mówi: „Sprawdźmy, co tu mamy...". O nie, nie może do tego dopuścić.

Weszła do wanny. Gorąco. Nawet bardzo. Woda parzyła ciało, wdzierała się w każdy zakamarek, szczególnie w okolice krocza, lecz ona nie rezygnowała. Z zaciśniętymi zębami, z oczami pełnymi łez zaczęła myć każdy centymetr kwadratowy skóry. Dokonywała oczyszczenia nie tylko tego, co na zewnątrz, ale również obmywała duszę. Jeśli chce zapomnieć, jeżeli pragnie zmyć z siebie brud gwałtu, musi działać, nie zważając na ból. Zresztą, prawdziwy ból poznała parę godzin wcześniej, wszystko inne pozostawało tylko marną imitacją tego, co przeżyła wczoraj. Drań skalał ją dotykiem… Gdy o tym pomyślała, poczuła do siebie obrzydzenie. Oczywiście zdawała sobie sprawę z tego, że nie była niczemu winna, ale nie potrafiła odepchnąć od siebie wstrętu.

Przód. Tył. Przód. Tył.

Najpierw użyła gąbki, później kostki pumeksu. Szorowała brzuch, piersi, uda, pośladki, pachwiny. Drapała miejsca, które nie wymagały mycia. Ale nie przestawała, jak gdyby wierzyła, że tylko tym sposobem odepchnie od siebie łapska gwałciciela, że tylko tak może odciąć się od tego, czego doświadczyła w parku. Sprawiała wrażenie brudnej, przynajmniej w swoim mniemaniu, nawet wtedy, gdy skórę pokryły ranki powstałe wskutek zbyt intensywnego szorowania. Wówczas przestała, lecz tylko na moment, dosłownie na mgnienie oka, tak jak ten sukinsyn przestał tylko po to, żeby zmienić dziurę.

Przód. Tył. Przód. Tył.

Usłyszała, że Janek wstał, podszedł do drzwi łazienki i zapytał:

– Wszystko w porządku?

Bała się, że wejdzie do środka, dlatego odparła bez namysłu:

– Tak, zaraz wychodzę.

Wszystko w porządku…

Boże…

– Na pewno?

– Daj mi kilka minut, dobrze?

Janek poszedł do kuchni i zaczął przyrządzać śniadanie. Z włączonego radia sączyły się słowa anglojęzycznej piosenki. Odetchnęła, wiedząc, że dźwięki dochodzące z kuchni zagłuszą wszystko inne. Hamulce puściły. Zaczęła płakać tak rzewnie, że musiała odkręcić kurek z gorącą wodą, tak na wszelki wypadek, żeby szloch nie sforsował drzwi łazienki. Wypuściła z dłoni gąbkę i pumeks. Zwinęła się w kłębek przywodzący na myśl ludzki embrion.

Przód. Tył. Przód. Tył.

Gdy doszła do względnej psychicznej równowagi (przypuszczała, że pewne części jej osobowości umarły i już nigdy nie powrócą do życia), uznała, że bydlak mógł posunąć się nieco dalej. Na przykład mógł wyciągnąć zza paska spodni nóż i... Wówczas nie siedziałaby w wannie, nie brała kąpieli i nie rozmyślała o niedalekiej przeszłości. Czyli co, jednak miała szczęście? Chyba tak, bo ofiary Malarza – nie wiedziała, dlaczego w tym momencie pomyślała o seryjnym mordercy – spotkały kogoś, kto nie brał jeńców, kto nie tylko gwałcił, ale też zabijał. Martwi nie rozpaczają... nie, oni nie muszą tego robić.

– Na pewno wszystko w porządku?

Wyrwana z rozmyślań przez głos męża, aż podskoczyła. Jasne, w jak najlepszym. Padła ofiarą jakiegoś psychopaty, jakiegoś cholernego zboczeńca, jakiegoś przeklętego gwałciciela, a on pyta, czy wszystko w porządku?

– Tak – odpowiedziała ponownie.

– Zrobiłem śniadanie.

– Już idę.

Wyszła z wanny, po czym owinęła ciało ręcznikiem. Żeby zobaczyć swoje odbicie w lustrze, musiała najpierw wytrzeć parę osiadłą na szklanej powierzchni. Wyglądała... całkiem nieźle (jeśli ktoś z pokiereszowaną twarzą może wyglądać „nieźle"), ale przecież nawet głupiec musiał wiedzieć, że gwałt pozostawia najwięcej śladów nie na ciele, lecz na psychice. Wzięła kilka głębokich oddechów. Przedwczoraj weszła w fazę owulacji, czyli istniało prawdopodobieństwo (nie potrafiła określić, jak duże), że zajdzie w ciążę. Rzecz jasna, zdawała sobie sprawę z tego, że zapłodnienie nawet w trakcie dni uznawanych za najbardziej odpowiednie wcale nie jest oczywiste, ale... Owulacja. Dlaczego właśnie teraz? Czemu padła ofiarą jakiegoś zwyrodnialca w momencie, gdy przechodziła przez fazę trzech (dosłownie tylko trzech!) newralgicznych dni w cyklu liczącym dwadzieścia osiem? Pech? Zrządzenie losu? A może złośliwość kogoś, kogo ogół nazywa „Stwórcą"? Może Bóg – o ile w ogóle istnieje, bo teraz miała co do tego spore wątpliwości – siedzi na tronie, ogląda telewizję i nie wykazuje żadnego zainteresowania swoimi owieczkami? Wróć. Skoro jest cynicznym draniem, to musi czerpać satysfakcję z widoku upokorzenia, bólu i cierpienia. Zatem pewnie siedzi na tym swoim cholernym krześle wyrzeźbionym nie z drewna, lecz ze srebra lub ze złota, popija zimne piwko, wyciera pianę z ust i wybucha gromkim śmiechem za każdym razem, gdy ktoś tu, na ziemi, dostaje solidny wycisk.

Ubrała się, po czym wyszła z łazienki. Usiadła przy stole w salonie, nie patrząc na męża. W powietrzu unosił się zapach jajecznicy na boczku i świeżo zaparzonej kawy. Wbiła wzrok w okno. Chmury ograbiły dzień ze światła, za to poczęstowały okolicę sporą warstwą śniegu. Złośliwość losu. Gdyby biały puch pokrył świat wczoraj, na pewno dostrzegłaby niebezpieczeństwo o wiele wcześniej, a w tym wypadku określenie „wcześniej" było równoważnikiem zwrotu „wrócić bezpiecznie do domu". Mogłaby uciec zboczeńcowi, mogłaby zacząć krzyczeć, mogłaby zrobić cokolwiek...

Śnieg. Czemu dopiero dzisiaj, do ciężkiej, jasnej, ciasnej cholery?

– Zjedz coś – poprosił Janek.

Wzięła do ręki filiżankę. Wypiła parę łyków kawy.

– Nie jestem głodna.

Chciał położyć dłoń na jej dłoni, ale cofnęła rękę,

jakby dotyk mężczyzny parzył. Ciekawe, kiedy w ogóle pozwoli się dotknąć... komukolwiek.

– Posłuchaj...

– Nic nie mów, proszę.

Pokręcił głową.

– Muszę – powiedział łamiącym się głosem. Twarz wykrzywił mu grymas cierpienia. – To wszystko moja wina. Nie powinienem pozwolić, żebyś wracała sama. Gdybym wcześniej o tym pomyślał... Nawet nie wiesz, jak bardzo mi przykro.

Nie odrywając wzroku od okna, oznajmiła:

– Mogłam iść przez miasto. Mogłam uniknąć spotkania z tym sukinsynem, gdybym nie poszła przez park. Ale za wszelką cenę chciałam powalczyć ze strachem. Czułam, że coś może się stać... Czułam to, rozumiesz? Ale bagatelizowałam przeczucia. A teraz...

Czemu nie posłuchała Stefanii Kwiecień?

Czemu, do diabła!?

– Dorwę skurwysyna! Dorwę i zabiję!

Spojrzała mu w oczy. Mówił szczerze. Pewnie gdyby spotkał drania na swojej drodze, gdyby stanął z tym bydlakiem oko w oko, spełniłby obietnicę bez najmniejszego wahania. Ale ona leżała twarzą do ziemi i nic nie widziała, to po pierwsze. A po drugie, nawet gdyby patrzyła na wykrzywioną podnieceniem gębę tego świra, pewnie nie zarejestrowałaby żadnych szczegółów. Tkwiła w szponach tak głębokiego wstrząsu, że myślała tylko o ocaleniu życia, wszystko inne schodziło na dalszy plan.

– Dlaczego to spotkało właśnie mnie?

Odstawiła filiżankę na stół. Westchnęła. To pytanie powracało przez cały ranek, powodując dodatkowy ból. Facet mógł dokonać gwałtu na dziesięciu tysiącach innych kobiet mieszkających w Raciborzu, ale padło na nią. Przypadek. Los. Pech. Skończyła w łapskach tego sukinsyna, bo znalazła się w nieodpowiednim czasie w niewłaściwym miejscu. Wyjaśnienie dobre jak każde inne, z tym że chyba najbardziej trafne.

– Próbowałem znaleźć odpowiedź na to pytanie…

– Ale nie znalazłeś. Sprowokowałam sytuację. Gdybym wybrała inną drogę, gdybym poszła przez miasto, nigdy nie doszłoby do tego. Nigdy, rozumiesz? Jestem głupia. Mogłam posłuchać głosu rozsądku, ale wolałam pokonać strach… a przynajmniej spróbować pokonać. Boże, jaka jestem głupia!

Schowała twarz w dłoniach. Omal nie zaczęła płakać, ale zbudowała tamę na drodze wciąż wzbierającej fali łez i zepchnęła rodzącą się słabość do najdalszego kąta duszy, tam, skąd nie miała powrotu. Gwałciciel powinien skończyć za kratami, to oczywiste, ale oczywisty był również fakt, że gdyby nie stawiała na bezmyślny upór, dziś poszłaby do pracy o normalnej porze, nie czując palenia tam na dole, w okolicach krocza.

– Nie jesteś głupia.

– Nic nie rozumiesz? – zapytała podniesionym głosem. – Nie rozumiesz, że sama się o to prosiłam? Nie rozumiesz, że mogło do tego nie dojść!? Wystarczyło, żebym ruszyła głową, ale nie, wolałam wmawiać sobie, że jestem twarda… nie, nie twarda, najtwardsza! Wiesz co? Tak, jestem, tylko co z tego mam?

Spuścił wzrok. Najwyraźniej wyrzuty sumienia kąsały mu duszę, bo przecież on siedział w ciepłym, przytulnym mieszkaniu, gdy jakiś psychopata… A ona? Ona żałowała tylko wypowiedzianych słów, i to wyłącznie przez moment, dosłownie przez mgnienie oka, bo zdanie, które Janek wydusił z siebie po krótkiej chwili milczenia, zrodziło w niej gniew.

– Musimy zawiadomić policję.

– Żadnej policji! – krzyknęła.

Popatrzył na nią tak, jakby wymierzyła mu siarczysty policzek. Zawiadomić policję? Większej głupoty nie słyszała chyba nigdy wcześniej. Czy w tym związku tylko ona stawia na myślenie?

„Jesteś zbyt surowa", skarciła się w duchu. „Nie, jestem pragmatyczna", odpowiedziała samej sobie.

– Dlaczego? Musimy ukarać tego sukinsyna, musimy...

Parsknęła wymuszonym śmiechem.

– Co musimy? Co, do ciężkiej, jasnej, ciasnej, cholery, musimy?! – Poczuła chłód obejmujący stopy i dłonie, zupełnie jakby krew odpłynęła z kończyn do głowy, żeby odżywić mózg ogarnięty gorączką emocji. – Nic do ciebie nie dociera? Nie widziałam twarzy tego sukinsyna! Nie widziałam... tylko słyszałam jego przyspieszony oddech, kiedy wbijał się we mnie... i wbijał...

– Przestań!

– Przestać? Przestać!? – Teraz nie mówiła już podniesionym głosem, lecz krzyczała. Wiedziała, że postępuje jak skończona idiotka, że Janek nie był niczemu winny, ale nie potrafiła zahamować potoku słów nasączonych zarówno żalem, jak i szyderstwem. – Świetnie, tylko czemu on nie przestał? Czemu posuwał mnie coraz mocniej i mocniej, gdy słyszał mój płacz? Czemu, do do diabła!? Czemu!?

Znowu zapadło milczenie. Podeszła do okna, skrzyżowała ręce na piersiach i spojrzała gdzieś w dal. Raz po raz wracała myślami do wydarzeń sprzed kilku godzin, czując przejmujący ból w okolicach serca. Istniał tylko gwałciciel, ten chory bydlak, nic poza nim.

– Idź na policję, to jedyne rozwiązanie.

– Co im powiem? – zapytała nieco bardziej opanowana.

– Że zostałaś zgwałcona.

Ponownie parsknęła śmiechem. Czy on naprawdę nic nie rozumie? Czy jest aż takim… idiotą, aż tak skończonym głupcem, że nie zauważa rzeczy oczywistych? „Idź na policję. Idź na policję. Idź na policję". Jasne, już leci, tylko przedtem wciągnie na tyłek zakrwawione majtki, spryska dekolt najlepszymi perfumami, a usta potraktuje różową szminką. Niech pieski w mundurach też skorzystają, a co!

– Co jeszcze? – zapytała z sarkazmem w głosie. – Nie wiem, kto to zrobił, nie widziałam nawet sylwetki, nie mówiąc o twarzy. Myślisz, że na podstawie tej informacji: „Dzień dobry, zostałam zgwałcona" rozpoczną poszukiwania tego drania? Nie, do diabła! Prędzej usiądą przy stole, zaczną grać w karty, zaczną rechotać, zaczną nazywać mnie idiotką… może nawet kurwą, bo przecież sama tego chciałam, prawda? Rozłożyłam nogi przed tym palantem i pozwoliłam, żeby mnie wyruchał!

Ponownie schowała twarz w dłoniach. Zawiadomić policję. Jasne. Gdyby mogli, pewnie wepchnęliby ją do izolatki, kazali zrzucić z siebie ubranie i zatańczyć kankana, a później… Media trąbiły o wielu takich przypadkach, nierzadko znajdujących finał w postaci umorzenia sprawy. Cholerny świat.

– To nie tak… – zaprotestował Janek półszeptem.

Podszedł do niej, chcąc ją objąć lub przynajmniej położyć dłonie na jej ramionach, żeby poczuła wsparcie, ale zrezygnował w momencie, gdy zadrżała.

– A niby jak, co? Niby jak?

– Jesteś niesprawiedliwa.

– A kto mówi o sprawiedliwości? Może Bóg, który pozwala takim bydlakom chodzić po ulicach miasta? Gdzie był, gdy ten sukinsyn… Gdzie? A gdzie ty byłeś… gdzie był ktokolwiek? Czemu nagle wszyscy rozpłynęli się w powietrzu, jakby na tej przeklętej planecie nie istniało życie poza mną i nim!?

– Przepraszam...

Zdała sobie sprawę z tego, że przesadza, że za to, czego doświadczyła, oskarża nie tylko jedynego winowajcę, lecz również wszystkich dookoła. A przecież Janek nie mógł nic zrobić, bo przebywał kilometr dalej. Fakt, siedział w mieszkaniu i oglądał telewizję... czy co tam robił, ale skąd miał wiedzieć, że w mieście grasuje gwałciciel?

A inni? Gdyby ciemnymi alejkami parku szedł ktoś, ktokolwiek, na pewno podjąłby jakieś działanie. Nikt nie zostawia potrzebującego na łasce losu, nikt!

– Nie, to ja przepraszam – powiedziała, po czym usiadła na krześle.

Rozmowa o gwałcie wyciskała z niej energię, odcinała komórki ciała od dopływu krwi zaopatrzonej w tlen. Osłabiona, niemal wyczerpana, pragnęła położyć się do łóżka i przespać cały boży dzień. Albo dwa. Albo nawet całe życie.

Janek wyszedł z kuchni, a kiedy wrócił, trzymał w rękach butelkę wódki i dwie szklanki.

– Chcesz?

Pokręciła głową. Nalał tylko sobie, wypił jednym haustem, po czym napełnił naczynie ponownie. Znowu opróżnił. Nigdy nie widziała, żeby wlewał w siebie mocny alkohol z takim zaangażowaniem. Winem mogli raczyć się przez cały wieczór, ale czystą?

Zamknęła oczy.

Przód. Tył. Przód. Tył.

19

Wlał w siebie kolejną pięćdziesiątkę. To już... musiał pogrzebać w pamięci, żeby określić właściwą cyfrę. To już czwartą. Ogarnął wzrokiem tonący w półmroku bar. Kilka dziewczyn odzianych w kuse spódniczki, znacznie więcej podpitych facetów. Dzień jak co dzień albo raczej wieczór jak każdy inny.

Nie zamierzał wychodzić z mieszkania, ale Anna sprawiała wrażenie nieobecnej, więc uznał, że potrzebuje odrobiny samotności. Głupio brzmi, zdawał sobie z tego sprawę, jednak, po pierwsze, nie pozwalała sobie pomóc. A po drugie... do diabła, nie pozwalała sobie pomóc! Chciał z nią pogadać, chciał przytulić, pragnął dodać otuchy, zrobiłby dosłownie wszystko, żeby posłała w przestrzeń chociaż jeden blady uśmiech... Nic z tego. Siedziała w pokoju, piła herbatę i patrzyła gdzieś przed siebie. A kiedy próbował zagadać, nie reagowała, jakby wciąż przebywała w ramionach gwałciciela, tego podłego skurwysyna, tego... skurwysyna nad skurwysynami.

Załatwi gnoja! Załatwi na amen!

Skinął na barmana, zamawiając następną kolejkę. Otyły mężczyzna w kwiecie wieku, noszący na sobie przynajmniej piętnaście kilogramów nadwagi, doliczył piątaka do rachunku, po czym przyniósł do stolika napełniony kieliszek. Oczywiście ten pusty zabrał z sobą. Kiedy odchodził, kołysał biodrami tak, jak gdyby szkielet tworzyły nie kości, lecz guma. Lewo, prawo, lewo, prawo... Janek pomyślał, że koleś powinien zacząć trenować, inaczej nie poderwie żadnej dziewczyny. Chyba że... chyba że posunie się do gwałtu.

Wypił zawartość kieliszka. Zamówił kolejny. I znowu identyczna kolejność. Rachunek, barman, falowanie bioder. Objął palcami oszronione szkło. Wbił spojrzenie w twarz jednej z kobiet. Siedziała pod ścianą w towarzystwie czterech koleżanek, rozbawiona, głośna i rozluźniona pokaźną ilością spożytego alkoholu. Nie zdawała sobie sprawy z tego, że gdzieś tam na zewnątrz, między drzewami, za rogiem, na klatce schodowej... gdziekolwiek, czyha sukinsyn chcący zaspokoić swoje chucie. Gwałciciel. Skurwysyn czekający tylko na to, żeby wprawić w ruch sterczącego kutasa.

Wódka stępiła mu ostrze trzeźwości, mimo to nie przerwał konsumpcji. Kolejne pięćdziesiąt gramów. Dorwie gnoja i rozwali, choćby musiał łazić po mieście, szukać w każdej norze i każdej spelunie, choćby miał poświęcić na to następne tygodnie, miesiące lub lata. Załatwi gnoja, bo... tak powinien zrobić każdy facet. Skurwiel! Skurwiel! Skurwiel!

Po raz kolejny spojrzał na kobiety siedzące po drugiej stronie lokalu. Pięć dziur do szaleńczej penetracji. A może i dziesięć. Albo i piętnaście, wszystko w zależności od preferencji i fantazji gwałciciela. Facet mógłby sobie używać na kimkolwiek, na jednej z dziesięciu tysięcy obywatelek tego miasta, tymczasem wybrał Annę.

Anna.

Jego kochana żona.

Przez moment trwał w kompletnych bezruchu, walcząc ze łzami napływającymi do oczu. A kiedy zaczęły płynąć po policzkach szeroką ławą, bo stracił kontrolę nad emocjami, poczłapał do toalety – idąc przez wąski korytarz, musiał trzymać się ściany, żeby nie wyczyścić podłogi koszulą – i przemył twarz zimną wodą. Pomogło, może nie do końca, ale przynajmniej na moment odepchnął od siebie rozgoryczenie i żal do całego świata. Nie życz drugiemu, co tobie niemiłe. Łatwo powiedzieć, trudniej wykonać, tym bardziej że tragedia spotkała właśnie ich.

Anna.

Zgwałcona.

Wracał na miejsce na miękkich nogach, lawirując między stolikami. Zanim dotarł do celu, przystanął koło potężnego faceta w puchowej kamizelce siedzącego przy barze z kuflem piwa w dłoni. Gwałciciel? Na pewno... raczej... chyba... może... Przybliżył twarz do twarzy sukinsyna, chcąc dostrzec jakiś charakterystyczny szczegół, coś, co odróżnia zboczeńców od pozostałych, tych normalnych mężczyzn. Błysk w oku, głupawy uśmiech, niedbały zarost. Cokolwiek. Niestety, zobaczył tylko gładko ogolone policzki, orli nos i wzrok, którym można posłać do piachu samego Lucyfera.

– Jakiś problem, koleś?

Ostry, nieco ochrypły głos.

„Tak, kurwa, poważny problem... koleś!"

Dopiero teraz zdał sobie sprawę z tego, że podszedł do typa zdecydowanie zbyt blisko, na tyle blisko, że wyczuł zapach miętowej gumy do żucia i taniej wody kolońskiej. Potrząsnął głową, usiłując opuścić głębiny odurzenia alkoholem i wypłynąć na powierzchnię. Do diabła, zamiast trwać w domu przy sponiewieranej żonie, szukał guza w jakiejś spelunie na drugim końcu miasta. Tak, szukał guza, bo facet o posturze małego bawołu mógłby mu zrobić z gęby... z dupy... garaż dla masywnej pięści... stopy.

Cofnął się o krok, splunął na podłogę, odwrócił się na pięcie, po czym ruszył do stolika. Nawet nie przypuszczał – procenty krążące mu we krwi zniekształcały rzeczywistość niczym krzywe zwierciadło – że kiedy taksował wzrokiem oblicze mężczyzny w puchowej kamizelce, cały lokal wstrzymał oddech. Rozróba wisiała w powietrzu i tylko dzięki podjęciu właściwej decyzji uniknął solidnego garbowania skóry.

Klapnął na krzesło, wziął do ręki kieliszek, podniósł do ust i przechylił. Nic. Zerknąwszy do środka, cisnął szkłem za siebie, po czym przesunął wściekłym spojrzeniem po twarzach pozostałych gości baru, oczywiście tych płci powszechnie uważanej za brzydką. Faktycznie, każda z tych mord, każda z tych paskudnych mord, bez wyjątku, mogłaby należeć do gwałciciela, do skurwysyna, który obrobił mu żonę, do zboczeńca nad zboczeńcami, do potwora. A skoro tak... Czknął. A skoro tak, to powinien wpierdolić im wszystkim. Jeśli wypruje flaki z każdego faceta chodzącego po tym mieście, to w końcu natrafi na tego właściwego, podłego drania.

Anna.

Zgwałcona.

Wstał, zatoczył się, jednak utrzymał równowagę. Odnosił wrażenie, że stoi niemal na baczność, że nie wykonuje żadnego ruchu, taksując wzrokiem wnętrze lokalu, tymczasem nie panował nad ciałem, ba, prawie tańczył fokstrota! Chwycił dłońmi oparcie krzesła, zwilżył śliną usta, po czym powiedział z odrazą w głosie:

– Wszyscy jesteście pojebani, słyszycie?

Lokal ponownie wstrzymał oddech. Muzyka nadal dolatywała z głośników, szafa grająca wciąż posyłała w przestrzeń dziesiątki kolorowych świateł, jednak ludzie znieruchomieli jak pod groźbą rozstrzelania. A wszystko przez kogoś, kto przemienił krwiobieg w destylarnię alkoholu. Przez człowieka, któremu jakiś zboczeniec, jakiś bydlak, jakiś gnój, jakiś... zgwałcił żonę.

Anna.

Jego kochana żona.

Zrobił kilka chwiejnych kroków. Stanął w centralnym punkcie pomieszczenia, tak żeby każdy mógł zobaczyć i usłyszeć. Nie miał pewności, że język nie odmówi mu posłuszeństwa, przecież wlał w siebie zbyt dużo alkoholu. Ale, do diabła, gdyby nie gwałt… gdyby nie jakiś… skurwysyn, skurwysyn, skurwysyn! Oczy zaszły mu łzami, na co teraz nie zwracał uwagi. Procenty spowodowały, że nie panował ani nad ciałem, ani nad umysłem. W zasadzie nad niczym. Hamulce puściły, sprawiając, że pretensje do całego świata wzięły górę nad zdrowym rozsądkiem.

– Słyszycie, do kurwy nędzy!? Pojebani!

Nikt nie zareagował, nawet mężczyzna w puchowej kamizelce. Kobiety patrzyły na niego z nieskrywaną pogardą, jakby to on gwałcił, jak gdyby to on przemieniał cudze życie w piekło z uśmiechem na ustach. Tymczasem to właśnie oni, on i Anna, padli ofiarą jakiegoś psychopaty, jakiegoś padalca w ludzkiej skórze, jakiegoś zwyrodnialca, którego na swoje chore łono przyjęło społeczeństwo kurewskiego zadupia, położonego gdzieś na peryferiach świata.

Pokrzywdzeni, zbrukani… oboje… pozbawieni godności…

– Pojebani… – wyszeptał, jak gdyby zabrakło mu sił.

Jeszcze przez chwilę stał na środku lokalu, walcząc z zawrotami głowy i nieostrym obrazem. A kiedy uznał, że nic tu po nim, że powinien usiąść w bujanym fotelu, wziąć do ręki rewolwer, przystawić do skroni i pociągnąć za spust, odwrócił się, powtórnie splunął na podłogę, po czym ruszył w kierunku drzwi.

Jakiś dupek zgwałcił mu żonę.

Boże! Boże! Boże!

Wyszedł na zewnątrz, wprost w objęcia ciemności.

*

Kiedy przechodził przez rynek, zahaczył kolanem o ławkę i runął na ziemię jak długi. Chwilę potrwało, nim zapanował nad nieposłusznym ciałem, minuta, dwie, może cały kwadrans. Czas stanął w miejscu, albo raczej pędził przed siebie na złamanie karku. Co za różnica? Żadna, zwłaszcza dla kogoś, komu krwiobieg rozrywa adrenalina, a korę mózgową wataha drapieżnych myśli zogniskowanych na jednym temacie.

Zgwałcona.

Anna.

Ruszył przed siebie. Zamierzał odwiedzić jakiś sklep monopolowy, żeby wypłukać z umysłu resztki świadomości, ale żadnego nie znalazł. Kompletna pustka, taka, która przytłacza, która rozczarowuje, która rodzi frustrację, nic ponadto. Obmacał kieszenie kurtki w poszukiwaniu butelki, ćwiartki, piersiówki. Czegokolwiek, czym mógłby ugasić pragnienie. Znowu nic. Zaklął pod nosem, nawet nie zdając sobie sprawy z tego, że z ust wypływa mu najzwyklejszy w świecie bełkot.

Szedł przez miasto pogrążone w głębokim śnie. Nikogo. Żadnego staruszka z psem, żadnej kobiety z krzykliwym makijażem, żadnej policji, żadnego... gwałciciela. Liczył, że procenty wymiotą mu spod czaszki wszystkie zalegające tam brudy, łącznie z obrazami gwałtu, tymczasem podziałały wręcz odwrotnie. Nadal widział grymas bólu wykrzywiający twarz żony, wciąż słyszał krzyki, błagalne prośby o litość. I nic nie potrafił na to poradzić. Każdy nosi swój krzyż, prawda? A on, jako że nie ochronił Anny przed plugastwem tego świata, musiał ponieść zasłużoną karę.

„Jesteś zerem", przyszło mu do głowy.

Nie, nie jest nawet tym.

Przechodząc koło radiowozu zaparkowanego pod jedyną dyskoteką w mieście, dzisiaj nieczynną, poczuł przypływ nienawiści. Pieski w niebieskich mundurach. Pewnie w momencie, gdy jakiś psychopata obrabiał mu ukochaną, grzali dupska na komendzie… na komisariacie lub innym posterunku, grali w karty, popijali ciepłe piwo i wymieniali spostrzeżenia o nadchodzącym meczu. Sukinsyny. Powinien załatwić również ich, tak dla zasady. Najpierw komisarzy, później podkomisarzy, a na końcu… albo na początku… kurwa, wszystkich!

Zerknął do środka. Pusto. Wsadził rękę do kieszeni dżinsowych spodni. Wyjął pęk kluczy. Największym z nich, tym od piwnicy, przejechał po masce samochodu. Ciszę zmącił nieprzyjemny dźwięk, jaki wydają trące o siebie dwa kawałki metalu. Miał nadzieję, że dzięki temu odzyska choć odrobinę utraconego wcześniej humoru, ale nie, nic takiego nie nastąpiło.

Pieprzyć to!

Pojebani!

Zgwałcona…

Kiedy dotarł na osiedle, usiadł na brudnej, obskurnej ławce. Zimno, nawet bardzo. Postawił kołnierz kurtki. Dmuchnął w dłonie. Upływ czasu sprawił, że zaczął trzeźwieć. Powoli, ale jednak. Zlustrował wzrokiem otoczenie, szukając kogoś, komu mógłby obić mordę. Tak dla zasady, tak dla draki. O tej porze po mieście chodzą wyłącznie podejrzane typy… albo ludzie przeżywający dramat, tacy jak Janek Kowalski.

Wrócił myślami do gwałtu. Znowu. Gdyby wiedział…

Gdyby przebywał w pobliżu…

Gdyby mógł cofnąć wskazówki zegara…

Zgwałcona. Zgwałcona. Zgwałcona.

Schował twarz w dłoniach.

Zaczął płakać.

20

W tym samym czasie kiedy Janek wlewał w siebie kolejkę za kolejką, Anna siedziała w domu i opatulona grubym kocem systematycznie osuszała butelkę czerwonego wina. Doszła zaledwie do połowy, ale przypuszczała, że za kwadrans, za pół godziny... w każdym razie za jakąś chwilę będzie musiała narzucić na plecy kurtkę i wyjść do sklepu po coś mocniejszego. Chociaż... nie, już nigdy nie opuści czterech ścian, już nigdy nie odważy się pójść gdzieś bez towarzystwa. Ból ogarniający krocze. Smak ziemi w ustach. Krew na policzku. Mnóstwo upokorzenia, dosłownie cała fura.

Alkohol! Dajcie tu alkohol!

Wypiła kolejny łyk, po czym ponownie napełniła szklankę. Nie zawracała sobie głowy konwenansami, dlatego postawiła na proste i użyteczne naczynie. Kieliszek? Do diabła, a czy ten psychopata założył gumkę?!

Mąż gdzieś wybył, przypuszczała, że poszedł do jakiegoś kumpla lub włóczy się po mieście. Chciał z nią porozmawiać, pragnął złapać kontakt, wyraźnie dawał do zrozumienia, że gwałt również na nim odcisnął silne, głębokie piętno. Z tym że ona zapadła się we własnym cierpieniu i za nic w świecie nie potrafiła wyjść na powierzchnię. A może nie chciała. Albo jedno i drugie.

Zgwałcona. Sponiewierana. Poniżona.

Sięgnęła po chusteczkę leżącą na kanapie. Wytarła łzy spływające po policzkach. Nieodpowiednie miejsce w niewłaściwym czasie. Czy ludzkim życiem kieruje wyłącznie przypadek? Może gdyby spędziła w pracy pięć minut więcej albo mniej, uniknęłaby spotkania z tym… z tym parszywym draniem? A może wcale nie? Może gdzieś tam w gwiazdach zapisany jest los każdego człowieka, każdego, bez wyjątku, toteż zboczenie z wyznaczonej ścieżki po prostu nie jest możliwe?

Kolejny łyk wina.

Największe pretensje miała do siebie. Gdyby nie szła przez ten cholerny park… Gdyby nie podjęła decyzji, żeby stawić czoło lękom… Gdyby posłuchała Stefanii Kwiecień… Boże, dlaczego życie jest takie trudne? Czemu sprawia, że droga wiodąca ku nieuchronnej śmierci usłana jest wyłącznie kolcami? A gdzie miejsce na szczęście, na satysfakcję czy też – ujmując rzecz mniej wzniośle – na zwykłe zadowolenie? Wstała. Procenty spowodowały, że musiała chwycić się krawędzi stołu, żeby utrzymać równowagę. Poszła do łazienki. Korzystając z toalety, spoglądała tam, na dół, żeby sprawdzić, czy nie oddaje moczu zabarwionego krwią. Nie, wszystko w porządku… chociaż może nie do końca, bo w okolicach krocza wciąż czuła silne pieczenie. Powinni drania nadziać na pal, obedrzeć ze skóry, obciąć mu jaja. Albo na odwrót. Niech cierpi, niech zdycha w nieludzkich męczarniach.

Zaczęła szlochać. Przy mężu usiłowała zachować pozory, chciała pokazać, że jest silna, że przezwycięży wszystkie problemy, że wyjdzie z tego w jednym kawałku. Ale teraz, w samotności, pozwoliła dojść do głosu tej drugiej Annie, słabej i poniżonej. Łzy najpierw spływały po policzkach, następnie wisiały na brodzie, aż w końcu kapały na podłogę. Na kafelki. Tak samo zimne jak trawa w parku, jak ziemia, z którą tamtego przeklętego wieczoru zawarła bliższą znajomość.

Nie miała pojęcia, jak długo siedziała w łazience. Kiedy wreszcie osiągnęła względną psychiczną równowagę, spuściła wodę, podciągnęła spodnie i stanęła przed lustrem. Wory pod oczyma, sine wargi, zadrapanie na policzku i potargane włosy. Jeszcze kilka dni temu, ba, dosłownie przed momentem, emanowała wewnętrzną siłą, zdecydowaniem i determinacją, a teraz... szkoda gadać. Słaba, wykończona, zarówno fizycznie, jak i psychicznie, stała się kłębkiem nerwów, wrakiem człowieka, kimś – a raczej czymś – komu można tylko współczuć. A wszystko przez jakiegoś dupka.

Wróciwszy do pokoju – powoli, krok po kroku, bo podłoga zdawała się pływać – klapnęła na kanapę, po czym nalała kolejną szklankę wina. W butelce zamajaczyło dno. Zaczęła pić małymi łyczkami. Wciąż myślała o gwałcie, o tym, czego doświadczyła tej przeklętej nocy. Chciała usnąć, żywiła nadzieję, że dzięki solidnej porcji alkoholu padnie w objęcia Morfeusza, z których nie wydostanie się już nigdy, o tak, takie rozwiązanie przyjęłaby z wdzięcznością.

Ponownie zaczęła płakać.

21

Miał nadzieję, że pierwsza wizyta w więzieniu wtłoczy mu do krwiobiegu odrobinę pewności siebie, ale nic takiego nie nastąpiło. Co więcej, ostatnie wydarzenia spowodowały, że musiał łyknąć potrójną dawkę relanium. Dopiero wtedy poczuł, jak stres ustępuje, jak opuszcza ciało i ulatuje gdzieś w przestworza, tam gdzie nie stanowił żadnego zagrożenia.

Opanowanie. Oto klucz do sukcesu.

Siedział za szybą, wlepiając wzrok w Malarza. Facet nadal wyglądał jak elegancki pięćdziesięciolatek, który wbił się w czerwony drelich tak dla zabawy, dla draki, bo przecież za kwadrans miał pojechać na bal przebierańców.

Oryginalne przebranie.

Trwali w milczeniu przez kilka długich minut. Janek nie wiedział, jak zacząć, tym bardziej że głowę wciąż atakowały mu obrazy związane z Anną. Krew. Jęki. Krzyki. Spazmy rozkoszy. Jezu!

– Coś cię trapi, chłopcze?

Metaliczny, pozbawiony emocji głos Malarza wdarł mu się w uszy i spenetrował mózg. Janek drgnął. Spojrzał na faceta siedzącego po drugiej stronie szyby. Sukinsyn zabił i zgwałcił trzynaście kobiet… niekoniecznie w takiej kolejności, a teraz tkwił za kratami, gdzie dostawał wikt, opierunek, rozrywkę. Powinien skończyć na krześle elektrycznym, tymczasem marnował pieniądze podatników. Bydlak! Dlaczego żaden z ojców, mężów, kochanków nie wziął sprawy w swoje ręce i nie posłał gnoja do piachu? Wystarczyło dopaść sukinsyna... gdziekolwiek. On by nie odpuścił. Kanalia takich rozmiarów nie powinna zabierać powietrza innym. Kulka w łeb i po kłopocie. Świat jest pełny zła i bez takich szumowin jak Malarz, dlatego najlepiej usunąć wrzód raz na zawsze. Bo może pęknąć i zainfekować zdrowe komórki organizmu zwanego społeczeństwem.

– Moje zmartwienie, moja rzecz, rozumie pan?

Schował drżące dłonie pod stół. Relanium przestawało działać. Malarz skinął głową.

– Rozumiem.

– Nie przyszedłem tu rozmawiać o sobie.

– Mogę ci pomóc, chłopcze.

Janek poczuł wielką ochotę na wódkę. Nigdy nie przepadał za mocnymi trunkami, tymczasem w ciągu ostatniej doby wypił kilka szklanek i pragnął więcej. Doszedł do wniosku, że niekiedy człowiek musi zabić smutki drinkiem... lub dwoma, bo każdy inny sposób zawodzi. Tak Bogiem a prawdą to i ten nie przynosił spodziewanych rezultatów, ale przynajmniej pozwalał częściowo pozbyć się stresu. A to już coś.

– Niby jak? Siedzi pan za murami i nie jest w stanie nawet pierdnąć bez pozwolenia, nie mówiąc o wyściubieniu nosa na zewnątrz. Więc, do kurwy nędzy, jak zamierza mi pan pomóc!?

W twarzy Malarza nie drgnął żaden mięsień. Sprawiał wrażenie kogoś, kto jest ulepiony z innej gliny, kto nigdy nie słyszał o czymś takim jak emocje. Spokój. Opanowanie. Pewność siebie. Seryjny morderca w pełnej krasie.

– Pomogę ci… zrozumieć.

Janek nie wytrzymał. Położył dłonie na stół, zerwał się na równe nogi, przybliżył twarz do szyby i zaczął dyszeć jak lokomotywa parowa. Na szklanej powierzchni wylądowała mozaika utkana z setek kropel śliny.

– Nażarł się pan jakiegoś świństwa? Wciągnął pan coś nosem? A może tyłkiem? Jakiś skurwysyn zgwałcił moją żonę… Tak, zgwałcił, nie przesłyszał się pan… Jakiś chory potwór dopadł moją Annę w parku… w nocy… i wykorzystał…

Malarz pozostawał niewzruszony.

– Przykro mi – powiedział głosem, którym mógłby mrozić lody w markecie.

Siedział na krześle z dłońmi skrzyżowanymi na kolanach i trwał w kompletnym bezruchu.

Cholerna figura woskowa. Pieprzona kamienna bryła. Janek chciał wyjść, trzasnąć drzwiami i nigdy tu nie wracać, ale coś kazało mu zostać na miejscu… jakaś siła, której nawet nie potrafił nazwać.

– Panu jest przykro? – zapytał półszeptem. Powietrze zeszło z niego jak z przedziurawionej opony. Jeszcze przez moment stał, opierając dłonie o blat, ale po chwili opadł na krzesło. – Panu jest przykro? Komuś, kto gwałcił, zabijał, torturował… Komuś takiemu nie może być przykro. Pan nie odczuwa żadnych emocji. Jest pan martwy, rozumie pan? Bardziej martwy niż wszystkie pańskie ofiary razem wzięte.

– Jak pachniała?

Nie mógł uwierzyć w to, co usłyszał.

– Słucham?

– Jak pachniała, kiedy przyszła do domu?

Zacisnął zęby tak mocno, że mięśnie szczęk uwypukliły policzki. Jak pachniała? Skurwysyn! Skurwysyn! Skurwysyn! Musiał wydobyć na powierzchnię wszystkie pokłady samokontroli, żeby nie wybuchnąć. Przyszedł do więzienia po to, żeby zebrać materiały do książki, i nie pozwoli, żeby jakiś... skurwysyn pokrzyżował mu plany. Ćwok jest tylko narzędziem do osiągnięcia celu, niczym więcej.

– W zasadzie to może mi pan pomóc – oznajmił spokojnym głosem, usiłując nie utracić kontroli nad emocjami. – Słyszałem, że ma pan rozległe koneksje nawet tam, na zewnątrz, że świat przestępczy zna pan dosłownie od podszewki. Wie pan, kto zgwałcił moją żonę?

– Czułeś zapach perfum czy... upokorzenia?

Nie odpowiedział. Zacisnął pięści. Mógłby dołożyć temu draniowi, mógłby... Nie, nie mógłby... Opanował wewnętrzne rozchwianie, zdając sobie sprawę z tego, że wybuch może pogrzebać szansę nie tylko na napisanie książki, lecz także na znalezienie gwałciciela.

Po chwili zapytał:

– Pan wie, prawda?

To właśnie wtedy, gdy patrzył w oczy Malarzowi, przyszła ta irracjonalna myśl: „ON WIE! Ten skurwysyn wie, kto zgwałcił moją żonę! WIE!". Chociaż z drugiej strony... Potrząsnął głową, jakby chciał wyrzucić z niej niepotwierdzone domysły. Nie, to niemożliwe, przecież drań siedzi za kratami pod czujnym okiem strażników i już nigdy nie odetchnie powietrzem nasączonym wolnością. Zatem nie może wiedzieć... albo...

– Żartujesz, chłopcze, prawda?

– Wcale nie! Pan wie, prawda?

Mimo usilnych starań nie potrafił oczyścić mózgu z natrętnych myśli. Gdzieś pod skórą czuł, że ani jedno słowo Malarza nie było przypadkowe. Skazany pogrywa z nim, bawi się w kotka i myszkę, tymczasem gwałciciel chodzi tam, za murami, gdzie świat tętni prawdziwym życiem, i niewykluczone, że planuje kolejne uderzenie.

„Dlaczego nie wyłożysz kart na stół, bydlaku? Czemu, do kurwy nędzy!?"

– Proszę mi powiedzieć! Pan wie!

Malarz pozostał niewzruszony.

– Wiem, co dzieje się tu, w zakładzie, i tylko na to mam jakiś wpływ, jak my wszyscy. Ale tam... Nie pozwalaj wyobraźni zagłuszać zdrowego rozsądku, chłopcze. Przystopuj trochę, to pomaga.

Zapadło milczenie. Janek świdrował Malarza wzrokiem, chcąc wyczytać prawdę z oblicza wyciosanego jak z kamienia, ale drań albo odgrywał wcześniej zaplanowaną rolę z konsekwencją godną pozazdroszczenia, albo rzeczywiście nie wiedział, kto zgwałcił Annę.

W końcu postanowił przerwać ciszę.

– Powiedział pan, że może mi pomóc. Więc proszę to zrobić!

– Pomóc... tak, ale zrozumieć... zrozumieć, jak to działa. Zrozumieć, dlaczego pewne rzeczy się dzieją, inne niekoniecznie. Zrozumieć, chłopcze. Zrozumieć. Jesteś młody, niedoświadczony, nie znasz świata ani kobiecej psychiki. Ona jest skomplikowana, chłopcze, nawet bardzo.

– Brednie!

Przez twarz Malarza przemknął niemal niezauważalny cień uśmiechu. Pojawił się jak mały obłok na bezchmurnym niebie, po czym znikł, przegoniony przez wiatr obojętności i autokontroli.

– Mówisz, że ktoś zgwałcił twoją żonę.

Na wspomnienie krwawiącej Anny Janek poczuł skurcz żołądka. Obrazy sprzed kilkudziesięciu godzin wciąż atakowały umysł. Drapieżne. Nachalne. Pozbawione skrupułów... tak samo jak zboczeniec, który z przemieniania życia niewinnych kobiet w piekło uczynił swoją pasję.

– Zabiję drania! Zabiję!

– Gniew jest złym doradcą. Musisz powściągnąć emocje. Musisz... Posłuszeństwo. Tylko w ten sposób wypracujesz przewagę rozumu nad uczuciami. A w tym momencie potrzebujesz tego bardziej niż kiedykolwiek wcześniej.

Janek wziął kilka głębokich oddechów, po czym spojrzał na Malarza. Bydlak. Najchętniej zażyłby parę tabletek relanium, ale, po pierwsze, opakowanie zostawił w domu. A po drugie, gdyby drań zobaczył, czym karmi zestresowany organizm... Nie, nie pozwoli, żeby ćwok osiągnął nad nim taką przewagę. Nie pozwoli!

„Jest zdolnym manipulatorem"...

Możliwe, ale jest też chorym skurwysynem.

– Proszę ze mną nie pogrywać!

– Jesteś pewny, że została zgwałcona?

Kurwa!

– Słucham?

– Zadałem pytanie.

Znowu nie wytrzymał. Zerwał się na równe nogi, przytknął nos do szyby, po czym nie krzyknął, lecz niemal zawył. Szklana powierzchnia zaparowała, jakby przed momentem ktoś brał tu gorącą kąpiel.

– Co pan bredzi?! Co pan, do kurwy nędzy, insynuuje!? – Dyszał jak rozwścieczony byk. Wdech, wydech. Wdech, wydech. Najchętniej rozerwałby tego... tego... Wściekłość powodowała, że nie potrafił znaleźć w głowie żadnego sensownego określenia. Wdech, wydech. Wdech, wydech. – Widziałem ślady na ciele! Widziałem! Przyszła do domu na wpół przytomna... sponiewierana, upokorzona... Tak, do diabła, jestem tego pewien! Jakiś zboczeniec używał sobie na mojej żonie. Mojej, rozumie pan!? MOJEJ!!!

– Emocje powodują, że przestajesz myśleć racjonalnie, chłopcze.

Pozbawiony energii, zmęczony do granic możliwości, opadł na krzesło. Wyjął z kieszeni chusteczkę. Przetarł spocone czoło, po czym odetchnął. Zdawał sobie sprawę z tego, że nie powinien okazywać słabości, nie w towarzystwie Malarza... ale pieprzyć to!

– A o czym tu myśleć? – zapytał łamiącym się głosem.

Przegrywał kolejne starcie z seryjnym mordercą. Dawał się stłamsić, pozwalał sobą sterować, ale teraz, gdy wyczerpanie wycisnęło z niego wszystkie soki, miał to gdzieś.

– Zbadaj sprawę. Przyjrzyj się wszystkim śladom. Niczego nie przeocz.

– Pan jest obłąkany.

– Nie, chłopcze, po prostu lubię brać pod lupę wszystkie aspekty sprawy.

Schował chustkę do kieszeni spodni. Zaczynał odzyskiwać fason. Przeczesał dłonią włosy, poprawił kołnierz kurtki, po czym chrząknął tak, jakby chciał sprawdzić, czy na strunach głosowych wciąż zalega gruba warstwa stresu. Gdy stwierdził, że wszystko jest w należytym porządku, poczuł pogardę do samego siebie. Utracił kontrolę nad sytuacją, pozwolił się zdominować. Czemu w towarzystwie seryjnego mordercy tracił wszystkie atuty?

Odpowiedź: bo facet jest pieprzonym seryjnym mordercą!

– Pomoże mi pan?

Chwila milczenia.

– Już ci pomagam.

Janek sięgnął do kieszeni na piersi. Wyjął paczkę marlboro. Rzucił na stół. Przez chwilę wlepiał wzrok w Malarza, a kiedy ten nie wykazał żadnego zainteresowania podarunkiem, oznajmił:

– Przyniosłem fajki.

Malarz skinął głową.
– Nie palę.
Chory skurwysyn.
– To po jaką cholerę…
– Dla ciebie.
– Nigdy nie trzymałem papierosa w ustach.
Nieznaczny uśmiech. Tym razem mniej ulotny.
– Aż do dzisiaj.
– To jakiś żart?
Chory jak kurwa mać!
– Nie chłopcze, to samo życie.

22

PESEL w dowodzie osobistym jest tylko ciągiem cyfr, niczym więcej…

Poznaliśmy się na weselu mojego przyjaciela. Przyszedłem sam, ona również, chociaż nosiła na palcu obrączkę. I miała sporo czasu, żeby osiągnąć pełnoletność. Przypuszczam, że przynajmniej rok…

Obrączka…

Znowu przypadek….

Pod białym materiałem sukienki ukrywała piękny biust…

Wspaniała sztuka…

Sztuka…

SZTUKA…

I to ciało… to cudowne ciało… świeże, ponętne, emanujące seksem…

Jędrne, zadbane… po prostu wspaniałe!

Tańczyliśmy. Jedliśmy. Tańczyliśmy. Z oczywistych względów nie mogłem sięgać po alkohol, bo przed remizą zaparkowałem samochód, ona natomiast raczyła się czerwonym winem…

Wino zaostrza apetyt na seks, zwłaszcza wytrawne…

Pozostawałem nieludzko opanowany…

Zarazem płonąłem…

Cudowne, sprężyste ciało…

Po trzecim kieliszku wina zaczęła mówić, że jest wyzwolona…

Cokolwiek to znaczy…

Kobieta wyzwolona…

Idiotyzm…

Tańczyliśmy do północy, a później, gdy państwo młodzi znikli w samochodzie zmierzającym do hotelu, pojechaliśmy do mnie. Wyraziła zgodę bez żadnych nacisków, więcej, nie musiałem jej nawet namawiać… Niekiedy tak jest, że ludzie nie są w stanie spojrzeć dalej niż czubek własnego nosa…

Grała…

Od samego początku bawiła się ze mną w kotka i myszkę. Od pierwszego walca. Od pierwszego spojrzenia. Od pierwszego dotyku. Grała i już wkrótce miała zapłacić za tę swoją chorą grę…

We wnętrzu samochodu unosił się zapach perfum…

Jechaliśmy w ciszy…

Nie włączyłem magnetofonu…

Wylądowaliśmy na kanapie w moim salonie. Z kieliszkami w dłoniach…

Czerwone wino. Wytrawne…

Rozmawialiśmy głównie o wyzwolonych kobietach…

Spojrzałem na obrączkę. Kolejny raz trafiłem na mężatkę. I to nastoletnią. I to wyzwoloną. Kilkanaście godzin po stosunku z kochającym mężem, przynajmniej tak twierdziła. Owianą wonią świeżego, jeszcze namacalnego seksu…

Dlaczego zwierzyła się z tak intymnej sprawy? Rusz głową, chłopcze…

Włączyłem muzykę…

Tańczyliśmy przez kilka długich chwil…

Nasze usta... złączyły się...

Smakowała winem...

Dlaczego wyszła za mąż w tak młodym wieku?

Bawiła się mną...

Owinęła mnie wokół palca, a później zechciała zostawić...

Niedoczekanie...

Wyszła ode mnie kwadrans przed drugą. Oczywiście do niczego nie doszło. Nie wtedy. Pozwoliłem, żeby opuściła mój dom, bo na weselu widziało nas mnóstwo ludzi. Za dużo świadków. Gdyby znikła teraz, podejrzenie padłoby na mnie. Policjanci może i nie błyszczą intelektem, ale oczywiste fakty powiążą bez trudu...

Psy...

Poprosiła, żebym odwiózł ją do męża...

Zabawne...

W samochodzie nie wymieniliśmy ani jednego spojrzenia. Nie rozmawialiśmy. Po dotarciu na miejsce patrzyłem, jak znika we wnętrzu czteropiętrowego bloku. Całkowicie bezpieczna...

Przynajmniej na razie...

Czekałem przeszło tydzień...

Dokładnie osiem dni...

W niedzielny wieczór wyszła na spacer. Bez towarzystwa...

Wybrałem najsłabiej oświetlone miejsce. Zaparkowałem wóz, po czym wysiadłem. Drgnęła, nieco zdziwiona, ale nie sprawiała wrażenia wytrąconej z równowagi. Całkowicie bezpieczna...

Zainicjowałem rozmowę. Zaproponowałem kawę w pobliskiej restauracji. Przyjęła zaproszenie. Wprawdzie stwierdziła, że musi wracać do domu, ale „kwadrans w miłym towarzystwie nie zaszkodzi"...

W miłym towarzystwie...

Kwadrans...

Po upływie kwadransa leżała na materacu w piwnicy mojego domu...

Naga, skrępowana, płacząca...

Kobieta wyzwolona...

I wyzwoliciel...

Ale jeszcze nie wtedy...

Gdy weszliśmy do mnie, gdzieś w oddali zagrzmiało. Spadł deszcz...

Wzięła mnie za rękę...

Kobieta wyzwolona...

Uderzyłem tylko raz. W potylicę. Wystarczyło...

Osunęła się na podłogę niczym bezwładna kukła...

Szmaciana lalka...

Szmaciana...

Szmata...

Cienki materiał bawełnianej bluzki odkrył pierś otuloną miseczką stanika. Dużą, sprężystą pierś. Czerwona bluzka. Czerwony stanik. Czerwień sącząca się z rozbitego łuku brwiowego...

Wypadek przy pracy... Nic, co wymagałoby natychmiastowej reakcji...

Odzyskała przytomność dopiero po kwadransie, gdy leżała na materacu w piwnicy. Zaczęła płakać. Błagała o litość. I płakała. I błagała o litość. I płakała. I tak bez ustanku, bez chwili przerwy...

Stałem i patrzyłem...

Stałem i patrzyłem...

Stałem i patrzyłem...

I tak niemal bez końca.

Minął kolejny kwadrans, zanim powróciłem do rzeczywistości...

Poszedłem do łazienki. Wziąłem długą kąpiel z bąbelkami...

Gdy zabierałem się do roboty, zawsze zmywałem z siebie brud…

Kiedy wróciłem do piwnicy, woń seksu wciąż tam trwała…

Zapach innego mężczyzny…

Awans…

23

Siedział przed komputerem od godziny, może nawet dwóch, ale nie napisał ani jednego zdania. Wlepiał wzrok w migający kursor, usiłując przelać rozbiegane myśli na twardy dysk przestarzałego sprzętu, jednak niczego nie osiągnął. Niczego prócz bólu w dolnej partii kręgosłupa i początkowego stadium oczopląsu. Jak tak dalej pójdzie, to za moment padnie na klawiaturę z pianą na ustach, a i tak nie pchnie projektu do przodu nawet o akapit.

„Jesteś pewny, że została zgwałcona?"

„Tak, do diabła, jestem całkowicie pewny!"

Poszedł do kuchni, wyjął z lodówki karton mleka, po czym zaczął pić. Najchętniej wlałby w siebie odrobinę wódki, ale w towarzystwie żony – Anna ślęczała przed telewizorem – wolał nie sięgać po alkohol.

Wróciwszy na miejsce, podwinął rękawy bluzy i już miał zamiar wyrzucić z siebie potok myśli... Do diabła z tym! Licznik zapisanych słów nie przesunął się ani o samotną cyfrę. Nie stracił natchnienia, nic z tych rzeczy. Po prostu świeżo po rozmowie z mordercą nie potrafił zogniskować przemyśleń na jednej kwestii.

Poszatkowane kobiety.

Wszędzie mnóstwo krwi.

Awans…

Malarz fascynował. Bezlitosny zabójca, ktoś, kto nie zna pojęcia litości, wzbudza wyłącznie skrajne uczucia. Albo jest podziwiany, wręcz ubóstwiany, albo znienawidzony, wyklęty przez ogół społeczeństwa. Początkowo Janek nie chciał przyznać się przed samym sobą, że należy do tej pierwszej grupy… ale teraz przestał brnąć w oszustwo. Kłamstwo nie prowadzi do żadnych pozytywów.

Seryjny morderca. Amator kobiecych wdzięków.

Inteligentny, poukładany facet.

Kat.

Ludzie o zwichrowanych umysłach zawsze robili na Janku wrażenie. Spłodzić biografię kolejnego dobroczyńcy można, oczywiście, tylko czy ktoś doceni wysiłek autora opisującego działalność filantropa? Czy ktoś sięgnie po książkę, na której okładce widnieje gęba kogoś, kto płaci podatki, kto pomaga bliźnim, kto założył dwie fundacje działające na rzecz chorych na rzadkie odmiany nowotworów? Mało tego, kto nigdy nie przejechał na czerwonym świetle i zawsze, ale to zawsze zapina pasy, gdy siada za kółkiem swojej limuzyny?

Spojrzał na migający kursor.

„Napisz coś wreszcie! Czas ucieka!"

Zniechęcony, sfrustrowany do granic możliwości, rąbnął pięścią w stół z taką siłą, że po pokoju rozniosło się echo. Potrzebował czegoś na rozluźnienie, czegoś, co pozwoli mu zwalczyć stres. Potrzebował alkoholu.

„Zbadaj sprawę. Przyjrzyj się wszystkim śladom. Niczego nie przeocz".

A jeśli w tym, co mówił zabójca, tkwiło chociażby ziarno prawdy? Jeśli Anna nie została zgwałcona, tylko dobrowolnie oddała się w łapska jakiegoś spoconego osiłka? Oczyma duszy zobaczył owłosiony tors, pękate mięśnie, wyrzeźbiony brzuch i sterczącego kutasa. Nie, kto jak kto, ale Anna nie posunęłaby się do świństwa takich rozmiarów. Nie kochająca i poukładana żona.

„Jesteś pewny, że została zgwałcona?"

Zamknij mordę! Stul wreszcie pysk!

Wziął kilka głębokich oddechów. Powinien przestać, tak po prostu. Anna została zgwałcona, i basta. Jakiś pieprzony zboczeniec zdarł z niej ubranie, rzucił na ziemię i sponiewierał. A teraz kolejny drań próbował włożyć mu pod czaszkę całkiem pokaźną ilość gówna. Bo insynuacje, jakoby Anna poszła do łóżka z innym facetem zupełnie dobrowolnie, traktował właśnie jak stertę odchodów.

Po długiej walce z myślami napisał pierwszy akapit. I kolejny. I jeszcze jeden. Kiedy poczuł przypływ weny, gdy palce zaczęły słuchać poleceń mózgu, do pokoju weszła Anna. Zajęty sprawą Malarza, nawet nie zauważył, że oparła się o framugę drzwi i trwała w takiej pozycji przez ładnych kilka chwil. Dopiero kiedy chrząknęła, oderwał wzrok od ekranu.

– A, to ty... – powiedział, nie powracając do rzeczywistości.

– Cieszę się, że mnie zauważyłeś.

Drgnął.

– Nie rozumiem.

– Chciałabym, żebyś czasami pomyślał o mnie.

Słowa żony spowodowały, że poczuł ukłucie w dołku. Jest niesprawiedliwa, nawet bardzo, bo przecież nie robi tego dla siebie. O nie, wizyty w zakładzie karnym nie służą zaspokojeniu chorej ciekawości, lecz pomogą im się odbić od finansowego dna. Przecież dostał dwadzieścia kawałków zaliczki, toteż musiał zakasać rękawy i pisać, pisać, pisać. Nie może dać ciała, nie teraz, kiedy chwycił za nogi samego Boga!

– Nie rozumiem – powtórzył.

Wciąż stała oparta o framugę. Nadal posyłała mu spojrzenie pełne wyrzutów.

– Rozumiesz – odparła, krzyżując ręce na piersiach. Nie sprawiała już wrażenia upokorzonej, słabej kobiety, raczej lwicy gotowej rzucić się przeciwnikowi do gardła. – Doskonale to rozumiesz.

Ruchem głowy wskazał ekran.

– Jestem nieco zajęty. Książka...

– Tak, wiem, książka wiele dla ciebie znaczy. Tylko co ze mną?

Sarkazm. Mnóstwo sarkazmu. Nie zasłużył.

Atmosfera zgęstniała do tego stopnia, że poczuł wilgoć na spodzie obu dłoni. Pragnął spokoju, niczego więcej, tymczasem musiał wykładać Annie pewne kwestie niczym cierpliwy profesor. Książka nie jest fanaberią, wymysłem chorego psychicznie pismaka. Książka jest szansą. SZANSĄ dla nich, dla ich dwuosobowej rodziny. Czy przyjęcie do wiadomości faktów przerasta możliwości kobiecego umysłu?

– Poświęcam ci mnóstwo czasu.

Prychnęła.

– Żartujesz, prawda?

Pokręcił głową.

– Po wydaniu książki wszystko wróci do normy, obiecuję.

– Nic już nie wróci do normy – oznajmiła zrezygnowana, jak gdyby życie skończyło się w momencie, gdy tkwiła w szponach jakiegoś psychopaty.

Ale prawda jest taka, że gwałt niczego nie kończył, co najwyżej zaczynał, pewnie oboje zdawali sobie z tego sprawę.

– O czym ty mówisz?

– Zostałam zgwałcona! Zgwałcona! Muszę to przeliterować!?

Wstał, po czym podszedł do niej, chcąc ją objąć, ale cofnęła się w głąb przedpokoju. Znieruchomiał. Nie zasłużył na takie traktowanie, przecież pragnął ich wspólnego dobra. Jeszcze przed momentem spotkania z Malarzem jawiły się jako szansa na rozpoczęcie lepszego życia, teraz zatrzęsły fundamentami ich związku, usiłując zburzyć to, co budowali wspólnie przed długie lata.

– Nie jestem niczemu winny – powiedział. – Wkładam w nasze małżeństwo całe serce i całą duszę. Zapieprzam od rana do wieczora. Kombinuję, co by tu zrobić, żebyśmy nie musieli wiązać końca z końcem. A w zamian otrzymuję jedynie wyrzuty. Mam tego dość. Mam tego serdecznie dość.

Twarz Anny wykrzywił ironiczny uśmiech.

– Zapieprzasz... Kombinujesz... Ślęczysz przed komputerem...

Znowu sarkazm. Kontrolowanie emocji zaczynało przychodzić mu z trudem.

– Tak! Właśnie to robię! Dla nas, rozumiesz!? Dla nas!

Ruszyła do salonu. Przystanęła, odwróciła się na pięcie i oznajmiła:

– Nie, robisz to wyłącznie dla siebie.

Przez moment trwał w kompletnym bezruchu, zaskoczony obrotem sytuacji. Nie zasłużył. O nie, nie zasłużył... ale czy teraz miało to jakiekolwiek znaczenie? Rąbnął pięścią w szafę. Dłoń przeszył ból, na który nie zwrócił uwagi. Pieprzyć to! Narzucił na plecy kurtkę. Poszperał w kieszeni, chcąc sprawdzić, czy piersiówka spoczywa na swoim miejscu. Kiedy wymacał znajomy kształt, odetchnął.

Już za chwilę, już za chwileczkę...

Wkładając buty, pomyślał o Malarzu. Nigdy wcześniej nie zachowywali się w ten sposób... to znaczy on i Anna. Nigdy wcześniej nie przechodzili chociażby przez namiastkę problemów małżeńskich. Początek końca? Nie, wykluczone, przecież takie rzeczy się zdarzają. Związek dwojga ludzi musi przeżywać wzloty i upadki, takie jest odwieczne prawo natury.

Wyszedł z mieszkania, trzaskając drzwiami.

24

Siedziała w fotelu, trzymając w dłoni książkę. Próbowała zająć myśli lekturą, żeby zapomnieć o gwałcie, ale żadne z przeczytanych zdań nie docierało do celu, jakby postawiła niewidzialną barierę między światem rzeczywistym a umysłem. Nadal tkwiła w objęciach zboczeńca, wciąż czuła na sobie ciepło spazmatycznego oddechu. Pytanie „dlaczego?" powracało niczym natrętny akwizytor, który wchodzi oknem wtedy, kiedy drzwi wejściowe zostały zamknięte na cztery spusty.

Odejdź! Odejdź! Odejdź!

Mimo że południe minęło parę godzin temu, wciąż miała na sobie koszulę nocną i stare majtki sięgające niemal do kolan. Kiedyś poszła na bazar, żeby kupić komplet seksownej bielizny – wybrała jedwab ozdobiony srebrną nitką – i przy okazji, zupełnie podświadomie, sięgnęła po coś, czego nigdy nie nosiła i nie zamierzała nosić. Wydała kilkanaście złotych na kawał materiału, który mógłby posłużyć tylko za ścierkę do podłogi. No, nie do końca, bo przecież teraz, gdy krocze wciąż płonęło bólem, choć nie tak intensywnym jak wcześniej, wciągnęła babcine reformy na tyłek.

Reformy.

Właśnie takiego określenia użył Janek, gdy zobaczył to cudo.

Wstała z fotela i poczłapała do kuchni. Szła powoli, żeby nie nadwerężać i tak już mocno nadwątlonych sił. Powinna pójść do lekarza, tak jak sugerował Janek, ale nie mogła się przemóc. Miała dość rozkładania nóg przed nieznajomymi mężczyznami, bez względu na to, czy chodziło o lekarza, o kominiarza czy o hydraulika. Mimo kiepskiego samopoczucia pozwoliła sobie na nikły uśmiech. Może nie jest z nią tak źle, jak pierwotnie sądziła...

Musiała przystanąć, czując ból w lewej pachwinie.

Nie, nie jest źle, jest paskudnie.

Po chwilowym odpoczynku dotarła do celu. Nalała do ekspresu wody na dwie kawy. Włączyła. Przed kwadransem dzwoniła Katarzyna. Gdy tylko usłyszała, co się stało, zapowiedziała niezwłoczne odwiedziny. Może i zgrywała twardą i niedostępną sztukę, może i czasami błądziła, szczególnie w kwestiach dotyczących nowo poczętego życia, ale jako przyjaciółka sprawdzała się znakomicie. Otwarta. Uczciwa. Lojalna. W dzisiejszym świecie, przeżartym przez egoizm i pogoń za dobrami doczesnymi, ktoś, kogo interesuje los bliźniego, jest prawdziwym skarbem. Anna wolałaby stracić wszystko... niemal, byle tylko ocalić przyjaźń z Katarzyną.

Powinny wyjść z tego samego łona.

Siostry. Najlepiej bliźniaczki.

Dziś rano znalazła w łazience opakowanie tabletek. Relanium... Janek. Dlaczego? Przecież to ona przeżyła coś tak strasznego, coś tak potwornego, że codziennie powinna łykać pigułki zawierające całą tablicę Mendelejewa. Ale on? W porządku, ostatnimi czasy, zwłaszcza od momentu nawiązania kontaktu z Malarzem, chodził nieco podminowany, wiecznie spięty, ale żeby od razu sięgać po środki uspokajające?

Usłyszała dzwonek do drzwi. Poszła otworzyć. Na widok zatroskanej Katarzyny poczuła ukłucie w dołku. Musiała zebrać się w sobie, żeby nie wybuchnąć płaczem.

Łzy oczyszczają, tak, jasne, ale czasami przynoszą skutek odwrotny do zamierzonego. Nie chciała dopuścić do głosu emocji, choćby nawet musiała wytężyć wszystkie siły i kontrolować każdą myśl, każdy gest. Pozostanie twarda. Pozostanie niewzruszona. Dość płaczu, zwłaszcza że w domu zabrakło chusteczek.

– Dobrze, że wpadłaś. Wejdź.

Katarzyna najpierw objęła Annę jak ktoś, kto przyjechał z wizytą do rodziny mieszkającej na drugim końcu świata. Następnie zdjęła kurtkę biodrówkę, po czym oznajmiła tym swoim ochrypłym głosem, który nabrał nadzwyczajnej miękkości i łagodności:

– Nie mogłam zostawić cię samej w takiej sytuacji, skarbie. – Spojrzenie brązowych oczu wyrażało tylko troskę. Przyjaciółka idealna, taka, która w razie potrzeby zgani, ale w odpowiednich momentach podtrzyma na duchu oraz doda skrzydeł. – Czy pytanie o samopoczucie będzie tu na miejscu?

Anna wzruszyła ramionami.

– Bywało lepiej... ale nie jest źle.

„Nie, nie jest – dodała w myślach. – Jest paskudnie".

– Skarbie...

Westchnęła. Przed Katarzyną mogła co najwyżej ukryć długopis lub szminkę (i to nie zawsze... zwłaszcza szminkę), ale jeśli chodzi o uczucia, to nawet gdyby chowała twarz za materiałem kominiarki, nic by nie wskórała. Przyjaciółka czytała w niej jak w otwartej księdze, dlatego musiała mówić prawdę. Zresztą, najgorsza prawda jest lepsza od najsłodszego kłamstwa. Podobno.

– No dobra, czuję się jak gówno, zadowolona?

– Chcesz o tym pogadać?

– Poczekaj w salonie. Zaparzyłam kawę.

Gdy napełniała filiżanki, znowu poczuła na szyi szept oddechu tego skurwysyna. Zadrżała na całym ciele. Rozlała kawę. Chwyciła za szmatę. Zaczęła wycierać blat. Lewo. Prawo. Lewo. Prawo. Skojarzenie z „przód, tył" było tak silne, że momentalnie przestała. Wzięła kilka głębokich oddechów.

Dość!

Poszła do salonu. Postawiła filiżanki na stole, po czym usiadła w fotelu. Skuliła się tak, jakby rozmawiała nie z najlepszą przyjaciółką, lecz z policyjnym psychologiem usiłującym wydusić z niej zeznania. „Jak wyglądał? Gdzie panią dotykał? Jakie techniki stosował? Założył prezerwatywę?" Potrząsnęła głową, nawet o tym nie wiedząc.

– Więc jak, chcesz o tym pogadać?

– Nie wiem… to znaczy… nie o szczegółach.

Katarzyna przewróciła oczyma. Teatralny, ale zabawny gest.

– Szczegóły mnie nie interesują.

– Domyślam się.

Zapadło milczenie. Katarzyna musiała zdawać sobie sprawę z tego, że powrót do tamtych chwil spowoduje ból, dlatego nie naciskała. Wypiła kilka łyków kawy i zaczęła zadawać pytania, które bezpośrednio nie dotykały sedna problemu.

– Widziałaś twarz?

– Nie.

Znowu moment ciszy.

– Zgłosiłaś sprawę na policji?

– Nie. To bez sensu.

Katarzyna pokiwała głową.

– Nic nie wskórają, a mogą zaszkodzić.

– Właśnie.

Milczenie. Anna skuliła się jeszcze bardziej, jakby w mieszkaniu panował okropny ziąb, wychładzający organizm do poziomu zagrażającemu życiu. A przecież wcześniej, przed przyjściem Katarzyny, odkręciła kaloryfer na cały regulator. Chciała poczuć ciepło, pragnęła wygonić z umysłu zimno, którym przesiąkł w parku.

– A Janek, jak to przyjął?

Anna wzruszyła ramionami.

– Najchętniej dopadłby tego drania i... Wiesz, jacy są mężczyźni.

– Rycerze na białych koniach. Z szablami w dłoniach.

– Zostałaś poetką?

Wymieniły uśmiechy. Atmosfera zaczęła rzednąć. Anna potrzebowała rozluźnienia, jakiegokolwiek, nawet przyjmującego formę kiepskich dowcipów. Zapomnieć o kupnie mięsa na obiad jest naprawdę łatwo, ale spróbuj wymazać z pamięci brutalny, upokarzający gwałt! Musiałaby chyba przejść solidne pranie mózgu (pomyślała o Stefanii Kwiecień), i to w takiej ilości proszku, że starczyłoby na usunięcie brudu z mundurów polskich żołnierzy walczących w Afganistanie. Wszystkich.

– Widzę, że humor ci dopisuje – powiedziała Katarzyna.

– To reakcja obronna na stres. Tak naprawdę wciąż dygoczę. – Anna wyciągnęła przed siebie rękę. Faktycznie, palce dłoni drżały, tak jak gdyby cierpiała na pierwsze stadium parkinsona. – Nadal czuję się tak, jak wtedy... i widzę to, co wówczas... Wiesz, co jest w tym najgorsze? Że... facet spuścił się we mnie... że wytrysnął tym lepkim kurestwem do środka akurat wtedy, gdy przechodziłam owulację.

– O cholera.

– Właśnie, o cholera.

Cisza.

Anna patrzyła na oszołomioną Katarzynę, na której twarzy pojawił się grymas obrzydzenia. Oczywiście nie do niej, o to mogła się nie martwić. Prędzej do tego skurwysyna, do tego bydlaka.

– Boisz się?

Anna skinęła głową.

– Bardzo.

– Daj spokój, przecież wiesz, że do zapłodnienia nie dochodzi ot tak. Niekiedy musisz próbować i próbować, a i tak nic z tego nie wychodzi. Znam to z autopsji, skarbie. Bzykałam się bez kondomów tysiące razy. Tysiące! I nic, kompletnie!

– Prawie nic. Bo w końcu wpadłaś.

Katarzyna machnęła ręką.

– Chyba przyznasz, że szansa jeden na tysiąc to żadna szansa.

– A jeśli? – zapytała, wbijając wzrok w przyjaciółkę. – A jeśli zaszłam w ciążę? Jeśli noszę w sobie dziecko tego skurwiela? Twierdzisz, że potrzeba wielu prób… Tak, zgadza się, ale tylko wtedy, gdy naprawdę tego chcesz. Los jest złośliwy, czyż nie? Czasami wystarczy jeden jedyny strzał, ba, jeden jedyny plemnik…

– Robiłaś test?

– Jest za wcześnie.

– Mówiłaś Jankowi?

Dopiero teraz Anna zdała sobie sprawę z tego, że nie tknęła kawy. Wzięła filiżankę i zaczęła pić. Powiedzieć mężowi… to ostatnia rzecz, o której pomyślała! Po pierwsze, może sprawa rozejdzie się po kościach, bo może facet strzelał ślepymi nabojami. A po drugie, uprawiała seks z Jankiem tak często, że nawet jeśli doszło do zapłodnienia, to niewykluczone, że ojcem jest właśnie on.

– Nie wiem, jak by to przyjął.

– Wiesz. Obie wiemy.

– W tym sęk. Jeśli zaszłam w ciążę…

– Przecież ojcem dziecka może być Janek.

Anna westchnęła.

– Może, ale nie musi. – Dopiła resztę kawy, po czym odstawiła filiżankę na stół. Chciała w to wierzyć, całym sercem pragnęła tego, żeby do celu trafił nie plemnik jakiegoś drania, lecz kochającego męża, ale w tym wypadku pewność nie istniała. Tylko cień szansy. Wątły, niewyraźny, nikły cień szansy. Do diabła z tym! – Jeśli zaszłam w ciążę, będę musiała zrobić badania DNA. Nawet nie wiem, jak się do tego zabrać, ale... chyba nie mam wyjścia, nie sądzisz?

– Przestań pieprzyć! Możliwe, że nasza rozmowa sprowadza się do bezsensownych spekulacji. Może facet jest bezpłodny, może w jego nasieniu pływają same leniwe plemniki, a może takie, które zdechły już dawno temu. Myśl pozytywnie, nie zadręczaj się, bo skończysz w pokoju bez klamek!

Anna przytaknęła.

– Możliwe.

Katarzyna wyjęła z torebki paczkę papierosów, otworzyła, przytknęła do nosa i zaczęła wąchać.

– Pozwolisz? – zapytała.

– Wiesz, że nie toleruję palenia w mieszkaniu.

Katarzyna westchnęła.

– Tak, ale w tej sytuacji...

Anna wzruszyła ramionami. W porządku, czemu nie? Ona również powinna sięgnąć po coś, co zabija stres. Kokaina. Marihuana. Ecstasy. A może coś mocniejszego, na przykład heroina. Jeden zastrzyk, a wszystkie troski odchodzą w zapomnienie, tam gdzie ich miejsce.

– A ty jak się trzymasz?

Katarzyna, zanim odpowiedziała, najpierw zapaliła papierosa. Trzymała dym w ustach przez kilka długich chwil, jak gdyby chciała spotęgować działanie nikotyny, po czym wydmuchała nosem. Spojrzała na Annę z nieskrywanym wyrzutem. Ten wzrok mówił: „Przyszłam tu rozmawiać o tobie, skarbie, kapujesz?". Zaciągnęła się ponownie. Znowu pozwoliła substancjom smolistym penetrować układ oddechowy niemal do utraty tchu. Nałogi! Powtórnie wydmuchała dym. Wypiła kawę, po czym strzepnęła popiół do filiżanki.

– Bywało lepiej, ale… chyba nie jest źle. Nie mogłam urodzić tego dziecka, rozumiesz? Wpadłam z facetem, którego prawie nie znam, który nie odejdzie od żony, który szukał wyłącznie zaspokojenia.

– Znalazł…

Katarzyna posłała jej spojrzenie pełne wyrzutów.

– Nie patrz tak na mnie, wiem, że nie jestem święta.

– Nikt nie jest.

– Właśnie.

– Wybacz, że to powiem, ale… mogłaś nie usuwać ciąży, przecież po świecie chodzi wiele matek samotnie wychowujących dzieci. Dałabyś sobie radę.

Katarzyna zaczęła oglądać papierosa.

– Życie nie pozostawiło mi wyboru.

Anna pomyślała, że za chwilę również ona może stanąć przed poważnym dylematem. Każda rozsądna kobieta poszłaby do odpowiedniego specjalisty, gdyby tylko nabrała pewności, że dziecko jest owocem gwałtu. A ona? Co zrobi, kiedy okaże się, że zaszła w ciążę? Usunie ją, tak po prostu, a może pozwoli uroczemu maluchowi przyjść na świat? A co z Jankiem? Powie mu, że nie jest prawdziwym ojcem, lecz przyszywanym? Substytutem rodzica. Kimś, kogo z potomkiem nie łączą więzy krwi. Ojczymem. Albo… nikim.

– Zawsze istnieje wybór – powiedziała.

Katarzyna pokręciła głową.

– Nie, skarbie, nie zawsze.

25

Wyjął z kieszeni piersiówkę. Upił kilka małych łyczków. Wódka paliła gardło, ale również rozgrzewała. A w dzień taki jak ten, ponury, szary, zimny, organizm tracił ciepło z zatrważającą prędkością.

Postawił kołnierz kurtki. Dmuchnął w zmarznięte dłonie. Mógł wziąć rękawiczki, ale po prostu zapomniał. W głowie wciąż kłębiły mu się myśli, z których większość dotyczyła seryjnego mordercy.

Malarz. Co tym razem pragnie zmalować?

Wykrzywił usta, zadowolony ze swego żartu. Spojrzał w okna swojego mieszkania. Światło. Tkwił na zewnątrz już dobry kwadrans, czekając na wyjście Kaśki. Gdy kręcąc się koło domu – w zasadzie bez celu, wściekły niczym pies, któremu nadepnięto na łapę – zobaczył Kaśkę wchodzącą do wiatrołapu, postanowił nie wkładać kija w mrowisko i poczekać na zewnątrz. Ostatnio i tak powiedział zbyt wiele, zwłaszcza że wymienili tych kilka szorstkich zdań w obecności Anny. Właśnie dlatego zamierzał pogadać z Kaśką na osobności. Miał tyle na głowie, że kolejne problemy były mu potrzebne jak dziura w nowych skarpetkach. Nie, lepiej zachowywać ostrożność nawet w sytuacji, która bezpośrednio nie grozi burzliwą kłótnią.

Schował piersiówkę do kieszeni kurtki. Nie powinien pić, zdawał sobie z tego sprawę, ale ostatnie wydarzenia spowodowały, że poczuł ochotę na coś mocniejszego niż relanium. To świństwo przestało działać, a procenty zawarte w alkoholu dawały względne uspokojenie. Wódka…

Poszperał w kieszeniach i wymacał paczkę marlboro.

Wódka i nikotyna. Kombinacja, której potrzebuje.

Wetknął papierosa w kącik ust. Zapalił. Szczerze mówiąc, nigdy wcześniej nie poznał smaku tytoniu. Aż do teraz. Dym wgryzał się w ścianki gardła niczym wilczur, drapał, szarpał, ale wyganiał z organizmu stres. Może nie sam dym, lecz to, co w sobie zawierał. Coś, co potrafiło niszczyć organizm przez całe lata, demolować układ oddechowy, negatywnie wpływać na serce, powodować problemy z męską hydrauliką i Bóg wie co jeszcze. Wyłącznie negatywy. No, prawie, bo rozluźnienie gwarantowane przez wyroby przemysłu tytoniowego przebijało wszelkie skutki uboczne. Wszelkie, bez wyjątku.

„Przyniosłem fajki".

„Nie palę".

„W co ze mną grasz, sukinsynu?"

Winę za swoje uczynki Malarz zrzucał na kobiety. Kiepskie wytłumaczenie trzynastu morderstw, bo to przecież on porywał, to przecież on gwałcił i wreszcie to przecież on torturował i zabijał. Usprawiedliwienie dla postępowania tego rodzaju po prostu nie istniało. Kłamstwa? Niewinny flirt? Odwrót w najmniej oczekiwanym momencie? Cóż z tego? Gdyby każdy facet chciał mordować z tak błahych powodów, to po ulicach miasta chodziliby wyłącznie degeneraci. On również dostał kosza, nie raz i nie dwa, ale nigdy nie podniósł ręki na żadną ze swoich sympatii. Przenigdy!

Malarz…

Tego pozbawionego skrupułów zboczeńca i sadystę cechowała zdumiewająca pamięć do szczegółów. Powinien zostać naukowcem albo brać udział w teleturniejach, na przykład w Jednym z dziesięciu lub Miliardzie w rozumie. Gdy mówił o morderstwach, gdy snuł te swoje chore opowieści o porwanych kobietach, nie pomijał żadnych aspektów. Różowe majtki. Drut wystający z niebieskiego stanika. Suknia w grochy. Spódnica w kwiaty. Dołeczki w policzkach. Orli nos. Pogawędka o sztuce, o kulturze, o filmie. Woń seksu...

Wydmuchał z ust kłąb dymu. Woń seksu... Nigdy nie myślał o tym, jak pachnie ktoś, kto przed momentem uprawiał seks. Nie, on nigdy nie musiał tego robić, ale Malarz nie potrafił żyć bez zapachowej stymulacji. Może właśnie dlatego mordował? Może w trakcie zabijania pozostawał poczytalny, przynajmniej według opinii lekarzy, bo dopiero odpowiednie bodźce, w tym wypadku choćby woń seksu lub czegokolwiek innego, budziły w nim bestię?

Aby zgłębić motywy postępowania seryjnego mordercy, powinien odwiedzić miejsce, w którym tamten przetrzymywał i zabijał ofiary. Malarz wspominał coś o swoim domu, ale nie podał szczegółów. Znał adres, dlatego mógł tam pojechać w każdej chwili. Istniał tylko jeden problem, mianowicie nie dysponował własnym środkiem transportu. Zaciągnął się, przytrzymał dym w płucach, po czym wydmuchał nosem. Zaniósł się kaszlem. Powinien zadzwonić do Darka. Kto jak kto, ale kumpel nigdy nie odmawiał mu pomocy.

Wyjął z kieszeni telefon. Już chciał wybrać numer, gdy dostrzegł Kaśkę. Wyszła z klatki schodowej. Miała na sobie kurtkę biodrówkę i dżinsy opinające zgrabne nogi. Na głowę włożyła czapkę z pomponem, tak że przypominała nastolatkę, nie kobietę wchodzącą w czwartą dekadę życia. Całość dopełniła skórzanymi butami, w których mogłaby wędrować po górach. Całkiem niezła sztuka. Gdyby tylko miała w głowie nieco więcej oleju...

Rzucił niedopałek na chodnik. Przydepnął. Wyjął z kieszeni piersiówkę. Przepłukał gardło, tak dla dodania sobie animuszu. Schował. Nie chciał wszczynać kolejnej kłótni, ale tkwiący w nim cynik dochodził do głosu za każdym razem, gdy ktoś postępował jak pozbawiony skrupułów sukinsyn. Jak Malarz. Może i porównanie Kaśki z seryjnym mordercą nie było całkowicie trafione, ale oboje zabijali.

– Już po wszystkim? – zapytał, gdy Kaśka podeszła na tyle blisko, żeby mogła usłyszeć.

Przystanęła. Posłała mu przenikliwe spojrzenie tych swoich wielkich brązowych oczu. Szkoda, że pod fasadą atrakcyjności kryła się bezduszność. Naprawdę szkoda.

– Zależy, o co pytasz.

– O usuwanie ciąży.

– Proponuję, żebyś zajął się swoim życiem, skarbie – powiedziała ochrypłym głosem. – A już najbardziej Anną. Coś mi się zdaje, że potrzebuje twojego wsparcia bardziej niż kiedykolwiek wcześniej.

Wyjęła z torebki paczkę papierosów. Zapaliła. Wydmuchała dym prosto w twarz Janka, tak że musiał odwrócić głowę. Co ona sobie wyobraża, do kurwy nędzy!? Wziął kilka głębokich oddechów. Musiał kontrolować emocje, głównie przez wzgląd na Annę.

– Zabiłaś dziecko.

Wzruszyła ramionami.

– Zatrzymałeś mnie tylko po to, żeby mnie o tym poinformować? – zapytała.

Zaciągnęła się i wydmuchała dym, tym razem w bok. Całe szczęście, bo już zaciskał pięść, już szykował się do... Nie, nie zrobi tego ani teraz, ani nigdy. Po prostu nie zrobi.

– Nie mam ochoty o tym rozmawiać, rozumiesz? – dodała.

– Jesteś morderczynią.

– Tak, powinnam skończyć za kratami z wyrokiem dożywocia. – Szyderstwo obecne w głosie infekowało całe otoczenie. – A może przesadzam, może wystarczy dwadzieścia pięć lat? Zadowolony?

Przez chwilę nie odpowiadał. Rozmowa z kimś, kto nie przyjmował do wiadomości prawdy, wydała mu się pozbawiona choćby cienia sensu. Powinien wrócić do mieszkania i machnąć ręką na próby nawracania grzeszników, ale tkwił w miejscu, patrząc na Kaśkę. Twarz pozbawiona wyrazu. Papieros wetknięty w usta. Obojętne spojrzenie. Gdyby tylko chciała, mogłaby zostać wspólniczką Malarza. Podobno na terenie Belgii i Francji działało małżeństwo seryjnych morderców. Żona odgrywała rolę naganiacza, mąż gwałcił i zabijał, głównie dziewice.

– Nie przychodź więcej do mojego domu – poprosił zimnym, pozbawionym emocji głosem.

Nie chciał wpuszczać za próg kogoś, kto mordował nienarodzone dzieci, ale zdawał sobie sprawę z tego, że przekonanie Anny co do słuszności takiego postępowania z góry skazane jest na porażkę.

– Nie przychodzę do ciebie, przychodzę do Anny.

Twarda sztuka.

– Na jedno wychodzi. Po prostu nie przychodź.

– Jesteś zazdrosny, skarbie? – zapytała, trzymając papierosa w ustach, dlatego wypowiedziane słowa zlepiły się niemal w jedno jak posmarowane masłem. – Jesteś zazdrosny o życie, które prowadzę? Wolność. Seks bez zobowiązań. Z różnymi partnerami. Nigdy tego nie próbowałeś, co? A teraz żal dupę ściska.

Mimo panującego chłodu po skroni spłynęła mu kropla potu. Wyjął z kieszeni paczkę marlboro. Zapalił. Teraz to on wydmuchał dym prosto w twarz Kaśki. Udany rewanż. Poczuł satysfakcję, której nie dał po sobie poznać. Trzymał nerwy na wodzy, choć gdzieś w środku wrzał. Gdyby zdjął czapkę, pewnie z uszu buchnęłyby mu kłęby pary.

– Jesteś żałosna. Pieprzysz się z kim popadnie, nie zważając na konsekwencje, bo... zawsze można wyskrobać nienarodzone dziecko, prawda? Zabić człowieka. Powinnaś skończyć na krześle. Jeden przycisk i po kłopocie.

Posłała mu ciepły, niemal przyjazny uśmiech, choć musiała wiedzieć, że tym swoim przeklętym opanowaniem wzbudzi w nim wyłącznie gniew. Schował lewą dłoń do kieszeni spodni i zwinął w pięść. Nigdy nie uderzył kobiety i nie zamierzał tego zrobić... chociaż z drugiej strony...

– Więc dożywocie to za mało? – zapytała.

Rzuciła niedopałek na chodnik. Przydepnęła. Wyobraził sobie, że to samo robi z małym, kilkutygodniowym płodem. Ciska na podłogę i zgniata masywnym buciorem.

– Zdecydowanie.

Od samego początku tej rozmowy odnosił wrażenie, że bawi się nim, że czerpie satysfakcję z absurdalnej wymiany zdań. Bo przecież nie musiała wdawać się w dyskusję, mogła odejść i już nigdy nie wracać do tematu usuwania ciąży. Ale nie, wolała patrzeć mu w oczy z uśmiechem przyklejonym do ust i czekać. Na co? Aż złoży broń, aż przeprosi, aż przyzna, że poruszanie kwestii związanych z aborcją stanowiło błąd? Niedoczekanie!

– Nie wiedziałam, że palisz. – Wskazała palcem papierosa, którego trzymał w dłoni. – Uważaj, skarbie, bo nikotyna obniża jakość męskiego nasienia. Strzelasz ślepakami, nie możesz spłodzić dziecka. Jakież to proste, prawda?

Znowu wydmuchał dym prosto w nieprzeniknione oblicze Kaśki. Dwa do jednego.

– To przez ciebie.

– Przeze mnie?

– Gdy na ciebie patrzę, to...

– ...czujesz mrowienie w kroku – dokończyła za niego. – Chociaż nie, to za mało powiedziane. Gdy na mnie patrzysz, staje ci... i nie możesz przeboleć, że przyjmuję w sypialni wielu mężczyzn, ale ty musisz obejść się smakiem.

Gdyby nie założył emocjom kagańca, pewnie parsknąłby śmiechem.

Zabawna jest, doprawdy zabawna i pewna siebie.

Twarda.

„Wyzwolona".

– Jesteś chora – oznajmił.

Wciąż patrzyła mu w oczy.

– Czyżby?

Rzucił niedopałek na ziemię. W przeciwieństwie do Kaśki nie przydepnął. Zrobił dwa kroki w przód, tak że stał teraz kilkanaście centymetrów od niej. Poczuł słodką woń perfum i ciężki zapach tytoniu. Ciekawe, jakim określeniem uraczyłby taką kombinację Malarz, mistrz zapamiętywania szczegółów.

– Gdybym tylko chciał... – wycedził przez zęby – zrobiłbym z tobą...

Nie miał pojęcia, dlaczego to powiedział. Słowa po prostu wypadły mu z ust jak zepsute zęby i potoczyły się po chodniku bez najmniejszej kontroli.

– No dalej, wyduś to z siebie! Co byś ze mną zrobił? To, co Malarz ze swoimi ofiarami? Zgwałciłbyś mnie, co? Skoro nie możesz dostać po dobroci, to weźmiesz siłą, tak?

Cofnął się o parę kroków. Uciekł spojrzeniem w bok. Dwa do dwóch. Pokręcił głową. Nie tak miała wyglądać ta rozmowa.

– Taka ładna, a taka głupia.

– Taki przystojny… – Wetknęła do ust kolejnego papierosa. Zapaliła. Dokończyła myśl dopiero wówczas, gdy nasyciła płuca sporą dawką nikotyny. – Na dodatek twardy. Lubię takich. Lubię być zdominowana. Wpadnij do mnie któregoś wieczoru, skarbie, na pewno się dogadamy.

Zadrwiła z niego. Wyprowadziła cios, cios, który dotarł do celu, wniknął do wnętrza i zaczął siać spustoszenie. Poczuł się sprowadzony do parteru. Dwa do trzech. Porażka na całej linii.

– Jesteś stuknięta.

Wzruszyła ramionami.

– Nie bardziej niż ty.

„Wyzwolona".

Odeszła, ciągnąc za sobą smugę dymu.

26

Leżała na kanapie przykryta grubym kocem. Trzymała w dłoni książkę. Wybrała coś lekkiego, jakieś romansidło nieznanej autorki, ale tylko wodziła wzrokiem po poszczególnych akapitach.

Już dawno minęło południe, a ona wciąż miała na sobie jasnoniebieską koszulę nocną i babcine reformy. Jak tak dalej pójdzie, to następne dwadzieścia lat spędzi na użalaniu się nad sobą, na wspominaniu wydarzeń z parku, na obwinianiu złośliwego losu. Powinna wziąć się w garść, ale nie potrafiła tego zrobić. Za dużo emocji, zbyt wiele bólu i cierpienia. W towarzystwie męża i Katarzyny udawała twardą sztukę, ale gdy zostawała sam na sam z myślami, nie musiała odgrywać wcześniej ustalonej roli. „Jesteś słaba – pomyślała. – Nie, nie słaba, jesteś po prostu żałosna".

Zrzuciła z siebie koc, po czym poczłapała do łazienki. Napuściła wody do wanny i zaczęła się kąpać. Tym razem nie zamierzała zmywać z siebie brudu tamtej nocy, jak wcześniej, pragnęła wyłącznie odrobiny rozluźnienia. Ciepło. Gładką powierzchnię lustra przykrywała gruba warstwa pary. Temperatura w pomieszczeniu skoczyła o dobrych kilka stopni. Właśnie o to chodziło. O oczyszczenie, tym razem bez użycia czegokolwiek. Żadnego mydła, żadnego pumeksu, żadnej gąbki. Duchota otworzyła pory skóry, które zaczęły wydzielać pot. Gdyby wraz z nim organizm pozbył się niechcianych wspomnień...

Westchnęła. Życie nie jest piękne jak na kartach powieści. O nie, ono jest szare, przewidywalne i trudne. Przekonywała się o tym dzień po dniu, od samego początku. Najpierw śmierć matki, chwilę później ojca. Następnie zmiana pracy pociągająca za sobą nowe problemy, a teraz, jakby na dokładkę... gwałt.

Potrząsnęła głową.

Przestań!

Po kwadransie, gdy woda wystygła, wyszła z wanny, wytarła ciało ręcznikiem i poszła do kuchni zaparzyć kawę. Całe szczęście, że swego czasu znalazła kochającego mężczyznę, w innym wypadku zostałaby na tym paskudnym świecie sama jak palec. Bez żadnego wsparcia, bez nadziei na lepsze jutro. Fakt, miała jeszcze przyjaciółkę, bez której ciągnięcie wózka zwanego firmą stanowiłoby marzenie ściętej głowy. Bez Katarzyny (obiecała, że przez kilka następnych dni weźmie na siebie całą robotę) nigdy nie zdecydowałaby się na taki krok, nigdy nie rzuciłaby posady i nie rozpoczęła działalności na własną rękę.

Postanowiła, że dzisiaj pierwszy raz od wydarzeń z parku opuści bezpieczne schronienie. Tak, opuści, bo... minęło już kilkanaście dni... Zaraz, moment... Chyba dopiero osiem lub dziewięć, zatem test może dać fałszywy wynik, ale... Wyjrzała za okno. Musi wziąć się w garść i wyjść, niekoniecznie do apteki, ale dokądkolwiek. Choćby na krótki spacer, żeby zaczerpnąć świeżego powietrza. Nie może wciąż tkwić w czterech ścianach, bo oszaleje. Kontakt z ludźmi powinien zadziałać jak najlepsza terapia. Szokowa, tak, niewykluczone, ale jednak terapia.

Terapia...

Stefania Kwiecień. Może warto skorzystać z pomocy psychologa?

Z szafy wyjęła dżinsowe spodnie i gruby wełniany sweter. Ubrała się. Stanęła przed lustrem wiszącym w przedpokoju. Zero makijażu. Rozczochrane włosy. Brak choćby cienia kobiecego magnetyzmu. Świetnie, właśnie o to chodziło. Jeśli nie chce zwracać na siebie uwagi, musi postawić na odpychającą powierzchowność. W takim opakowaniu mogłaby co najwyżej przyciągnąć spojrzenie bezdomnego: „Hej, paniusiu, reflektujesz na winko?". „Spadaj, idioto!"

Zaparzona kawa nęciła cudownym zapachem, ale ona nie zwracała uwagi na bodźce dochodzące z otoczenia. Myślała wyłącznie o świecie zewnętrznym. Ulice. Apteka. Sklepy. Gdzieś tam, w miejskiej dżungli, ukrywa się drapieżnik. Gwałciciel. Nie widziała twarzy, więc nawet gdyby stanęła z gnojem oko w oko, nie miałaby pojęcia, na kogo patrzy. A sukinsyn na pewno szykuje kolejny gwałt, na pewno chodzi po Raciborzu i wypatruje następnej ofiary. Przestępcy seksualni nie znają pojęcia „przypadek", oni działają według określonego planu.

Włożyła płaszcz. Ponownie spojrzała na swoje odbicie w lustrze. Westchnęła. Nie może do końca swoich dni siedzieć w mieszkaniu i czekać na... no właśnie, na co? Aż policja zatrzyma jakiegoś gwałciciela? Przecież osobników śliniących się na widok atrakcyjnej kobiety jest mnóstwo, zatem każdy z nich nosi w sobie gen seksualnego maniaka. Oczywiście nie każdy facet zostaje niewolnikiem własnych popędów, ale zamknięcie jednego psychopaty nie rozwiąże problemu. Wyrwiesz chwast, masz spokój, tak, ale tylko na chwilę, do momentu kiedy na światło dzienne zechce wyjść następny. Załatwisz tego, wyrośnie kolejny. Tak bez końca.

Kiedy przekręcała klucz w zamku, pomyślała, że może zawrócić, że może uniknąć zrobienia tego samego błędu co poprzednio. Wystarczy pójść po rozum do głowy i nie pozwolić emocjom zagłuszyć nawoływania zdrowego rozsądku. Ostatnio też ignorowała podszepty instynktu i zamiast iść przez miasto, wybrała park, ale... dzisiaj potrzebowała przełamania jak nigdy wcześniej. Dzień jest osłoną przed wieloma zagrożeniami, może nie wszystkimi, ale jednak. Gwałciciele chodzą po ulicach miasta, fakt, może nawet w dobrze skrojonych garniturach, z teczkami w dłoniach i jowialnymi uśmiechami przyklejonymi do twarzy, lecz działają tylko w nocy.

„W NOCY, rozumiesz? Tak, jasne. Więc na co czekasz?"

Gdy wyszła na zewnątrz, postawiła kołnierz płaszcza, po czym włożyła czapkę. Chłód nie przenikał do szpiku kości, przynajmniej nie dzisiaj, ale silny wiatr penetrował każdy odkryty fragment ciała. Śnieg stopniał... Idąc do najbliższej apteki, wciąż czuła ściskanie w dołku. Każdą napotkaną męską twarz lustrowała wzrokiem. Facet z wąsami. Facet z pieprzykiem nad górną wargą. Facet z gębą napompowaną przynajmniej wiadrem tłuszczu. Facet utykający na prawą nogę. Facet w samej bluzie i krótkich spodenkach. Facet z blizną na lewym policzku. Instynktownie przyłożyła dłoń do skaleczenia. Rana jak rana, nic wielkiego, zwłaszcza w porównaniu z poszarpaną, okaleczoną psychiką.

Na samą myśl o kolejnym gwałcie poczuła skurcz w żołądku. Wzięła kilka głębokich oddechów, żeby nie zapaskudzić chodnika falą wymiocin. „Za dużo tego wszystkiego", pomyślała. Za dużo stresu, za dużo nerwów, zbyt wiele napięcia jak na jedno drobne ciało. Chciała zapytać los, dlaczego musi przeżywać coś tak okropnego, lecz wiedziała, że nie otrzyma odpowiedzi. Ileż to już razy zadawała to pytanie? Ileż razy szukała sensu tam, gdzie istniała tylko czarna dziura ziejąca brakiem logiki?

Do apteki pozostało jakieś czterysta metrów. Bardzo niewiele, dosłownie rzut kamieniem. Już widziała duży niebieski szyld wiszący nad wejściem. Przyspieszyła kroku, jakby wciąż nie potrafiła otrząsnąć się z obaw o własne zdrowie, może nawet życie. „Jesteś bezpieczna – powtarzała w myślach. – Jesteś tu całkowicie bezpieczna. CAŁKOWICIE!" Żaden psychopata nie zaatakuje w dzień w miejscu publicznym, bo przecież zostanie zauważony przez niezliczoną ilość ludzi. O nie, nawet psychicznie chory sukinsyn wykaże odrobinę zdrowego rozsądku. Gdyby kroczyła przez park w samym środku nocy, to zupełnie inna sprawa. Ale tu, na otwartej przestrzeni, w miejscu zwanym Świńskim Rynkiem? Nie, wykluczone.

Odwróciła się… i wtedy go zobaczyła. Mężczyznę w grubej puchowej kurtce. Na oko metr osiemdziesiąt. Albo i więcej. Sto kilogramów wagi. Albo i więcej. Na głowie czapka dokerka. W ręku zwinięta reklamówka. Gdy na niego spojrzała, przez twarz przemknął mu cień uśmiechu. Coś tak nieznacznego, tak nieuchwytnego, że prawie niezauważalnego. Ale ona to widziała. WIDZIAŁA!

Boże…

Ruszyła niemal biegiem, chcąc zwiększyć dzielący ich dystans. Dotrzeć do apteki, skąd mogłaby zadzwonić na policję, myślała tylko o tym. Wpadła na starszą kobietę ciągnącą wózek z zakupami. Nie zatrzymała się, bo wiedziała, że choćby moment zwłoki może przypłacić…

Przód. Tył. Przód. Tył.

Nie!

Do celu pozostało trzysta metrów. W przeliczeniu na minuty góra dwie, może trzy. Potrąciła kolejnego przechodnia, tym razem nawet nie zwróciła uwagi na płeć. Zachwiała się, ale utrzymała równowagę. Kątem oka dostrzegła, że mężczyzna w czapce nie odpuszcza, że wciąż idzie za nią i się uśmiecha. UŚMIECHA! Mogłaby postawić wszystkie pieniądze, jakie przechowywała na koncie, na to, że twarz tego sukinsyna wykrzywiał grymas triumfu.

Gwałciciel.

Dlaczego tu i teraz?

Czemu ona?

Czego od niej chce?

Dwieście metrów. Zdawała sobie sprawę z tego, że drań nie pójdzie na całość, ale nie zwalniała biegu. Obolałe nogi odmawiały posłuszeństwa, dlatego zmusiła się do większego wysiłku. Krocze zaczęło pulsować bólem. Poczuła, że pływa. Tam, na dole. Nie miała czasu sprawdzić, czy zaczęła krwawić, bo mimo że pędziła jak na złamanie karku, nie potrafiła zwiększyć dzielącego ich dystansu.

Szybciej! Szybciej!

Siedzący tryb życia powodował, że ledwo łapała powietrze. Jeden haust. Drugi. Kolejny. Do apteki pozostawało tak blisko, a jednocześnie tak daleko. Usłyszała klakson samochodu. Pisk opon. Ktoś rzucił parę przekleństw. Męski głos. Odpowiedział mu inny, równie agresywny. Nie zwracała na to uwagi. Nie mogła zwracać. Liczył się tylko cel. Apteka. Ile jeszcze? Ile, do ciężkiej, jasnej, ciasnej cholery!?

Pięćdziesiąt metrów. Poczuła na sobie czyjś dotyk. Krzyknęła, szarpnięta przez niewidoczną dłoń. Omal nie upadła na chodnik. Odwróciła się z zamiarem zaatakowania napastnika. Zada bydlakowi parę ciosów, zacznie wrzeszczeć, a wówczas ktoś zareaguje. Ktokolwiek, chociażby staruszka, którą potrąciła. Albo jakiś nastolatek z papierosem w ustach. Albo… ktokolwiek!

KTOKOLWIEK!

Zobaczyła starego znajomego z liceum, Zenka.

– Witaj, Ania, kopę lat!

Nie zarejestrowała, jak wygląda po dekadzie od ukończenia szkoły. Czas. Liczyły się tylko upływające sekundy. Chwila zwłoki i skończy w objęciach gwałciciela. Usiłowała zlokalizować pozycję mężczyzny w czapce, ale widziała tylko przechodniów. „Gdzie jesteś, draniu? Gdzie ukrywasz swój paskudny uśmiech?"

– Ania...

Pieprzyć to!

Wyrwała się. Zaczęła biec. Dopiero gdy wpadała do apteki, uzmysłowiła sobie, że mogła przystanąć, żeby porozmawiać z Zenkiem. Gwałciciel nie zaatakowałby na oczach świadków. A kolega z liceum, zawsze mocno zbudowany, nieco agresywny w stosunku do innych chłopaków, potrafił dać w mordę jak nikt inny w trzydziestoosobowej klasie.

Oparła się plecami o ścianę. Z trudem łapała powietrze. Nie, gwałciciel nie zaatakowałby, ale... Skoro tak, to dlaczego w ogóle uciekała? Czemu gnała jak na złamanie karku, gdy mogła kroczyć z godnością, tak żeby utrzeć sukinsynowi nosa? Żeby pokazać, że kontroluje sytuację, że zakopała strach pod grubą warstwą pewności siebie? Ale nie, zamiast trzymać nerwy na wodzy, wpadła w panikę i zrobiła scenę w publicznym miejscu, tam gdzie groźba konfrontacji z tym skurwysynem po prostu nie istniała.

Westchnęła.

– Przepraszam, wszystko w porządku?

Odwróciła głowę w stronę, z której dochodził głos. Aptekarka.

– Tak, jestem tylko... nieco przemęczona.

Młoda kobieta, w zasadzie jeszcze dziewczyna, wskazała ręką krzesło.

– Proszę usiąść.

– Dziękuję... Mogę skorzystać z toalety?

– Oczywiście. – Kolejny ruch ręki. – Najpierw w lewo, a za rogiem na prawo.

Po kilkunastu sekundach klęczała nad muszlą klozetową i wymiotowała.

A gdy skończyła, wytarła usta chusteczką, po czym stanęła przed lustrem.

Obraz nędzy i rozpaczy.

Anna Kowalska.

I to w pełnej krasie.

27

Siedząc w aucie Darka, mocno zdezelowanym fiacie punto, doszedł do wniosku, że powinien zostać z Anną, ale zamiast tego spakował do plecaka latarkę, kanapkę, termos z ciepłą herbatą oraz piersiówkę i wyruszył w trasę. Powiedział żonie, że jadą do dzielnicy zwanej Oborą, żeby pobiegać, dlatego włożył dres i sportową kurtkę.

Kłamał.

Na dodatek był egoistą.

Nie, po prostu myślał o przyszłości.

Chciał zwiedzić dom Malarza, pragnął pomyszkować w ciemnych zakamarkach, żeby lepiej zrozumieć motywy, którymi kierował się zabójca. Rzecz jasna, zdawał sobie sprawę z tego, że zainteresowanie seryjnym mordercą zaczyna przypominać obsesję... ale pieprzyć to. Dobrze wykonana robota wymaga poświęceń i zaangażowania. Jeśli chce coś osiągnąć, jeśli zamierza napisać znakomitą książkę, nie może odpuścić. Nie teraz, gdy zebrał mnóstwo cennych informacji, a kolejne fakty z życia największego psychopaty chodzącego po polskiej ziemi już czekały na odkrycie.

– Dzięki, że mnie podwozisz – powiedział, wbijając wzrok w pozbawioną wyrazu twarz przyjaciela.

Darek cierpiał, jak zresztą zawsze, gdy musiał wsiąść za kółko w piątkowe popołudnie, bo przecież wolałby siedzieć na kanapie z pilotem w jednej dłoni, w drugiej z butelką piwa lub szklanką pełną wódki. Ale nie miał wyjścia. Musiał pomóc Jankowi, bo z ich dwóch tylko on miał samochód.

– Nie sądzisz, że posuwasz się nieco za daleko? – zapytał Darek.

Janek wzruszył ramionami.

– Nie, po prostu odwalam kawał solidnej roboty.

– Solidnej roboty? Ten sadysta przetrzymywał w tym domu kobiety. Przetrzymywał, gwałcił, torturował i zabijał. Torturował, kapujesz? Zabijał, łapiesz? A może muszę ci to przeliterować? Po diabła wkładasz rękę w to gniazdo szerszeni?

Minęli stację benzynową przy największym rondzie w mieście. Następnie wjechali na most nad Odrą. O dziwo, sunęli na miejsce bez większych przeszkód, co w Raciborzu, zwłaszcza w godzinach szczytu, gdy mieszkańcy kończyli ciężki tydzień pracy, stanowiło prawdziwy cud.

– Chcę, żeby każde słowo, które napiszę, brzmiało wiarygodnie.

Darek zatrzymał wóz na światłach koło Zespołu Szkół Mechanicznych. Spojrzał na Janka tak, jakby w tym krótkim zdaniu próbował dostrzec drugie, a może nawet trzecie dno. Pokręcił głową z dezaprobatą, po czym powiedział z ironią w głosie:

– Dlatego wyłamiesz kopniakiem drzwi.

Z informacji posiadanych przez Darka wynikało, że dom został wystawiony na sprzedaż. Oczywiście nikt nie wyraził zainteresowania kupnem budynku, w którym siedzibę urządził jeden z największych degeneratów w powojennej historii kraju. Nawet niewygórowana cena nie zachęciła nikogo do chociażby podjęcia negocjacji. Z drugiej strony aż dziw brał, że sędzia nie nałożył na Malarza obowiązku zapłaty nawiązki dla rodzin ofiar, wtedy majątkiem zaopiekowałby się komornik. Teraz koleś mógł zrobić z domem, co tylko zapragnął. Na przykład mógłby tam urządzić prywatne muzeum zbrodni i trzepać grubą kasę na biletach.

Janek pogrzebał w plecaku. Wyjął niewielki, płaski przedmiot.

– Nie, nie kopniakiem. Postawię na coś bardziej klasycznego.

– Wytrych.

Janek skinął głową.

– Właśnie.

Zielone. Ruszyli ze świateł. Minęli nową siedzibę policji i zmierzali prosto do Obory, dzielnicy, w której swego czasu nielegalne walki organizował niejaki Gruby, jeden z najbardziej wpływowych ludzi w mieście. Kilku dziennikarzy próbowało wniknąć do światka rządzonego przez układy i wielkie pieniądze, ale żaden z nich nie osiągnął zadowalających rezultatów. Podobno pismak z największego brukowca w kraju dokopał się do ciekawych faktów, lecz szybko stracił zapał do przelania odkrytych rewelacji na papier. Powód? Po zajęciu miejsca za kierownicą swojego wozu poczuł na karku chłód bijący od lufy pistoletu i usłyszał słowa, których miał nie zapomnieć do końca życia: „Odpuść, jeśli chcesz żyć". Ktoś, kto siedział na tylnej kanapie, nie powiedział nic więcej. Ale to wystarczyło. Musiało wystarczyć.

– Chyba nie sądzisz, że wejdę tam z tobą, prawda? – zapytał Darek, redukując bieg przed wjechaniem na most nad kanałem Ulgi.

Po prawej stronie rozciągał się kompleks wielkich marketów, po lewej dzielnica schludnych domów jednorodzinnych. Gdzieś tam, w tym gąszczu budynków, Malarz przemieniał w piekło życie niewinnych kobiet.

– Wystarczy, że poczekasz w samochodzie. I tak zrobiłeś dla mnie wiele.

– Otóż to! Pal licho, że wprowadziłem cię do pierdla i że robię za szofera w piątkowe popołudnie, pewnie…

O, zaczęło się!

– …wiesz, co jest najgorsze? Mogłem siedzieć w domu, sącząc żubrówkę z sokiem jabłkowym… ale ty musiałeś zadzwonić i spierdolić mi resztę dnia. Jesteś jak wrzód na dupie, wiesz?

Janek westchnął, może nieco zbyt ostentacyjnie.

– Spokojnie, przeszukanie tego… jak to nazwałeś… gniazda szerszeni nie zajmie mi dłużej niż kwadrans. Piętnaście minut i wracamy do miasta, ty spragniony jak nigdy wcześniej, ja bogatszy o cenną wiedzę.

Na horyzoncie wisiały ciężkie, niemal czarne chmury. Wprawdzie jeszcze nie padało, ale Janek przypuszczał, że lada moment lunie jak z cebra. Oby tylko zdążył, bo wędrowanie po zakamarkach domu mordercy w trakcie nawałnicy nie było mu w smak.

– Po co ci to, stary? – zapytał Darek. – Po jaką cholerę zabrałeś się za grzebanie w gównie? Może zamiast tego pieprzonego artykułu… czy tam biografii napisz książkę fabularną, na przykład horror, thriller… czy jak to się tam nazywa.

– Życie tych dziewczyn przypominało horror. Chcę wiedzieć, dlaczego.

Horror. Coś, przez co ostatnimi czasy przechodziła Anna. Przyszło mu do głowy, żeby opowiedzieć przyjacielowi o ostatnich wydarzeniach, ale nie mógł się przemóc. Może nie rozszerzać kręgu wtajemniczonych, bo tajemnica nie lubi rozgłosu?

Wjechali w gąszcz budynków. Fiat sunął teraz dwadzieścia kilometrów na godzinę, może nawet mniej. Darek, pochylony nad kierownicą, zaczął lustrować wzrokiem okolicę w poszukiwaniu właściwego domu.

– Znalazły się w nieodpowiednim miejscu w niewłaściwym czasie – oznajmił, rozglądając się na lewo i prawo. – Albo trafiły na nieodpowiedniego kolesia. Wybierz jedną z tych możliwości. Inne nie istnieją.

– Myślisz, że facet nosił w sobie zło od samego początku?

– Pewnie. Skurwysynem takiego kalibru nie stajesz się z dnia na dzień, jak po dotknięciu trędowatego. Przychodzisz taki na świat i tylko od wpływu otoczenia zależy, w którą stronę podążysz. Niekiedy wystarczy jeden mały impuls, żeby z normalnego człowieka przeobrazić się w potwora.

– Czyli nie każdy, kto urodził się z chromosomem nienawiści do wszystkiego, co chodzi na dwóch nogach, musi skończyć jako seryjny morderca?

– Oczywiście. – W głosie Darka wybrzmiewały wyłącznie nuty pewności. – Ale prawdopodobieństwo, że kogoś zabije, jest znacznie większe niż u faceta potulnego jak baranek.

Dotarli do celu. Darek zatrzymał samochód koło wielkiej żeliwnej bramy. Janek otaksował wzrokiem okolicę. Ostatni dom przy ulicy, parterowy z poddaszem, królestwo seryjnego mordercy, stał pod lasem, gdzie zakopanie zwłok nie powinno nastręczać żadnego problemu, zwłaszcza mężczyźnie w sile wieku. Brudnoszara elewacja, klasyk lat osiemdziesiątych, ostatnimi czasy straciła na popularności, ale na budynkach starszego typu, zwłaszcza takich jak ten, nadal wyglądała całkiem przyzwoicie. Choć gdzieniegdzie widać już było upływ czasu.

W drewnianych zakratowanych oknach wciąż wisiały firanki; na jednym z nich przyklejono banner agencji zajmującej się handlem nieruchomościami. Pod wielkimi czerwonymi literami z nazwą firmy widniał ciąg mniejszych cyfr – numer telefonu. Ciekawe, czy kiedykolwiek znajdzie się chętny na kupno. Pewnie tak, chociaż tylko psychopata mógłby zamieszkać w miejscu, gdzie śmierć poniosło kilkanaście kobiet.

Ciągnie swój do swego, co?

Rzucił okiem na komin, z którego odpadał tynk. Oczywiście nie wierzył, że dostrzeże kłęby czarnego dymu, lecz coś kazało mu spojrzeć właśnie w tamtą stronę. Może w opuszczonym budynku siedzibę urządziła sobie banda małolatów? Oczyma wyobraźni zobaczył, jak wchodzi do środka i… TRACH! Dostaje pałką najpierw w żebra – kości pękają niczym sucha gałąź – później w brzuch. Zaczyna rzygać. Fala wymiocin zalewa buty napakowanego nastolatka.

Potrząsnął głową. „Bez takich numerów, stary".

– Poczekaj w aucie – powiedział do przyjaciela, chwytając za klamkę.

– Nawet gdybyś obiecał mi randkę z Anią Muchą, nie ruszyłbym stąd dupska.

– A z Katarzyną Glinką?

Kaśka.

– Nie znam panny. Dobra jest?

Podsunął prawą dłoń pod nos Darka. Kciukiem potarł obrączkę.

– Mnie nie pytaj.

Wysiadł, trzasnął drzwiami, po czym ruszył na spotkanie z przeznaczeniem.

Wszedł na teren posesji bez najmniejszych problemów. Brak zamka w bramie. Gdyby przybył tu na wiosnę, w gąszczu bujnych traw pewnie nie dostrzegłby betonowego chodniczka prowadzącego do głównego wejścia. Teraz, w połowie listopada, po pierwszych opadach śniegu, pożółkłe źdźbła leżały na ziemi jak kłosy zbóż w trakcie żniw. Rozglądał się na lewo i prawo, chcąc dostrzec najmniejsze ślady działalności Malarza, ale niczego nie znalazł. Żadnych prowizorycznych grobów, żadnych pofałdowań terenu. Kompletnie nic, choć sukinsyn zakopywał ciała gdzieś w ogrodzie.

Minął kilka drzew, które już jakiś czas temu pozrzucały liście. Kilkakrotnie musiał zgiąć się wpół, żeby nie zahaczyć tułowiem o gałęzie. Zaniedbany ogród. Nic dziwnego, skoro właściciel siedział za kratami jednego z najbardziej surowych zakładów karnych w kraju, a rodzina... No właśnie, co z rodziną? Nigdy nie pytał drania ani o matkę, ani o ojca, ani o rodzeństwo. Gdy następnym razem usiądzie naprzeciwko mordercy, nadrobi zaległości.

Dotarł do masywnych drewnianych drzwi, uprzednio pokonawszy kilka stopni schodów. Zrzucił plecak z ramion i wyjął wytrych. Zerknął na samochód zaparkowany przed bramą. Wziął kilka głębokich oddechów. Stres. Postanowił nie brać relanium, ale w momentach takich jak ten każdy środek wygładzający emocje spełniłby swoje zadanie. Wymacał piersiówkę ukrytą w kieszeni kurtki. Wypił parę łyków. Schował. Od razu lepiej.

Przypuszczał, że to miejsce już dawno straciło swój złowieszczy charakter. Nigdy nie wierzył w historie o nawiedzonych domach, zresztą, to właściciel przesiąkł złem, nie budynek. Mimo że zdawał sobie sprawę z tego, że może czuć się tutaj bezpieczny, po skroni spłynęła mu kropla potu. Znowu odetchnął. Kochał robotę w terenie, ale czasami, zwłaszcza w takich chwilach, wysysała z człowieka energię. Pogrzebał wytrychem w zamku. Chwycił klamkę. Pchnął drzwi. Bingo! Serce biło mu tak mocno, że ledwo łapał powietrze. Przez kilka długich sekund trwał w bezruchu, walcząc z myślami o odwrocie. Nie musiał tu przychodzić, nie musiał zwiedzać królestwa seryjnego mordercy, ale... chciał. Dlatego nie mógł zawrócić, nie mógł zabrać zabawek i odejść, nie spełniając jednego ze swoich marzeń. O nie, chociażby musiał spędzić następny tydzień na oddziale kardiologicznym…

Wchodząc do środka, poczuł zapach stęchlizny i… chyba krwi. Przypuszczał, że pada ofiarą wyobraźni, bo przecież nie miał pojęcia, jaki zapach wydziela zwietrzała krew, ale… Pokręcił głową. Nie, wystawiając dom na sprzedaż, agent musiał zadbać o wszystko, łącznie z gruntownym sprzątaniem i wietrzeniem, przynajmniej wtedy, gdy wziął nieruchomość pod swoje skrzydła. A może zostawił wnętrze w stanie „sprzed”, żeby zachęcić do kupna kogoś, kto zechce zobaczyć, jak żył seryjny morderca?

Przebrnięcie przez niewielki przedsionek, gdzie stała szafka na buty, zajęło mu przynajmniej minutę, jeśli nie dwie. Usiłował nie pominąć żadnego szczegółu, rejestrował wzrokiem wszystko, co wydawało się interesujące. A nawet to, co sprawiało wrażenie błahego, niewartego uwagi. Przejechał dłonią po parapecie. Spora warstwa kurzu. Przynajmniej ze trzy milimetry. Chyba nawet agent nie wierzył, że znajdzie nabywcę na dom uznawany za przeklęty.

Wszedł do salonu. Nikogo. Jeśli myślał, że stanie oko w oko z jakimś ćpunem lub bezdomnym, to trafił jak kulą w płot. Dobrze, kłopoty w postaci dzikiego lokatora nie były mu do niczego potrzebne.

Spojrzał na wielką kanapę obitą skórą, tę, o której opowiadał Malarz. Zerknął na stół, na którym wciąż stały dwa kieliszki i pusta butelka po winie. Miała dziwny kształt – przypominała dziób papugi albo innego ptaszyska. Obok, w specjalnym szklanym pojemniku, tkwiła na wpół wypalona świeczka. Zamknął oczy, usiłując pobudzić wyobraźnię do wytężonej pracy. W tym miejscu, tak przesiąkniętym złem, nawet nie musiał się zbytnio wysilać.

Dalej… no dalej…

Obok Malarza siedzi atrakcyjna kobieta. Mężatka. Rozmawiają. Dłoń Malarza wędruje na kolano kobiety. Kobieta uśmiecha się nieznacznie, po czym składa na ustach Malarza pocałunek. Na początku nieśmiały, ale już po chwili bardziej zdecydowany, gorący. Malarz chwyta kobietę za włosy. Ciągnie. Kobieta krzyczy. Próbuje się wyrwać i uciec, ale jest na to zbyt słaba. Malarz rzuca się na nią. Uderza w twarz. Kobieta pada na podłogę. Traci przytomność. A gdy wraca do rzeczywistości...

Potrząsnął głową. Podszedł do stolika. Sięgnął po butelkę. Czerwone wytrawne. Rozlane przed dwoma laty. Zatem to nie Malarz spędził przy tym winie ostatnią ze swoich upojnych nocy. Może agent odrobiną procentów chciał zachęcić do kupna nieruchomości jedną ze swoich klientek?

Wszedł do sypialni. Szafka nocna. Szafa na ubrania. Dwa najzwyklejsze drewniane krzesła i wielkie małżeńskie łóżko. Łoże rozkoszy? Możliwe, że niektóre z ofiar Malarza spędziły tu kilka intymnych chwil, chociaż pewnie większość kończyła w piwnicy, bez ubrania, bez wiary w człowieczeństwo, bez nadziei na ocalenie życia. Przejechał dłonią po pościeli. Wciągnął nosem powietrze, chcąc wyczuć woń seksu. Nic, tylko stęchlizna, wilgoć, duchota.

Przeszedł przez wąski korytarz. Na ścianach wisiały trzy obrazy. Na każdym widok śmierci. Na każdym ciała w daleko posuniętym stadium rozkładu. Powyginane kończyny, oczodoły ziejące pustką, w miejscu nosów dziury, skóra odchodząca od policzków wielkimi płatami. Czerń zgnilizny. Czerwień krwi. Mimo że płótna nie wydzielały żadnego odoru, Janek zakrył dłonią usta, żeby nie zwymiotować. Ktoś, kto tworzył coś takiego, musiał przechodzić regularne pranie mózgu. W głowie normalnego człowieka pomysły na takie malowidła nie miały prawa się zrodzić.

Zerknął w prawy dolny róg blejtramu, tam gdzie widniał podpis autora.

Nieczytelne bazgroły.

Antoni Filip Grzęda? Niewykluczone.

Kuchnia. Nic nadzwyczajnego. Linoleum na podłodze. Rolety w oknach. Komplet starych, lecz gustownych mebli. Okrągły stół na środku. Drewniany. Całości dopełniały cztery krzesła, lodówka o wysokości mniej więcej półtora metra oraz kuchenka gazowa pochodząca z lat osiemdziesiątych. Standardowe wyposażenie mieszkania przeciętnego Polaka.

Zaczął szperać po szafkach. Garnki, sztućce, noże, talerze, makarony, puszki sardynek, przyprawy, ryż, szklanki, kieliszki. Znowu nic szczególnego. Przypuszczał, że poszukiwania osiągną punkt kulminacyjny w piwnicy, ale na razie myszkował po innych pomieszczeniach. Nie chciał niczego pominąć.

Skierował wzrok na lodówkę. Adrenalina buzująca mu w żyłach uruchomiła wyobraźnię. Otworzył, sądząc, że zobaczy kawałki ludzkiego ciała, zapeklowane mięso, serce umieszczone w wielkim słoju, zupę z gałek ocznych i tego typu przysmaki każdego psychopaty, ale oczywiście nic takiego nie znalazł. Pustka. Kompletna. Przecież Malarz, koneser kobiecych wdzięków, z kanibalizmem miał tyle wspólnego, co z pojęciem litości. Gwałcił, torturował i zabijał, ale żywił się jak normalny człowiek.

Janek dopiero teraz doszedł do wniosku, że chodzi po domu, w którym przestępca kreował własną rzeczywistość. W tym chorym miejscu wszystko sprawiało wrażenie normalnego, lecz nic takie nie było. Każdy przedmiot mógł świadczyć o popełnionych tu zbrodniach. Każda rzecz służyła do zaspokajania potrzeb psychopaty. Noże, kieliszki, jedzenie. Nawet lodówka. Gdyby wytwory rąk ludzkich mogły przemówić, na pewno opowiedziałyby zatrważającą historię o osobniku, który z mordowania uczynił coś na kształt artyzmu.

Ruszył w kierunku schodów prowadzących do piwnicy. Gdy dotarł do drzwi, położył dłoń na klamce. Odetchnął. Jeśli naprawdę pragnął zrozumieć, to teraz stawał twarzą w twarz z ostatnią szansą, żeby tego dokonać. Jeżeli dom uprzątnięto, jeżeli po działalności Malarza nie został tu żaden, nawet najmniejszy, ślad... Trudno, najwyżej wróci do siebie z poczuciem totalnej klęski, ale przecież wciąż będzie dzierżył w ręku sporo atutów, ot, chociażby w postaci wywiadów z mordercą. Przyjechał tu jednak napędzany chęcią odkrycia prawdy, chęcią wejścia w skórę ofiary... i kata. Na razie niczego nie osiągnął, ale za moment, za krótką chwilę...

Otworzył drzwi. Nacisnął włącznik światła. Jasność. Nie musiał robić użytku z latarki, co przyjął z nieskrywaną ulgą. Niewielkim snopem omiótłby tylko fragmenty piwnicy, a przecież chodziło o ogarnięcie całości. Żeby zrozumieć, musisz widzieć, dotykać, czuć. Musisz odbierać otoczenie wszystkimi bodźcami. Światło, najlepiej mocne, jest niezbędne, żeby osiągnąć cel.

Zaczął iść po wąskich drewnianych schodach. Rękawem kurtki wytarł pot zraszający czoło. Jeden ze stopni jęknął cichym skrzypnięciem. Przystanął, jakby ktoś wlał mu ołów do butów. Poczuł ściskanie w dołku. To tylko nerwy, nic więcej, zdawał sobie z tego sprawę, ale nie potrafił wyłączyć emocji jednym pstryknięciem. Chciał zostać ofiarą, prawda? Chociaż na minutę, dwie, może trzy, lecz chciał tego, pragnął zrozumieć. Więc teraz, gdy piwnica otwierała się przed nim kawałek po kawałku, spełniał tę fanaberię, realizował się.

Ruszył. Po chwili stał już na środku niewielkiego pomieszczenia i patrzył. Na szafkę nocną. Na metalowe wiadro. Na drewniane krzesło, tak stare, a może tak zniszczone, że mogłoby wyjść spod palców stolarza przynajmniej przed stu laty. Na mały rozkładany stolik o plastikowym blacie i nogach ze stali. Na rząd półek, takich, na których można poukładać konfitury, teraz zupełnie pustych. Na rower marki Ukraina, bez przedniego koła, bez siodełka, za to z poszarpaną oponą z tyłu. Na wiekowy wieszak na ubrania. Ale przede wszystkim…

Facet musiał mieć dziurę w miejscu, w którym powinno bić serce.

O tak, wielką cholerną dziurę ziejącą pustką.

Pod ścianą, z której na wysokości około metra wystawały dwie metalowe obręcze, kiedyś zapewne służące do trzymania łańcuchów w ryzach, leżał gruby materac, szeroki jak małżeńskie łoże. Brudny. Zieloną powierzchnię pokrywały spore czarne plamy. Krew? Dotknął jednej z nich. Przymknął powieki, chcąc wyczuć atmosferę tego miejsca. Chcąc zrozumieć. Wtedy to usłyszał.

„Wejdź we mnie".

Kaśka.

Drgnął. Cofnął rękę. Otworzył oczy. Wiedział, że pada ofiarą wyobraźni, ale nie przypuszczał, że umysł spłata mu aż takiego figla. Odwrócił się. Spojrzał w kierunku wyjścia z piwnicy. Jeśli przypuszczał, że zobaczy na schodach sylwetkę Kaśki albo chociaż rzucany przez nią cień, to chyba upadł na głowę. Nic. Pustka. Znowu skierował wzrok na materac. Wziął kilka głębokich oddechów. Dostał to, czego tak bardzo pragnął, czyż nie? Oczywiście, ale nie sądził, że pozwoli emocjom przejąć kontrolę nad zdrowym rozsądkiem.

Przejechał dłonią po zabrudzonym materiale. Tu, na tym materacu ofiary Malarza wdychały ciężkie, przesiąknięte smrodem powietrze, a wydychały duszę. Oczywiście nie od razu, dopiero po czasie. Po dobie, po kilku dniach, a może po tygodniu. Przeklęty tydzień tortur, nieludzkich męczarni, katuszy bez nadziei na cokolwiek. Dopiero potem przychodziło ukojenie. Śmierć.

Pociągnął nosem, usiłując wyczuć specyficzną woń seksu. Nic, kompletnie. Zdawał sobie sprawę z tego, że natrętną myśl związaną z zapachami spółkowania zaszczepił mu w umyśle morderca, ale nie potrafił z nią walczyć. Po prostu stał, patrzył i wdychał atmosferę piwnicy. Gwałt. Brutalna penetracja. A później nóż trzymany w dłoni. Cięcie. Najpierw jedno, tak na próbę, potem seria kolejnych. Aż do momentu, gdy ciało zaczyna przypominać krwawy tatuaż.

Malarz. Psychopata.

„Weź mnie!"

Anna.

Potrząsnął głową.

Jezu!

Kucnął, chcąc sprawdzić, co zostało schowane pod materacem. Może liczył, że natrafi na łańcuchy albo na kości... a może po prostu kierował się najzwyczajniejszą w świecie ciekawością, nie podszeptem instynktu. Znowu nic. Materac nie przyciągał takiej uwagi jak metalowe ogniwa łańcucha. W każdym razie nie uwagi kogoś niemającego pojęcia, kto zamieszkiwał ten przeklęty dom. A każdy, kogo interesowała historia miasta, musiał znać fakty związane ze sprawą seryjnego mordercy.

Wstał z kucek, po czym podszedł do szafki. Noże? Bardzo chciał zobaczyć zakrwawione ostrza, ale oczywiście nic nie znalazł. Otworzył każdą z trzech szuflad. Spora warstwa kurzu, nic więcej. Westchnął. Zobaczył już tak wiele, lecz wciąż czuł niedosyt. Czemu? Zrozumieć, jak cierpiała ofiara, jest łatwo, zwłaszcza gdy można patrzeć na miejsce kaźni, ale co z katem? Dlaczego to robił? Co kryło się pod maską utkaną z chłodu i pewności siebie?

Znowu przymknął powieki. Pozwolił działać wyobraźni.

Mężczyzna podchodzi do nagiej, skrępowanej kobiety. Janek nie widzi jego twarzy, bo facet stoi odwrócony plecami. Ściąga najpierw spodnie, następnie koszulę w kratę, na końcu czarne bokserki. Kobieta błaga o litość. Żadnej reakcji. Krzyczy. Znowu nic. Szarpie łańcuchy, ale niczego nie osiąga. Wreszcie zaczyna płakać. Szloch odbija się echem od ścian piwnicy, przez moment wibruje w powietrzu, po czym spada na podłogę i umiera. Jak wszystko w tym chorym miejscu.

Mężczyzna rozkłada kobiecie nogi. Wchodzi w nią. Mocno. Zaczyna penetrację. Przód. Tył. Przód. Tył. Na czoło wstępuje mu pot. Dyszy. Kobieta szarpie się, krzycząc, ale nie jest w stanie oprzeć się brutalnej sile mężczyzny. Już nie płacze. Walczy, chociaż zdaje sobie sprawę z tego, że jakikolwiek opór pozbawiony jest sensu. Przegra, tak czy owak poniesie klęskę. Mimo wszystko nie daje za wygraną. Wierzga. Gryzie. Wierzga. Gryzie. Na zmianę.

Janek rozpiął rozporek spodni. Sięgnął po nabrzmiałego penisa.

Z upływem czasu mężczyzna staje się bardziej bezwzględny. Uderza kobietę w twarz. Kładzie dłonie na głowie. Wgniata w materac. Wbija się zębami w kark i wyrywa kawałek ciała. Kobieta wrzeszczy. A mężczyzna, którego twarzy Janek wciąż nie potrafi zobaczyć, robi swoje. On nie uprawia seksu z kobietą, on z nią kopuluje jak zwierzę, jak istota o ilorazie inteligencji nieprzekraczającym pojedynczej cyfry.

Janek zacisnął dłoń na przyrodzeniu. Przód, tył, przód, tył.

Kobieta opada z sił. Dusza ulatuje z niej jak powietrze z pękniętego balonu. Pozostają tylko łzy. Mężczyzna nie zwraca na to najmniejszej uwagi. Nadal wykonuje brutalne pchnięcia. Sapie. Już prawie dochodzi. Już prawie! Jeszcze kilka ruchów. Jeszcze moment, a fala spełnienia zaleje mu wnętrze. Odwraca się twarzą do Janka, puszcza oczko i wykrzywia usta w uśmiechu. Janek widzi... Potrząsa głową, nie wierząc w to, co zobaczył, ale obraz nie ulega zmianie. Jest taki sam jak wcześniej. Gwałcicielem jest on, Jan Kowalski.

Jeszcze jedno pchnięcie.

Jeszcze!

Jeszcze!

Wtedy obaj strzelają. Idealna synchronizacja.

Janek otworzył oczy. Spojrzał na świeże plamy pokrywające podłogę. Sperma. Wciąż dysząc, schował penis do spodni. Zapiął rozporek. Zawstydzony, niemal wybiegł z piwnicy. Usiadł na schodach przed głównym wejściem do domu, po czym wyjął z kieszeni piersiówkę i papierosy.

Zapalił.

Każde pociągnięcie poprzedzał sporym łykiem wódki.

*

Wsiadając do samochodu, usiłował zachować kamienną twarz. Przeczesał dłonią włosy. Zabębnił palcami o kolano. Wiedział, że to, co zrobił w piwnicy domu Malarza, pozostanie tajemnicą, niemniej nie chciał wykonać żadnego fałszywego ruchu. Darek nie mógł się domyślić, ale... któż to może wiedzieć? Chłop miał nosa do najróżniejszych spraw i potrafił zauważyć każde odchylenie od normy. A jeśli wyczuje woń seksu? Nie, to idiotyczne, niemożliwe.

Zamiast pytać o przyjemność płynącą z masturbacji w miejscu, gdzie zginęło kilkanaście kobiet, Darek wyszczerzył zęby w uśmiechu, po czym wrzucił bieg i ruszył. Po chwili, gdy cisza przedłużała się do nieznośnych rozmiarów, zapytał:

– Co znalazłeś?

Janek tylko wzruszył ramionami.

– Lepiej nie pytaj.

28

Anna siedziała w mieszkaniu nad stertą papierów, usiłując rozwiązać palące problemy firmy. Wprawdzie Katarzyna walczyła na głównym froncie, w biurze, jednak potrzebowała wsparcia. Tonęła w gównie jak bezskrzydła mucha (właśnie tak powiedziała: „Tonę w gównie jak bezskrzydła mucha"), dlatego poprosiła o pomoc. Mimo wciąż niezbyt dobrego samopoczucia Anna nie mogła zostawić przyjaciółki na pastwę klientów. Przecież stanowiły nierozłączny duet.

Postanowiła, że wróci do pracy jutro, najdalej pojutrze. Chciała spędzić trochę czasu z mężem, bo czuła, że ostatnimi czasy ich relacje nie tryskają zdrowiem. Zamiast siedzieć z nią w domu i wspierać w chwilach najtrudniejszych z możliwych („Hej, to ty schowałaś się za parawanem cierpienia, pamiętasz?"), raz za razem wychodził, albo do więzienia, albo do swojego przyjaciela, tego wiecznie zapijaczonego klawisza. A jak już zostawał w mieszkaniu (cud, prawdziwy cud!), to ślęczał przed komputerem, buszował w sieci i stukał w klawiaturę z wielką pasją.

Książka. Ciągle to powtarzał.

„Spisuję wyznania Malarza".

„Chcę coś osiągnąć".

„To dla naszego dobra".

Jasne, a jedzie mi tu czołg?

Podniosła głowę znad dokumentów. Zobaczyła, że Janek wkłada kurtkę, chowa do kieszeni telefon, po czym poprawia dłonią fryzurę. Zupełnie jakby szykował się na randkę. Tak, randka z gwałcicielem, sadystą, katem, mordercą.

– Wychodzisz? – zapytała, gdy wkładał buty.

– Jestem umówiony.

– Z kim?

Zawiązał sznurowadła, po czym wyprostował się i spojrzał na nią tak, jak gdyby wtargnęła na teren uznawany za prywatny. A przecież żona powinna wiedzieć, gdzie mąż spędza czas, czyż nie? Chyba że miesiąc temu weszły w życie nowe standardy dotyczące pożycia małżeńskiego – każdy sobie rzepkę skrobie.

Co się z nimi dzieje?

– Czemu pytasz?

Czemu pyta? Do diabła, czemu pyta?!

Odłożyła kartkę, którą dotychczas trzymała w dłoni. Chciała spiorunować Janka wzrokiem, chciała powiedzieć mu kilka cierpkich słów, chciała opróżnić wnętrze z całej nagromadzonej tam żółci, ale uznała to za pozbawione sensu. Kłótnia nie prowadzi do rozwiązania problemów, ona je pogłębia.

– Jako żona chyba mam do tego prawo?

Przez moment stał w bezruchu, jakby myślał, co odpowiedzieć. W końcu odparł:

– Z Darkiem. Musimy omówić parę spraw.

– Malarz?

Skinął głową.

– Między innymi.

– Nie sądzisz, że brniesz w to zbyt głęboko?

– To znaczy?

Wzruszyła ramionami. Poczuła się bardzo zmęczona, wyzuta z energii do tego stopnia, że zapragnęła zamknąć oczy i zasnąć. Rozmawiali o tym już kilka razy i... nic. Ostatnio mijali się niczym samochody jadące po przeciwległych pasach ruchu i nic nie wskazywało na to, że w najbliższym czasie sytuacja ulegnie poprawie. Kiedyś, w chwilach braku porozumienia, szybko odnajdywali wspólny język, ale teraz... Coś się działo, coś niedobrego, lecz nie potrafiła wskazać sedna problemu. Zbyt wiele czynników wpływało na ochłodzenie ich relacji.

– Zostałam zgwałcona – powiedziała głosem przepełnionym rozżaleniem. – Jakiś sukinsyn używał sobie na moim tyłku. Używał, rozumiesz? Zrobił mi z tyłka... – Westchnęła. – Potrzebuję twojego wsparcia. A ty znikasz raz za razem, ciągle wychodzisz, jak nie do więzienia, to do klawisza, jak nie do klawisza, to... Bóg raczy wiedzieć, dokąd jeszcze!

Wszedł do pokoju, nie zdejmując butów. Usiadł na krześle. Spojrzał na nią zatroskanym wzrokiem, na którego dnie (przypuszczała, że pada ofiarą wyobraźni, ale... nie miała pewności, czy tak jest w istocie) majaczyła pustka.

– Poświęcam ci tyle czasu, ile jestem w stanie. Rozmawialiśmy już o tym. Książka to dla mnie szansa... dla nas. Zamierzam z niej skorzystać. Jestem już w połowie drogi. Nie mogę teraz zawrócić.

Chciał położyć dłoń na dłoni Anny, ale cofnęła swoją.

– Nie możesz czy nie chcesz?

Wzruszył ramionami.

– Na jedno wychodzi.

Obojętność w głosie męża spowodowała, że poczuła ukłucie irytacji. Zawsze wykazywał zainteresowanie wszelkimi problemami rodziny Kowalskich, zawsze trwał u jej boku, bez względu na okoliczności, ale teraz... Na domiar złego zaczął pociągać z butelki i ćmić papierosy. Mimo że odświeżał usta specjalnymi cukierkami o intensywnym smaku mięty, wciąż roztaczał wokół siebie nieprzyjemny odór tytoniu.

– Wychodzi na to, że przedkładasz spotkania z jakimś psychopatą nad kontakty z własną żoną. Wiesz co!? – zapytała, niemal krzycząc. – To jest chore, kurewsko chore, rozumiesz czy muszę to przeliterować?

– Daj spokój. Przemawia przez ciebie frustracja.

Nie, teraz nie popuści!

– Zostałam zgwałcona, rozumiesz? ZGWAŁCONA! Ile razy muszę to powtarzać? Może jak dobrnę do setki, to wreszcie pojmiesz, o co chodzi? A może jesteś tak zapatrzony w tego psychopatę, że już nic ci nie pomoże?

Wstał. Spojrzał na nią z wyrzutem, jak gdyby zrobiła mu karczemną awanturę zupełnie bez powodu. A przecież pragnęła jedynie odrobiny zrozumienia, krztyny empatii. Czy nie potrafił wykrzesać z siebie nawet tego?

– Przestań! – powiedział, a raczej warknął niczym rozdrażniony pies. – Wspieram cię z całych sił. A że oprócz małżeństwa istnieje życie tam, na zewnątrz – wskazał ręką za okno – to co na to poradzę? A o tym… przepraszam, że o tym wspominam… ale o gwałcie powinnaś spróbować zapomnieć. Wziąć się w garść. Im prędzej wyjdziesz na prostą, tym lepiej dla ciebie. Dla nas.

„Nie spodziewałbym się nigdy tego po tobie”…

– Dla nas? Bo znowu będziesz mógł zrobić użytek z mojego tyłka?

Twarz pokrył mu rumieniec wstydu. Podszedł bliżej, nieco z boku, i położył dłonie na jej ramionach. Drgnęła, po czym wstała i ruszyła w kierunku okna. Nie chciała czuć na sobie żadnego dotyku, nawet męża.

– Proszę… – wyszeptał.

Nie zareagowała. Patrzyła gdzieś przed siebie, szukając tam, w tym zewnętrznym świecie, jak ujął to Janek, jakichkolwiek oznak życia Anny Kowalskiej, zgwałconej i poniżonej. A teraz, jakby na dokładkę, zaatakowanej przez męża.

– Anna...

– Zostaw mnie.

– Proszę...

– Po prostu mnie zostaw!

Trwała w bezruchu jeszcze kilka minut. Trzaśnięcie zamykanych drzwi już dawno oddało pola ciszy, a ona wciąż spoglądała przez okno. Płakała. Wyjęła z kieszeni dżinsów chusteczkę. Przetarła wilgotną twarz. Nie powinna naskakiwać na męża, nie powinna, zdawała sobie z tego sprawę. Ale kości zostały rzucone, a nie miała takiej mocy, żeby cofnąć czas. Czy żałowała? Oczywiście. Normalny człowiek, zwłaszcza kobieta, zawsze wyraża żal, gdy między zgodnymi małżonkami wyrasta mur braku porozumienia. Kto zawinił? Janek. Ona. Oboje. Każde po trochu.

Po otrząśnięciu się z chwilowego odrętwienia poszła do łazienki. Coś się z nim działo, z dotychczas niemal idealnym mężem. Ale nie tylko. Jakiś cień usiłował wtargnąć również do jej wnętrza i zatruć duszę wątpliwościami. Ich związek zaczynał przypominać chodzenie po polu minowym. Jeden błąd i wylatujesz w powietrze. Jeden fałszywy ruch, a pozostają z ciebie wyłącznie strzępy. Dlaczego? Jeszcze przed momentem stanowili zgrany duet, a teraz... a teraz nie potrafili znaleźć wspólnego języka.

Znowu poczuła falę mdłości. Nerwy? Nachyliła się nad umywalką. Usiłowała zwymiotować, ale zawartość żołądka podchodziła tylko do gardła i stawała tam, jak gdyby napotkała barierę nie do pokonania. Męczyła się przez kilka minut, a gdy nic nie osiągnęła, przemyła twarz wodą, po czym spojrzała na swoje odbicie w lustrze. Zadrapanie prawie znikło, pozostała tylko niewielka blizna. „Do wesela się zagoi", pomyślała nie bez ironii. A może do rozwodu.

Gdyby nie gwałt... i zainteresowanie męża sprawą mordercy, dzisiaj pewnie leżeliby w pościeli i uprawiali namiętny seks. A moment później sączyliby wino, rozmawiali o głupotach i wymieniali uśmiechy. Ale to „dzisiaj" wyglądało inaczej. Samotność. Cierpienie, nie tylko to fizyczne. Masa nieporozumień. Jakim cudem gmach ich małżeństwa runął tak nagle, bez żadnego ostrzeżenia? Jedno silne trzęsienie ziemi i po marzeniach pozostają wyłącznie zgliszcza. A może demonizowała sytuację? Może z powodu dotychczasowej sielanki każdy, nawet najmniejszy wstrząs uznawała za koniec świata?

Wyjęła z kosmetyczki test kupiony w aptece. Osobnik w czapce. Czyżby padała ofiarą paranoi? Od tamtego wieczoru, czy też nocy, nie potrafiła założyć smyczy krnąbrnej, nieposłusznej wyobraźni. Na każdym rogu czyhało niebezpieczeństwo, a każdy mężczyzna wyglądał niczym typ spod ciemnej gwiazdy. Może właśnie stąd wytryskało źródło ich nieporozumień? Może widziała problemy tam, gdzie nie istniały, a tych rzeczywistych, tkwiących w niej samej, po prostu nie dostrzegała?

Zdjęła spodnie i zaczęła sikać. Rozprowadziła mocz w niewielkim okienku testu. Od wydarzeń z parku minęło kilkanaście dni i to właśnie teraz nadszedł odpowiedni moment na przeprowadzenie badania. Czuła, jak serce wybija jej dziurę w piersi. Jak adrenalina skacze do poziomu dziesiątego piętra. Jak żyły rozrywa ciśnienie krwi. Najważniejsze pytanie nie obejmowało kwestii, czy zaszła w ciążę, lecz z kim. O tak, liczyło się tylko to, kto jest ojcem, oczywiście tylko wtedy, jeśli nosi w sobie dziecko.

Nosisz, nosisz, nosisz...

Wypuściła powietrze z płuc. Potem podciągnęła spodnie i poszła do kuchni zaparzyć kawę. Położyła test na stole, po czym nalała wody do ekspresu. Włączyła. Znowu odetchnęła. Wbiła wzrok w zegar wiszący na ścianie.

Wskazówka sekundnika parła do przodu, odmierzając upływający czas. Potrzebowała kilku minut, żeby otrzymać wynik, najlepiej negatywny, ale coś podpowiadało, jakiś szept wciąż drążący dziurę w czaszce, żeby nastawiła się na najgorsze. Koleś wystrzelił prosto w...

Nie, nie chciała o tym myśleć.

Gdy pomieszczenie wypełnił przyjemny zapach kawy, napełniła kubek, wsypała łyżeczkę cukru i nalała mleka. Dopiero teraz odważyła się sprawdzić wynik badania. Rzuciła okiem na test. Oddech utknął jej w gardle, dziurawiąc ścianki niczym ostrze noża. Włosy na głowie niemal stanęły dęba. Dobrze, że nie wzięła w dłoń żadnego przedmiotu, bo cokolwiek by w nich trzymała, poszybowałoby na spotkanie z podłogą.

Dwie cholerne kreski.

Ciąża.

29

Na okolicę opadł zmierzch. Janek szedł przed siebie w zasadzie bez celu, rozmyślając o rozmowie z Anną. Kolejne nieporozumienie. Następna sprzeczka do wciąż rozrastającej się kolekcji. Jeszcze przed chwilą stanowili dobraną parę, a teraz… a teraz nie potrafili wymienić paru zdań bez podnoszenia głosu. A przecież on nie zrobił nic złego, prawda? Po pierwsze, chciał tylko napisać książkę o seryjnym mordercy, po drugie, gdyby tylko mógł, załatwiłby gwałciciela, tego skurwysyna, na amen. O tak, gdyby tylko nadarzyła się okazja, połamałby ćwokowi wszystkie kości, łącznie z tymi, których nazw nawet nie znał.

„Bo znowu będziesz mógł zrobić użytek z mojego tyłka?"

Wyjął z kieszeni paczkę papierosów. Zapalił.

Do kurwy nędzy, przecież jednym z elementów małżeństwa jest jeśli nie urozmaicone, to przynajmniej jakiekolwiek życie erotyczne! Do tej pory uprawiali seks w miarę regularnie, więc chyba miał prawo oczekiwać, że w tej materii nic nie ulegnie zmianie? Jasne, Anna potrzebuje czasu, żeby dojść do równowagi, w końcu przechowywał w głowie więcej szarych komórek niż orangutan. Ale, do diabła, ten zarzut zabolał, o tak, zabolał jak cholera! Oboje czerpali satysfakcję z seksu i oboje o tym wiedzieli. A gwałt nie jest końcem wszystkiego, czy to się komuś podoba, czy nie! Życie biegnie dalej, czasami zwalnia, czasami przyspiesza, ale nie przestaje przeć do przodu. Niekiedy trzeba przyjąć na klatę parę mocnych ciosów. A później wstać, otrzepać się z brudu tego świata, po czym znowu ruszyć. Dokądkolwiek.

„Hej – skarcił się w myślach. – Anna została zgwałcona, kapujesz?"

ZGWAŁCONA!

Dotarł w pobliże wieżowców stojących przy ulicy Słowackiego. Następnie skręcił w osiedle Kossaka i podążył w stronę wolno stojącej kamienicy, zlokalizowanej na Spółdzielczej. Nie chciał tego robić, nie zamierzał składać wizyty komuś, kogo szczerze nienawidził, ale szukał odrobiny wytchnienia od szarej codzienności. Został potraktowany jak najgorszy śmieć przez własną żonę, przez kogoś, komu ufał, komu wierzył i kogo usiłował chronić z wszystkich sił. A że nie zawsze wychodziło...

Nie zawinił! Nie tym razem!

Wydmuchał z ust kłąb dymu. Żar trawił końcówkę papierosa niczym wygłodniała bestia. Kiedy doszedł do filtra, cisnął niedopałek na chodnik. Nawet go nie przydepnął. Ba, nawet o tym nie pomyślał. Nie miał głowy do spraw prozaicznych, takich, nad którymi pochylali się maluczcy tego świata. O nie, on rozkładał na czynniki pierwsze osobowość największego świra, jakiego dane mu było poznać, i zamierzał wykonać tę robotę lepiej niż przyzwoicie, choćby nawet musiał zapłacić za to wysoką cenę.

Do klatki schodowej wszedł przez wielkie drewniane drzwi. Wyglądały jak nowe. Kamienica musiała przejść gruntowny remont, bo ostatnio kiedy tu przebywał, od ścian odchodził tynk, a farba sprawiała wrażenie położonej całe wieki wcześniej. Dzisiaj biła po oczach świeżością i przyjemnym, seledynowym odcieniem.

Nie powinien tu przychodzić, wiedział o tym, ale nie potrafił zmusić rozpędzonych nóg do zmiany kierunku. Po jaką cholerę wkłada kij w mrowisko? Masochista. Zamiast badać sprawę Malarza, urządził sobie krajoznawczą wycieczkę po dawno nieodwiedzanych zakątkach miasta. A wszystko dla... no właśnie, dla czego? Chciał dostać jeszcze jednego kopniaka? A może po prostu szukał rozmowy z kimś, na kim zależało mu mniej niż na kupnie pełnoletniego samochodu?

Przystanął pod drzwiami. Zapukał. Odczekał parę sekund, po czym usłyszał jęknięcie skorodowanych zawiasów. Gdy w progu stanęła Kaśka, chrząknął, a potem zapytał niepewnym głosem:

– Mogę wejść?

Wbiła się w całkiem gustowne dżinsy przylegające do ciała i gruby wełniany sweter. Żółty. Chyba nie przebywała w męskim towarzystwie, bo zmyła z twarzy makijaż, a włosy musiała potraktować sporą porcją szamponu; wciąż mokre, sterczały na wszystkie strony, jak gdyby nie potrafiły ułożyć się odpowiednio bez chociażby niewielkiej ilości żelu.

– Żartujesz, prawda?

Pokręcił głową.

– Chciałem pogadać.

Oparła się o framugę. Zdjęła okulary. Jedną bosą stopę założyła na drugą. Kolor paznokci – krwista czerwień – kontrastował z mlecznobiałą skórą. Janek wciągnął nosem powietrze. Z mieszkania, oczywiście oprócz zapachu tytoniu, dolatywała woń lakieru i czegoś, czego nie potrafił sprecyzować. Czyżby przed chwilą uprawiała seks z jakimś napaleńcem? W wypadku kobiety pokroju Kaśki niczego nie mógł wykluczyć.

„Wyzwolona".

– Pogadać? O czym?

Nie odpowiedział. Szczerze mówiąc, nie miał pojęcia, dlaczego tu przyszedł. Czego szukał? Kolejnej sposobności do wszczęcia awantury? A może chciał spędzić trochę czasu w towarzystwie kogoś, z kim mógł grać w otwarte karty od początku do końca? A może jedno i drugie?

– Więc jak? – zapytał.

Przez kilka długich sekund trwała w całkowitym bezruchu, patrząc mu prosto w oczy. Zero reakcji, jakby rozważała propozycję. Po chwili wzruszyła ramionami, zrobiła mu miejsce i powiedziała:

– Tylko zdejmij buty. Nie zamierzam po tobie sprzątać.

Weszli do kuchni, w której zawsze przyjmowała gości. Nie czekając na zaproszenie, usiadł przy stole. Odsunął na bok popielniczkę pełną niedopałków. Kaśka zajęła miejsce naprzeciwko. Wyjęła z szuflady szmatkę, którą potraktowała szkła okularów. Milczała. Chyba wyszła z założenia, że skoro on postanowił złożyć jej wizytę, to również on powinien zacząć rozmowę.

Kiedy cisza zaczęła męczyć, zagadnął:

– Od kiedy to nosisz?

– Od nigdy... Tylko gdy czytam.

– Romanse?

– Czy wyglądam jak kobieta czytająca romanse?

Pokręcił głową. „Nie – powiedział w duchu – wyglądasz jak dziwka, która obciąga każdemu napotkanemu facetowi. Jak dziwka sprowadzająca do sypialni mętów różnej maści. Jak dziwka dająca tyłka na lewo i prawo". Ale, musiał to przyznać, całkiem pociągająca dziwka.

– Nie – odparł.

Kiedy odłożyła okulary i skrzyżowała dłonie przed sobą, zawiesił wzrok na paznokciach. Również czerwonych, tak samo jak u nóg. Anna preferowała naturalność i nigdy nie lakierowała paznokci, ale Kaśka poprawiała urodę wszelkimi możliwymi sposobami. Jeśli ktoś zapytałby Janka o zdanie, odpowiedziałby, że niepotrzebnie.

– Przyszedłeś pogadać o literaturze, skarbie?

Znowu pokręcił głową, choć tym razem nie odpowiedział. Poczuł strzyknięcie gdzieś w okolicach szyi; łagodny ból rozszedł się po całej górnej części pleców. Jak tak dalej pójdzie, to za moment opuści to mieszkanie z naciągniętymi mięśniami karku.

– A może chcesz obrzucić mnie gównem jak poprzednio, co? – ciągnęła Kaśka. – Kręci cię to? W domowym zaciszu idealny mąż… czuły, kochający, delikatny… A po godzinach degenerat szukający mocnych wrażeń.

– Nie szukam wrażeń.

Parsknęła śmiechem. Niewymuszonym, lekkim, choć nieco ochrypłym. Wyjęła z szuflady paczkę papierosów. Zapaliła. Wydmuchała kłąb dymu prosto w twarz Janka. Powtórka z rozrywki?

– Poczęstowałabym cię, ale został mi ostatni… – Zgniotła puste opakowanie. Położyła na stole. – Nie szukasz wrażeń. Więc co tu robisz? Czemu nie siedzisz z Anną, nie podajesz jej herbatek i nie przytulasz? Czemu kopiesz w życiorysie Malarza?

– Na które pytanie odpowiedzieć najpierw?

Wzruszyła ramionami.

– Znam odpowiedzi. Nie kłopocz się.

– Zabiłaś dziecko – powiedział, choć nie miał pojęcia, dlaczego znowu zabrnął w ten temat.

Nie pragnął krzyżować rękawic tego wieczoru, lecz nie potrafił powstrzymać zapędów języka. Do diabła, chyba powinien bardziej panować nad emocjami, inaczej zrazi do siebie wszystkich ludzi w okolicy.

Spojrzała mu w oczy, po czym oznajmiła:

– Jesteś skurwysynem, wiesz?

– A ty suką.

Wydmuchała z ust kłąb dymu.

– Dobrana z nas para, co?

Wyjął papierosa z dłoni Kaśki. Kiedy się zaciągał, pomyślał, że w tym geście tkwi niesamowity erotyzm. Najpierw oskarżyć znienawidzoną kobietę o morderstwo, później zapalić po niej camela. Poczuć na języku słodko-gorzki smak, coś jak połączenie odrobiny cukru z łyżką kakao.

– Zabiłaś dziecko – powtórzył.

– Jesteś jak wrzód na dupie. – Odebrała mu papierosa. Ich palce zetknęły się, ale tylko na ułamek sekundy, dosłownie na okamgnienie. Po ciele przepłynął mu prąd. – Wielki, pulsujący wrzód, który w końcu ktoś powinien przebić i wyczyścić. A później zdezynfekować i po sprawie.

Skinął głową.

– Właśnie tak rozwiązujesz problemy.

Uśmiechnęła się.

– Każdy stosuje własny sposób.

Znowu wyjął camela spomiędzy jej palców, ale pozwolił, żeby ich dłonie zetknęły się na trochę dłużej niż tylko chwilę. Żadne z nich nie wypowiedziało nawet słowa, ale mógłby przysiąc, że czuli to, oboje to czuli – elektrony erotyzmu przeskakujące z jednego ciała na drugie. Włoski na karku niemal stanęły mu dęba i gdyby nie pomyślał o kłótni z Anną, kto wie, czy nie posunąłby się o krok dalej. O dwa kroki. O wiele metrów.

– Powiedz mi coś, obrońco wód płodowych – ciągnęła Kaśka, gdy papieros znowu znalazł bezpieczne schronienie w jej ustach. – Anna została zgwałcona. Jakiś skurwysyn zrobił to… co zrobił. A co zrobisz ty, jeśli zaszła w ciążę? Pozwolisz żonie nosić w sobie owoc gwałtu aż do rozwiązania? A może wspólnie odwiedzicie znajomego ginekologa?

Znieruchomiał, jak gdyby ktoś wyrwał mu kręgosłup i w to miejsce wetknął stalowy pręt. Dziecko. Owoc gwałtu. O czym ona mówi, do kurwy nędzy? Przypuszczał, że usiłuje wsączyć mu pod czaszkę litry trucizny, ale nie wiedział dlaczego. Najlepsza przyjaciółka Anny. Wspólniczka w interesach. Nie, ona nie mogła życzyć im wdepnięcia w takie gówno. Wszyscy, tylko nie ona. Czyżby? Skąd ta pewność? Wiedział o Kaśce sporo, choć nie na tyle, żeby pewne sprawy traktować w kategoriach oczywistości.

– Jesteś stuknięta – wyszeptał.

Zdusiła papierosa w popielniczce.

– Powtarzasz się.

– Nie, po prostu trzymam się jedynej właściwej wersji.

Nie pomyślał, że gwałt mógł skutkować ciążą. A przecież mógł. Nie wypytywał żony o szczegóły, uznawszy, że sytuacja tego nie wymaga. Ale w tym, co mówiła Kaśka, odnajdywał ziarna racji. Wystarczył jeden zagubiony plemnik, aby w łonie Anny zagnieździło się nowe życie, którego siewcą nie był Jan Kowalski, prawowity mąż i kochanek, lecz jakiś brudny obdartus, tchórzliwy skurwysyn napadający na bezbronne kobiety. „A co zrobisz ty…?" Poglądy na temat aborcji skrystalizował już znacznie wcześniej i nigdy, przenigdy nie pozwoliłby żonie usunąć ciąży. Tak myślał kiedyś, lecz teraz… teraz to, co przed momentem brał za pewnik, zasnuła gęsta mgła niewiadomej.

„Jesteś pewny, że została zgwałcona?"

– Życie nie jest czarno-białe, skarbie – oznajmiła Kaśka.

– Dlatego tu przyszedłem.

Posłała mu nieznaczny uśmiech.

– Chcesz przeprosić?

– Jest za co?

– A może marzysz o tym, żeby…

– Nie kończ!

Znowu ten uśmiech.

– …żeby stąd wyjść, zanim będzie za późno? „Wyzwolona".

Przez chwilę nie odpowiadał. Siedział w bezruchu, splatał dłonie na stole i myślał. O słowach mordercy, o kłótni z żoną, o gwałcie, o poglądach na temat skrobanki. Nie miał pojęcia, dlaczego odwiedził Kaśkę, ale wiedział jedno. Skoro już przyszedł, to nie zamierzał wychodzić. Przynajmniej jeszcze nie teraz.

– Nigdzie się nie wybieram – powiedział, nie zdejmując wzroku z pomalowanych paznokci Kaśki.

Czerwień. Krew. Najpierw gwałt, później brutalne zabójstwo. Woń seksu. Penis ściskany w dłoni. Spazm rozkoszy. Wytrysk. Następnie wyrzuty sumienia, choć nie tak wielkie, jak początkowo przypuszczał.

Potrząsnął głową. Jezu, co się z nim dzieje?

Kaśka wskazała palcem pomięte opakowanie po camelach.

– Skończyły się papierosy.

Sięgnął do kieszeni. Wyjął paczkę marlboro. Rzucił na stół.

– Nie, nie skończyły się.

30

Patrzył w beznamiętne oczy Malarza, nie podejmując rozmowy. Nie wiedział, jak zacząć. Nic, tylko gonitwa myśli. Od jakiegoś czasu funkcjonował w ciągłym napięciu, zdawał sobie z tego sprawę, jednak nie mógł zawrócić, nie potrafił rzucić tego wszystkiego w diabły. Coś w tym przeklętym świrze sprawiało, że na każde spotkanie czekał jak na zbawienie. Nie chodziło wyłącznie o kasę, ten pokręcony osobnik… przyciągał, tak po prostu. A on… cóż, do pewnych rzeczy trudno przyznać się nawet przed samym sobą, ale on… czuł coś na kształt tęsknoty. Za tym, co zakazane, co złe, co do tej pory oglądał tylko na ekranie komputera, a teraz miał niemal na wyciągnięcie ręki.

Przez twarz mordercy przemknął cień uśmiechu.

– Palisz.

Janek drgnął.

– Nigdy nie trzymałem papierosa w ustach.

Malarz pozostał niewzruszony.

– Nałogi są kwintesencją ludzkiej natury, chłopcze.

– Zabijanie również?

Malarz wbił w niego nieprzeniknione spojrzenie.

– Zabijanie… to słowo jest takie…

– …adekwatne do tego, co pan robił?

Nie chciał tego powiedzieć, bo przecież mógł urazić przestępcę już na starcie. Mimo to słowa wypłynęły mu z ust jak ławica ryb z jaskini ukrytej gdzieś w odmętach oceanu. Poczuł, że po plecach spływają mu strugi potu. Stres. Zwyczajny ludzki stres, taki, z którym ostatnio podawał sobie rękę znacznie częściej niż zwykle.

Malarz sprawiał wrażenie nieco zniecierpliwionego.

– Raczej... prostackie. – Splótł dłonie na płaskim brzuchu. Dźwięk rozkołysanych łańcuchów wypełnił ciszę powstałą po tym krótkim zdaniu. – Język polski jest pełen kwiecistych synonimów, a ty, chłopcze, stawiasz na prostotę. Podobno jesteś pisarzem, wysil się przynajmniej odrobinę.

– Bez „podobno". Jestem nim.

– Jesteś, tak... ale zagubiony.

Janek prychnął.

– A pan pomoże mi otworzyć oczy na sprawy oczywiste, tak?

Moment ciszy.

– Zawsze wyciągałem pomocną dłoń do potrzebujących.

Pieprzenie wujaszka mordercy! Janek chciał skierować rozmowę na tory związane z zabójstwami, przecież musiał zebrać informacje do książki, tymczasem ten chory sukinsyn znowu bawił się z nim w chowanego! Wziął kilka głębokich oddechów, wcisnął dłonie do kieszeni spodni, po czym zacisnął palce tak mocno, że oczyma wyobraźni zobaczył krew. Krew na... nagich, pozbawionych życia ciałach. Krew na starym linoleum. Krew na kafelkach. Krew na dywanie. Krew na ścianach. Krew, krew, krew! Wszędzie, dosłownie wszędzie!

– Mówi pan o tych wszystkich niewinnych kobietach?

Malarz nawet nie mrugnął.

– Niewinność jest jak dziewictwo, raz utracona, nigdy nie powraca.

Janek wypuścił powietrze z płuc. Czas na zmianę tematu.

– Jak to się stało, że bystry, inteligentny człowiek – położył nacisk na epitety, tak żeby połechtać próżność tego sukinsyna – zaczął zabijać? A, przepraszam, nie lubi pan tego określenia. Zatem dlaczego ktoś taki jak pan… zabijał, zabijał, zabijał… i jeszcze mordował, gwałcił, czemu…

– Chłopcze…

– Widziałem zdjęcia ofiar – kontynuował, zadowolony, że wbił przynajmniej niewielkiego klina w powłokę znieczulicy otaczającą tego drania. – Nadal nie mogę się otrząsnąć z tego widoku. Jak można robić takie rzeczy? Jak można tak katować drugą istotę? Pan jest… potworem, pan jest…

Malarz przekrzywił głowę, jakby został spoliczkowany.

– Chłopcze…

„Mam skurwysyna!"

– Rozumiem, że ktoś zabija w obronie własnej, ktoś zabija w amoku, ktoś zabija w furii, ktoś zabija w szale. – Za każdym razem gdy wypowiadał słowo „zabija", obserwował reakcję Malarza. – Ale pan… pan działał metodycznie, krok po kroku, z chłodną głową, bez emocji. Co kryje się za tą fasadą spokoju? Dlaczego pan gra? Czemu się pan przede mną nie otworzy, tak naprawdę, w pełni? Czemu ukrywa się pan za podwójną gardą?

W pomieszczeniu znowu zapanowała cisza. Janek zamierzał coś dodać, lecz nie potrafił wydusić z siebie nic więcej. Na początku odnosił wrażenie, że jest panem sytuacji, że narzuca ton rozmowie, ale teraz, po krótkiej chwili, doszedł do wniosku, że jest na odwrót.

– Zrobiłeś komuś krzywdę? – zapytał Malarz, znudzony zbyt długim milczeniem. – Uderzyłeś kogoś, pobiłeś do nieprzytomności... albo chociaż trochę, tak żeby krwawił? Ścisnąłeś kogoś za gardło, spoglądałeś mu w oczy wypełnione strachem? Czułeś, jak to jest, gdy masz nad kimś całkowitą kontrolę?

Mógł odpowiedzieć, że nigdy tego nie zrobił, ba, że nigdy o tym nawet nie pomyślał. Całe dzieciństwo spędził w domu, w którym argumenty pięści stosowano nad wyraz często, może właśnie dlatego sam przenigdy nie sięgał po przemoc? Agresja jest domeną ludzi miałkich, słabych, tonących we własnych kompleksach, a on uważał się za człowieka z charakterem.

– Oczywiście.

Kąciki ust Malarza powędrowały w górę.

– Nigdy tego nie zrozumiesz.

Janek zacisnął palce tak mocno, że aż chrupnęły mu chrząstki.

– Proszę mi pomóc.

– Nie jesteś zbyt pojętnym uczniem.

Zabolało.

– Postępy w nauce zależą od jakości nauczania.

– Słowa nauczyciela muszą paść na podatny grunt.

Znowu cisza. Przegrywał rundę za rundą, inkasował mnóstwo ciosów, a jeśli już jakieś wyprowadzał, to nie sięgały celu. Albo zostawały sparowane. Cholera! Pragnął rozłożyć mordercę na łopatki, chciał mu skopać dupsko, żeby poczuć satysfakcję, ale nie potrafił tego zrobić. Frustracja. Czy ten psychopata nie ma słabych stron? Czy zawsze trzyma w zanadrzu celną ripostę?

– Zamordował pan tyle kobiet... – powiedział.

– Awansowałem.

– Myśli pan, że tam, dokąd odeszły, czymkolwiek jest to miejsce, jest im lepiej niż tutaj? – zapytał ściszonym głosem ocierającym się o szept. – Pozbawił pan swoje ofiary najcenniejszej rzeczy na świecie. Wie pan, o czym mówię?

Malarz westchnął.

– Jesteś przewidywalny.

– Wie pan, o czym mówię? – spytał głośniej.

– Wyjdź z kręgu schematów, zrób coś, dzięki czemu zaczniesz żyć.

Janek rąbnął pięścią w stół.

– Żyję od trzydziestu lat! – warknął niczym rozwścieczony pies.

Nie zerwał się z krzesła, nie przytknął twarzy do szyby, choć niewiele brakowało. Nauczony doświadczeniem, usiłował trzymać nerwy na wodzy, co w towarzystwie seryjnego mordercy nie było zbyt proste.

– Czyżby?

Janek ponownie schował dłonie do kieszeni kurtki.

– Do diabła z panem!

Malarz posłał mu nieznaczny uśmiech.

– Podobno życie po życiu nie istnieje.

Janek, pozbawiony energii, wyczerpany, zdołał jedynie wyszeptać:

– Pan jest chory, pan jest… nienormalny.

– Normalność… czymże ona jest?

31

Pamiętam ten dzień...

Czerwiec. Na zewnątrz lał deszcz. Trzydzieści dwa stopnie w cieniu...

W mieszkaniu temperatura wrzenia...

Matka z ojcem znów darli koty...

Siedziałem w swoim pokoju, dygocząc. Ściskałem w ręku plastikowy długopis. Odrabiałem lekcje, ale w takiej atmosferze można co najwyżej zejść na zawał serca. Albo umrzeć ze strachu...

Strach i młody chłopak...

Zabójcza kombinacja...

Słyszałem każde słowo...

Ojciec nazwał matkę „starą kurwą"...

W rewanżu został nazwany „nierobem" i „chujem"...

Nie jest łatwo dorastać w takim otoczeniu...

Na brzmienie kolejnego przekleństwa ścisnąłem długopis tak, że aż pobielały mi knykcie. Jęknąłem. Drżałem na całym ciele, żołądek podchodził mi do gardła i niewiele brakowało, a zapaskudziłbym dywan wymiocinami...

Całe szczęście, że tego nie zrobiłem...

Podłoga upaćkana zwróconym śniadaniem skutkowałaby tylko jednym – solidnym laniem. I nieważne, od którego z nich dostałbym manto. Każde biło bez opamniętania, paskiem, skakanką, starym kablem od żelazka, czasami kijem od miotły. Czymkolwiek, co naznaczało ciało…

Czymkolwiek…

Nikt nie przychodzi na świat zepsuty do szpiku kości…

Ojciec pochodził z patologicznej rodziny, w której każde nieposłuszeństwo, ba, każde odchylenie od normy karano klęczeniem na grochu lub czymś znacznie gorszym, na przykład biciem przy użyciu skórzanego pasa z metalową klamrą. Matkę gwałciło dwóch starszych braci…

Gwałciło…

Parszywe dzieciństwo… młodość…

Ból i cierpienie. Cierpienie i ból. I tak na zmianę…

Bracia zakradali się do sypialni, zakładali jej knebel na usta, rozbierali i gwałcili. Raz za razem… bez ustanku. Nie mogła krzyczeć, nie mogła wykonać żadnego ruchu. Tylko płakała… bez ustanku…

Gwałty ustały w momencie, kiedy wyjechali do miasta do szkoły…

Później, po latach, gdy cała rodzina spotykała się w rodzinnym domu na różnorakich uroczystościach, nigdy o tym nie rozmawiali. Przenigdy. Wymieniali dwuznaczne, lecz zdawkowe spojrzenia… i na tym koniec…

Ojciec matki, mój kochany dziadek, wiedział o zabawach swoich synów…

Nie reagował…

Siedząc w pokoju, usłyszałem głuche „PLASK!". Odgłos uderzenia. Cios otwartą dłonią na odlew. Tak biła matka. Karali mnie za najdrobniejsze wykroczenie, bili za każdym razem, gdy coś zbroiłem, przynajmniej w ich mniemaniu, ale nigdy – przenigdy! – nie podnosili ręki na siebie…

Aż do tamtego dnia...

W matce coś pękło...

W ojcu również...

Kiedy odgłosy kłótni ucichły, spakował torbę podróżną, wziął tylko parę najpotrzebniejszych rzeczy, po czym odszedł. Nawet nie wstąpił do mnie, żeby się pożegnać. Po prostu włożył buty... widziałem to przez szparę w drzwiach... wziął cienką kurtkę chroniącą od deszczu i wyszedł...

Kochałem ich... Bezwarunkowa miłość...

Zabija... nie ciało, lecz duszę. Ślepa jak kret, głucha niczym pień, zjada cię od środka kawałek po kawałku, dzień po dniu, aż wreszcie pozostajesz jałowy, pusty, pozbawiony czegokolwiek prócz opakowania...

Po odejściu ojca nic nie uległo zmianie...

Po tygodniu względnego spokoju... względnego, bo matka tylko parokrotnie podniosła na mnie głos... wszystko wróciło do normy. Cisza przed burzą. Tak nazwałbym ten siedmiodniowy okres, po którym nadeszła prawdziwa nawałnica...

Huragan...

Siedziałem w pokoju, czytając komiks o przygodach kapitana Żbika...

Wołanie matki. Obiad.

Poszedłem do kuchni, zająłem miejsce przy stole, po czym zacząłem jeść. Na pierwsze danie matka zazwyczaj gotowała rosół z makaronem. Później, w zależności od chęci i weny, podawała jakieś mięso. Czasami kotlety schabowe, czasami gulasz, czasami plastry karkówki lub udka kurczaka. Standard...

Matka nie lubiła rozmawiać przy posiłku. Powtarzała, że dyskutować do woli można później, kiedy zawartość talerza zniknie w żołądku. I od tej reguły nie ustanowiła żadnego wyjątku...

Pierwszy cios spadł na mnie z zaskoczenia…

Dostałem w potylicę…

Wpadłem twarzą w talerz rosołu…

Nitki makaronu powchodziły mi do nosa…

Podniosłem głowę…

Zakasłałem…

Spojrzałem na matkę z wyrzutem…

Błąd…

Kolejnego uderzenia nie zobaczyłem…

Zajęty wyciąganiem makaronu z nosa, poczułem tylko pieczenie na lewym policzku. Zachwiałem się, ale utrzymałem równowagę. Po chwili pieczenie rozlało się po prawej stronie twarzy, promieniując na czoło i uszy…

Pamiętam to…

Pamiętam, jakby wydarzyło się wczoraj…

Następny cios otwartą dłonią…

Runąłem na podłogę, przy okazji przewracając taboret. Rąbnąłem głową o linoleum. Przed oczyma rozbłysły mi gwiazdy. Nie, nie gwiazdy, raczej całe galaktyki. Musiałem wytężyć wszystkie siły, żeby nie zacząć płakać…

Widok łez działał na matkę… o tak, działał…

Myślałem, że atak potrwa jeszcze ładnych parę minut, ale nie. Matka zostawiła mnie samemu sobie i pobiegła do łazienki. Usłyszałem tylko trzaśnięcie zamykanych drzwi. I szloch…

Poczłapałem do pokoju…

Wziąłem do ręki komiks i zacząłem czytać…

Matka przyszła do mnie po kwadransie. Oczywiście przytuliła do wydatnej piersi, przeprosiła, błagała o wybaczenie. I wciąż wycierała łzy płynące po policzkach. I wciąż szlochała…

Matka przestała mnie katować dopiero przed czternastymi urodzinami…

Rak…

Zmarła rok później...
Wydała ostatnie tchnienie we własnym łóżku...
Bezwarunkowa miłość nie wygasa...
Nigdy...
Ojciec nie wrócił...
Bardzo dobrze...
Kiedyś przerzucił skórzany pas przez rury grzewcze podwieszone pod sufitem piwnicy. Podsadził mnie i przywiązał tak, żebym nie dotykał stopami podłogi. Włączył magnetofon. Zanucił...
Wziął do ręki skakankę...
Zaczął mnie okładać.
Raz za razem. Raz za razem. Raz za razem...
Miał w zanadrzu jeszcze kilka sztuczek...
Zawsze bolało...
Chociaż to chyba nieodpowiednie słowo...

32

Otworzył oczy wraz z nastaniem świtu. Puste łóżko. Szum prysznica dochodzący z łazienki. Ostatnimi czasy Anna brała kąpiel dwa, trzy razy dziennie, jak gdyby chciała zmyć z siebie brud gwałtu, i nie poświęcała mu ani minuty… to znaczy… ani minuty, jeśli chodzi o te sprawy. Nie uprawiali seksu pod żadną postacią, ba, nawet się nie dotykali, nie przytulali. Ich pożycie, dotychczas mocno rozbudowane, przestało istnieć.

Pogładził dłonią miejsce, na którym spała Anna. Zaczął je obwąchiwać niczym pies. Zawsze pachniała naprawdę pięknie. Używała perfum o subtelnej, lekko słodkawej woni, ale teraz… Teraz przestała o siebie dbać. Może nie całkiem, ale po atrakcyjnej kobiecie, pełnej wdzięku i seksapilu, pozostało już tylko wspomnienie. A wszystko przez jeden incydent, przez chorą żądzę jakiegoś zboczeńca.

Wstał i poczłapał do kuchni. Zaparzył dzbanek kawy, zjadł śniadanie, trzy kanapki z serem, kiełbasą i pomidorem, i już zamierzał usiąść do komputera, kiedy z łazienki wyszła Anna. W szlafroku, w ręczniku na głowie, bez makijażu, bez cienia uśmiechu na twarzy. Kompletne przeciwieństwo dziewczyny, którą poznał przed wieloma laty w jednym z miejscowych lokali.

„Kura domowa w pełnej krasie”, przyszło mu do głowy.

A potem: „Nie taką kobietę brałem sobie za żonę”.

Poczuł się jak hazardzista, który obstawił niewłaściwego konia. Oczywiście zdawał sobie sprawę z tego, że za jakiś czas wszystko wróci do normy... a może wcale nie. Może piękniejsza część Anny umarła tam, na parkowej trawie, i już nigdy nie powróci do życia? Może skonała w ramionach gwałciciela, tego pieprzonego psychopaty, któremu należy się stryczek?

Chciał usiąść do komputera, żeby chociaż na moment zapomnieć o problemach, ale został uprzedzony przez żonę. Zajęła mu miejsce i zaczęła przeglądać strony internetowe zupełnie bez celu, bez określonego planu. Rozrywka w czystej postaci. A przecież on miał robotę do wykonania. Musiał pisać, pisać i jeszcze raz pisać. Książka o Malarzu nie powstanie samoistnie. Jeśli nie zacznie się sprężać, może zapomnieć o laurach, o zaszczytach, o pieniądzach. Ta ostatnia kwestia spędzała mu sen z powiek bardziej niż wszystko inne.

Co ona wyprawia, do diabła?

Włączył telewizor i zaczął skakać po kanałach. Kompletnie nic godnego uwagi. Raz po raz spoglądał na przesuwające się wskazówki zegara. Ósma z minutami. Kwadrans po ósmej. Ósma trzydzieści. Za piętnaście dziewiąta. A ona wciąż ślęczała przed komputerem, nie robiąc nic konstruktywnego. Gdyby chociaż zajęła się sprawami firmy, ale nie, wolała czytać o nowych cyckach i dietach cud rodzimych gwiazdeczek. Oszaleć można!

Zacisnął dłoń na pilocie tak mocno, że aż chrupnęły mu chrząstki. Czemu wiecznie rzuca mu kłody pod nogi? Dlaczego nie wesprze w trudnych chwilach, gdy ważą się losy całego projektu? Została zgwałcona, w porządku, nie zapomniał o tym, ale przecież on również miał sporo problemów na głowie. Artykuł, spotkania z mordercą, plany, marzenia… brak seksu. O tak, to ostatnie doskwierało mu chyba najbardziej.

Może powinien rzucić żonę na łóżko i wziąć to, co mu się należy? Może czas na zmianę obranej strategii? Wcześniej kochający, troskliwy i wyrozumiały mąż. Teraz… również, ale dodatkowo nieco bardziej wymagający. Życie nie skończyło się w ciemnym parku, o nie, ono się tam dopiero zaczęło. Chyba nadszedł czas, żeby Anna zrozumiała pewne kwestie. Lepiej późno niż wcale.

Wyłączył telewizor, wstał z kanapy, po czym ruszył do sypialni. Przystanął. Oparł się o framugę drzwi. Zacisnął pięść. Nie zrobi tego, po prostu nie zrobi, chociaż z drugiej strony… Powinien wlać żonie do głowy odrobinę oleju, a najlepszą drogą do tego jest droga naznaczona bólem. Oczyma duszy zobaczył, jak bierze zamach i uderza. Najpierw raz, później następny… i jeszcze jeden. Anna upada na podłogę. Z rozciętego łuku brwiowego tryska krew. Na policzku momentalnie wykwita purpurowy siniec.

Potrząsnął głową.

– Muszę usiąść do komputera – oznajmił, spychając wizję w najgłębsze zakamarki duszy. – Książka o Malarzu nie napisze się sama… Mam mnóstwo pracy i chciałbym to jakoś dzisiaj ogarnąć.

Drgnęła. Wyłączyła przeglądarkę internetową.

– Jasne, rozumiem.

Wstała i ruszyła w kierunku łazienki. Przeszła obok niego, tak żeby przypadkiem ich ciała się nie zetknęły. Ból. Rozczarowanie. Znowu. Od jakiegoś czasu nie dawała mu nic, zwłaszcza w kwestiach cielesnych, w zamian oczekując wszystkiego, od wsparcia psychicznego poprzez współczucie do zrozumienia. Egoistka. Zaczynała myśleć wyłącznie o sobie, a co z nim, co z potrzebami męża?

Usiadł do komputera. Otworzył plik z tekstem. Napisał kilka słów, które od razu skasował. Przez dłuższą chwilę wlepiał wzrok w migający kursor, jak poprzednio. Dlaczego życie jest takie trudne? Czemu jedni opływają w dostatki, nie musząc nic robić, a innym los nie pozostawia wyboru i zmusza do walki o poprawę bytu? Wreszcie, dlaczego to właśnie oni zostali dotknięci zarazą rozsiewaną przez gwałciciela? Do tej pory wiedli spokojny, ułożony żywot, a teraz…

Anna wyszła z łazienki.

Słyszał, jak krząta się po przedpokoju, jak mruczy coś pod nosem, po czym opuszcza mieszkanie. Dlaczego nie powiedziała chociażby słowa, dokąd idzie? Czemu nie spróbowała z nim porozmawiać, tak po ludzku?

Trzaśnięcie zamykanych drzwi.

Został sam na sam ze swoimi myślami.

Z myślami o seryjnym mordercy.

O potworze.

33

Wyszła do biura kwadrans po dziesiątej. Chciała pomóc nie tylko Katarzynie, ale przede wszystkim sobie. Przesiadywanie w czterech ścianach mieszkania wpychało w objęcia marazmu i psychicznego rozchwiania, dlatego postanowiła zająć głowę czymś pożytecznym. Sterta papierzysk. Na samą myśl o przewracaniu kartek czuła skręcanie w żołądku, ale lepsze to niż wlepianie spojrzenia w okno i czekanie na… no właśnie, na co? Chyba nie sądziła, że los zlituje się nad nią i sprawi, że na teście ciążowym wykwitnie jedna kreska, a nie dwie?

Tym razem wybrała drogę przez miasto. W środku pogodnego, choć chłodnego dnia (z grubego wełnianego swetra, opaski na uszy i rękawiczek uczyniła nieodzowny element swojej garderoby) park jawił się jako oaza spokoju i bezpieczeństwa, ale wolała dmuchać na zimne. Zresztą, wędrówka wąskimi alejkami oznaczałaby reanimowanie wspomnień.

Dreszcze. Mnóstwo dreszczy. Postawiła kołnierz płaszcza, ochraniając kark przed silnymi podmuchami wiatru. Zlustrowała wzrokiem otoczenie. Sporo ludzi, ale każdy zaprzątnięty własnymi sprawami, jakby nieobecny. Odetchnęła. Epizod pod apteką uważała obecnie za złudzenie, owoc pierwszego stadium paranoi. Mężczyzna w czapce szedł w swoją stronę, teraz brała to za pewnik, ale wówczas, gdy od tamtego wieczoru, czy też nocy, minęło zaledwie kilkanaście dni, podejrzliwość brała górę nad zdrowym rozsądkiem. Nawet gdyby zobaczyła dwunastolatka z szerokim uśmiechem odkrywającym aparat na zębach, z lodem na patyku w dłoni i szalikiem w paski zawiniętym wokół szyi, rzuciłaby się do ucieczki. Bo każdy, kto chowa w spodniach penis, jest potencjalnym maniakiem seksualnym, prawda?

Cholerny świat.

Cholerny do kwadratu.

Weszła do biura. Zdjęła płaszcz w małym przedpokoju. Kiedy usiadła na krześle, skierowała zmęczony wzrok na przyjaciółkę. Katarzyna, stukająca w klawiaturę komputera z zacięciem na twarzy, sprawiała takie wrażenie, jak gdyby nie spała co najmniej od doby. Zza okularów spoglądały podkrążone oczy. Włosy, zazwyczaj starannie ułożone, sterczały teraz na wszystkie strony. Obraz kogoś, kto poświęca całą energię na prowadzenie spraw firmy.

Katarzyna podniosła spojrzenie znad klawiatury.

– Jak się czujesz? – zapytała, po czym wstała i zamknęła okno.

Żeby opróżnić popielniczkę leżącą na biurku musiałaby zużyć trzydziestolitrowy worek na śmieci. Albo nawet większy.

Anna wzruszyła ramionami, dając Kaśce do zrozumienia, że dobro firmy jest ważniejsze niż jej własne, ale przecież obie wiedziały, że obojętność mogłaby udawać przy obcym, nie przy najlepszej przyjaciółce.

– Bywało lepiej – powiedziała, uciekając spojrzeniem w bok. Jak się czuje? A jak może się czuć kobieta, która na swojej drodze spotkała psychopatę? No, do diabła, jak?! – Lepiej powiedz, co u ciebie.

– Nie pytaj.

– Jest aż tak źle?

Katarzyna westchnęła.

– Nie, jest gorzej, skarbie. Tylu papierów jeszcze na oczy nie widziałam, mimo że chodzę po tym popieprzonym świecie już ładnych parę lat. – Opadła na krzesło. Skrzyżowała ręce na piersi. – Nie chcę robić za zepsutą płytę, ale musimy w końcu podjąć jakieś decyzje. Najlepiej natychmiast, bo za niedługo będziemy mogły otworzyć skup makulatury.

Anna pozwoliła sobie na nikły uśmiech.

– Ciężka noc? – zapytała, wiedząc, że i tak nie dostanie odpowiedzi.

Nie wierzyła w to, że Katarzyna spędziła w biurze więcej czasu niż w zaciszu domowej sypialni. Kto jak kto, ale nie ona. W porządku, przyjaciółka odwalała kawał dobrej roboty, nie mogła temu zaprzeczyć, lecz również nie rezygnowała z uciech cielesnych, o czym świadczyła powierzchowność wymięta jak koszula wyjęta prosto z prania.

– Noc, dzień. Dzień, noc. Co za różnica?

– Znowu sprowadziłaś do łóżka jakiegoś przystojniaka?

– Czy wyglądam na taką, która udostępnia mieszkanie przypadkowym gachom? – W głosie Katarzyny brzmiały nuty autentycznego znużenia. Wetknęła papierosa w kącik ust, ale nie zapaliła. Pod nieobecność Anny pomieszczenie i tak przesiąkło smrodem tytoniu i popiołu. – Po prostu nie mogłam zmrużyć oka. To z przemęczenia, skarbie. Ale się nie skarżę. Sporo ostatnio przeszłaś i masz pełne prawo do odpoczynku.

Rzeczywiście, Anna sporo odpoczywała, co zadziałało pozytywnie na ciało (czuła się o niebo lepiej niż w zeszłym tygodniu… tylko te wymioty i skurcze żołądka), w przeciwieństwie do psychiki. A wszystko przez jakiegoś skurwysyna, przez…

„Do ciężkiej, jasnej, ciasnej cholery, przestań!"
– Dobrze się spisał? – zapytała, usiłując skierować myśli na inne tory.

Chyba powinna zacząć brać jakieś świństwo sprzedawane tylko na receptę, bo za każdym razem gdy sądziła, że dochodzi do względnej równowagi, obrazy gwałtu powracały i zagnieżdżały się w głowie niczym dziki lokator. A może zadzwonić do Stefanii Kwiecień? Wizyta u psychologa... cóż, wcześniej nie pomogła, ale teraz...

– Kto? – Katarzyna udała zaskoczenie.

Anna parsknęła śmiechem.

– Pewnie wyszedł z mieszkania o świcie, co?

– Widzę, że humor ci dopisuje.

– Nie do końca. Próbuję ukryć rozczarowanie... żal... wściekłość... stres. Wszystko naraz. Jak widać, dobrze sobie radzę, ale tu, w środku...

– Trzymasz się jakoś?

Anna westchnęła.

– Muszę.

W biurze zaległa ciężka, niemal martwa cisza. Anna stwierdziła, że ostatnimi czasy rozmawiały tylko o gwałcie i pracy, albo raczej wyłącznie o gwałcie. Chciałaby, żeby ten temat w końcu wyzionął ducha, ale jednocześnie zdawała sobie sprawę z tego, że pragnie niemożliwego. Wydarzenia tamtej nocy stanowiły jądro, wokół którego kręcił się cały jej świat. Nic tego nie zmieni, nawet zaklinanie rzeczywistości.

– Zrobiłam test – dodała po chwili.

Katarzyna poruszyła się na krześle.

– I co?

– A jak myślisz?

– Nie żartuj...

Anna skinęła głową.

– Nie żartuję. Ciąża.

– Kurwa mać! – Katarzyna zapaliła papierosa. Wydmuchała kłąb białego dymu, spojrzała na Annę, wzruszyła ramionami, po czym powiedziała głosem przepełnionym skruchą: – Przepraszam, ale w tej sytuacji…

– Nie krępuj się, pal.

Ciąża. To jedno słowo wisiało w powietrzu i wnikało w umysł zarówno Anny, jak i Katarzyny. Wnikało. Wnikało. Penetrowało szare komórki dopóty, dopóki nie ostemplowało mózgów swoją obecnością. Dopiero wówczas Katarzyna odważyła się przerwać milczenie.

– Posłuchaj, to wcale nie jest tak, że dziecko musi być owocem gwałtu.

Zdjęła okulary, rozmasowała palcami nasadę nosa. Sprawiała wrażenie starszej o dziesięć, może nawet o piętnaście lat.

„Ktokolwiek wyciskał z niej siódme poty w sypialni, musiał spisać się lepiej niż dobrze", pomyślała Anna.

– Przecież staracie się o dziecko od dłuższego czasu – dodała Katarzyna po chwili. – Może zaszłaś w ciążę przed… tym? Miałaś jakieś objawy wcześniej?

Anna pokręciła głową.

– Nie rzygałam – odparła, usiłując wyłowić z pamięci istotne szczegóły własnego samopoczucia w czasie „sprzed". – Nie bolą mnie piersi, nie jestem senna, choć… trochę rozdrażniona, to fakt, ale w tej sytuacji… Ojcem dziecka jest ten skurwysyn, rozumiesz? Zgwałcił mnie i zostawił z tym problemem na pastwę losu.

Mówiła monotonnym, pozbawionym emocji głosem, kontrastującym z treścią wypowiadanych zdań. Znużenie tematem gwałtu wysysało z niej energię i chęć do życia. Przyszła do biura, żeby zapomnieć, tymczasem nie potrafiła uciec od tamtej nocy. Nigdy nie ucieknie. Za rok, za dwa, a może za dekadę, gdziekolwiek, kiedykolwiek, wystarczy, że napotka zaciekawiony wzrok jakiegoś mężczyzny, niechciane wspomnienia wrócą i zaczną kąsać.

– Skąd pewność? – zapytała Katarzyna.

– Czuję to.

– Skarbie, kobieca intuicja lubi zawodzić. A poza tym kierują tobą emocje. Poczekaj, aż kurz bitewny opadnie, dopiero wówczas ustalaj fakty. Jesteś w stanie to dla mnie zrobić? O nic więcej nie proszę.

Anna wzruszyła ramionami.

– Fakt jest taki, że zostałam zgwałcona. A ten zboczeniec wystrzelał we mnie... no, chyba rozumiesz. – Podeszła do aneksu kuchennego. Napełniła kubek kawą z ekspresu, po czym wróciła na miejsce. Spojrzała przez okno, jakby tam, na zewnątrz, chciała poszukać inspiracji do dalszej rozmowy. – To on mnie zapłodnił, nie Janek.

– Rozmawiałaś z Jankiem?

– Nie żartuj. Jeśli usłyszy, że chcę usunąć ciążę, wpadnie w szał.

Chce usunąć ciążę. Czy rzeczywiście? Wyrażała dezaprobatę w stosunku do poczynań przyjaciółki, tymczasem zamierzała pójść tym samym tropem. Oczywiście jeszcze nie podjęła decyzji, ale... prędzej czy później stanie przed koniecznością wykonania jakiegoś ruchu... albo pozostania bierną. Co wybierze? Czy w tym wypadku istnieje właściwy wybór? Czy aby nie znalazła się w sytuacji bez wyjścia? Chyba tak, bo każde drzwi skrywały za sobą identyczny koszmar. Całe szczęście, że miała czas na rozważenie wszystkich aspektów sprawy. Przynajmniej kilkanaście dni.

Po chwili dodała:

– Jest przeciwnikiem aborcji, odkąd pamiętam, i zawsze trwał przy swoim zdaniu, bez względu na okoliczności. Miał jakieś problemy w dzieciństwie... z matką, o których nigdy nie chciał mówić otwarcie.

Katarzyna zdusiła papierosa w przepełnionej popielniczce.

– Cóż, okoliczności nieco się zmieniły.

– Tak, ale dla niego pewnie tylko odrobinę.

– Zamierzasz zrobić badania DNA?

– Nie wiem, jeszcze o tym nie myślałam.

– Wiesz, skarbie, jestem ekspertem w tej dziedzinie... – powiedziała Katarzyna z uśmiechem przecinającym twarz, po czym wetknęła camela w kącik ust. – Nieinwazyjne badanie można wykonać po dziesiątym tygodniu ciąży. Skuteczność gwarantowana albo zwrot pieniędzy. Jest tylko jeden problem. Aborcję bez ryzyka powikłań najlepiej wykonać do dziewiątego tygodnia... przynajmniej według niektórych lekarzy. Inni twierdzą, że mogą wykonać skrobankę nawet w okolicach trzeciego miesiąca.

Anna westchnęła. Ryzyko zawsze istnieje, to oczywiste, ale nie chciała skończyć na intensywnej terapii, żeby później do końca życia walczyć z najróżniejszymi efektami ubocznymi. O ile wcześniej sądziła, że czas nie nagli, to teraz każda godzina upływała w zastraszającym tempie. Nie sześćdziesiąt minut, lecz co najwyżej piętnaście.

Cios za ciosem. Jak nie z lewej, to z prawej strony.

– Jestem w kropce.

Katarzyna zapaliła papierosa.

– Porozmawiaj z nim.

– Z mężem? To nie jest takie proste. Ostatnio nie potrafimy znaleźć wspólnego języka. On przesiaduje albo przed komputerem, albo w więzieniu. Znasz jakiś sposób, żeby zmusić faceta do konstruktywnej rozmowy?

Znowu szeroki uśmiech żłobiący zmarszczki zmęczenia w kącikach oczu.

– Znam mnóstwo sposobów...

Zapadło milczenie odmierzane tykaniem zegara powieszonego na ścianie. Anna nie mogła oprzeć się wrażeniu, że ich idealne dotychczas małżeństwo zmierza ku niechybnej katastrofie. Przeczucie bez żadnego pokrycia w rzeczywistości... czy aby na pewno? Gwałt, temat seryjnego mordercy, nieporozumienia, spięcia. Czy fundamenty, na których zbudowali wspólną przyszłość, wytrzymają? Muszą, po prostu muszą, chociaż z drugiej strony...

– Co zrobiłabyś na moim miejscu? – zapytała. – Aborcja czy poród?

Uśmiech Katarzyny zgasł.

– Skarbie, nie muszę gdybać. Już to zrobiłam.

34

Chodził pustymi ulicami miasta w zasadzie bez celu. Dwudziesta pierwsza z minutami. Mrok, chłód, mnóstwo wilgoci dryfującej w powietrzu. Aura sprzyjająca jedynie samotnikom, psychopatom różnej maści i… gwałcicielom. Gdy o tym pomyślał, twarz wykrzywił mu grymas bólu. Przez jakiegoś skurwysyna tracił wszystko, o co walczył przez ostatnie lata, i nic nie wskazywało na to, że w najbliższym czasie coś w tej materii ulegnie zmianie.

„Nie marudź, tylko weź los w swoje ręce, stary. Jasne, tylko w jaki sposób?"

Minął całodobowy sklep z alkoholem. Chciał kupić piersiówkę… no dobra, może butelkę o większej pojemności, jednak zrezygnował. Nigdy wcześniej nie pił mocnych trunków, a teraz… a teraz mógłby wlewać w siebie czystą dosłownie litrami. Kontakty z seryjnym mordercą, sprzeczki, żeby nie powiedzieć kłótnie z Anną, wizyta w domu Katarzyny. To wszystko powodowało, że nie potrafił zapanować nad zachciankami nie tylko ciała, ale również psyche.

Wyjął z kieszeni spodni paczkę marlboro. Dwa papierosy. Cholera! Jak tak dalej pójdzie, jeśli nie wrzuci na luz, to za tydzień, za miesiąc, może za kwartał płuca oblepi mu smoła. Nie powinien kopcić jak zdezelowany silnik, ale życie w ciągłym napięciu rządzi się swoimi prawami. Kilkunastodniowy zarost, wódka, fajki, hektolitry pitej kawy, posiłki tylko od przypadku do przypadku, bo przecież ktoś, kogo zżera stres, nie zwraca uwagi na potrzeby organizmu.

Zapalił. Wydmuchał z ust kłąb dymu. Powinien siedzieć w domu, tulić Annę i... już, tak po prostu. Niektóre sytuacje nie wymagają permanentnej rozmowy, wprost przeciwnie, niekiedy wystarczy obecność. Świetnie, z tym że uszczęśliwianie kogoś na siłę nie należy do przyjemności, teraz już to wiedział. Mógłby walić głową w mur, usiłując przestawić kilka cegieł, jednak nie miał na to najmniejszej ochoty. Do zawarcia porozumienia potrzebne jest zaangażowanie obu stron, w przeciwnym wypadku twoje starania wezmą w łeb.

Temperatura wynosiła mniej więcej pięć stopni, ale nie padało. Przechodząc koło nieczynnego już marketu, postawił kołnierz nieprzemakalnej kurtki. Zaciągnął się raz, drugi i trzeci, po czym cisnął niedopałek na chodnik. Przydepnął. Gdyby nie pogoń za katem niewinnych kobiet, prowadziłby spokojną egzystencję skromnego dziennikarza, o tak, skromnego, ale szczęśliwego, trwającego u boku żony bez względu na wszystko. A że ledwo wiązaliby koniec z końcem...

Dwadzieścia kawałków. Dla takiej kasy warto trochę pocierpieć. Gdy kurz bitewny opadnie, gdy książka najpierw pojawi się we wszystkich księgarniach, a później, dosłownie po chwili, w mieszkaniu wielu Polaków, powrócą do tego, co było. Wieczorne spacery, namiętny seks, może nawet dziecko. Chłopiec o oczach po... mamie, niech będzie. A wszystko w domu położonym gdzieś na przedmieściach, gustownym, ale niezbyt dużym, idealnym dla trzyosobowej rodziny.

Gwałt. Gwałt. Gwałt.

Pokręcił głową.

Usiadł na przystanku autobusowym. Zapalił ostatnie marlboro. Rozdarty między pogonią za marzeniami a potrzebą odbudowania bliskości z Anną ukrył twarz w dłoniach. Dlaczego to wszystko jest takie trudne? Czemu, tak po prostu, nie napisze tej zasranej książki, nie zgarnie szmalu i najważniejszych nagród w branży, nie przeskoczy dwóch, może trzech szczebli na drabinie pozycji społecznej, jednocześnie nadal prowadząc szczęśliwe życie rodzinne? Czy pogodzenie jednego z drugim przekracza możliwości inteligentnego faceta? Gdzie tkwi błąd?

Żar trawił końcówkę papierosa, którego trzymał między palcami, a on wciąż nawet nie drgnął. Powinien odpuścić, parcie do celu bez względu na konsekwencje jest kompletnie bez sensu. Stanowili zgrany duet… to kiedyś, bo teraz każde z nich zmierzało w przeciwnym kierunku, nie zważając na potrzeby drugiej strony. A wszystko przez jakiegoś psychopatę, zwyrodnialca, sukinsyna… A może przez Jana Kowalskiego? Może wina leżała wyłącznie po jego stronie?

Stukot obcasów o beton. Wyrwany z rozmyślań, spojrzał w stronę, z której dochodził. Sylwetka, zapewne damska, wychodząca z ciemności, krok po kroku, krok po kroku. Tak, damska… Krok po kroku, krok po kroku. Aż w końcu kobieta przeszła obok, w odległości kilku metrów od niego. Długi czarny płaszcz, kozaki o zaokrąglonych czubach, opaska zakrywająca uszy, krótkie jasne włosy, zapewne farbowane, czerwone usta i delikatny, niezwykle powściągliwy makijaż.

Nigdy nie zwracał uwagi na szczegóły… aż do teraz. „Jesteś zdolnym uczniem", pomyślał, po czym energicznie potrząsnął głową. Co on bredzi, do diabła? Po prostu otaksował wzrokiem przechodnia, nic ponadto. Kobieta, jakich tysiące chodzi po ulicach miasta. Chociaż może nie w samym środku nieprzyjaznej nocy, w naturalnym środowisku gwałciciela.

Gwałt. Gwałt. Gwałt.

Przez chwilę spoglądał za odchodzącą kobietą. Przyjemne kołysanie bioder. Każdy ruch powodował falowanie płaszcza, który idealnie układał się na wąskiej talii. Wysokie obcasy, może nie szpilki, ale prawie, prawie. Zapach… w zasadzie nie miał pojęcia, czym i czy w ogóle pachnie, dlatego pozwolił pracować wyobraźni. Perfumy z najwyższej półki, takie, które można kupić wyłącznie w najdroższych drogeriach. Albo… woń seksu. Może dosłownie przed momentem odbyła stosunek z mężem… nie, z kochankiem, a teraz, zaspokojona, odprężona, usatysfakcjonowana, wracała do domu, do mężczyzny, któremu ślubowała miłość, wierność i uczciwość małżeńską.

Wstał, ostatni raz zaciągnął się papierosem, po czym cisnął niedopałek gdzieś w ciemność. Chciał odejść w swoją stronę, zamierzał wstąpić do sklepu po paczkę fajek, może nawet cały wagon, tymczasem ruszył za kobietą. Po co? To bez znaczenia, chociaż… Puste ulice miasta, samotna mężatka i…

Początkowo zachowywał bezpieczną odległość, gdzieś w granicach trzydziestu metrów, jednak postanowił przyspieszyć. Woń odbytego stosunku stawała się coraz bardziej wyczuwalna. Wtargnęła mu pod czaszkę, której za nic w świecie nie chciała opuścić. Zapach seksu. Kobiece soki. Pot zmieszany z adrenaliną, z podnieceniem, z namiętnością.

Przystanął. Co się z nim dzieje, do jasnej cholery?

Pokręcił głową. Nic, to tylko…

Podjął wędrówkę. Dwadzieścia metrów. Cisza jak w bibliotece, tylko szum wiatru i odgłos kroków odbijających się echem od ścian pobliskich budynków. Nie miał pojęcia, dlaczego podąża za kobietą, przecież nie zrobiła mu nic złego. Poza tym niczego od niej nie chciał, bo niby czego mógłby chcieć od atrakcyjnej trzydziesto-, może czterdziestolatki, emanującej seksualnością na lewo i prawo? No, do diabła, czego mógłby pragnąć od takiej sztuki, od laski takiego kalibru?

Niczego, chyba że…

Kiedy zaczęło dzielić ich nie więcej niż dziesięć metrów, odwróciła głowę. Spojrzała na niego i przyspieszyła kroku. Do woni seksu dołączyła kolejna, tym razem woń strachu. O tak, strachu. Zauważył, że tam, na dole, ożywa, a wszystko dzięki mocy, którą daje poczucie kontroli nad innymi ludźmi, nad słabymi, nad niepewnymi swojej wartości.

Pięć metrów. Wystarczająco blisko, żeby ruszyć niemal sprintem, wyciągnąć przed siebie rękę, złapać kobietę za ramię i szarpnąć. Następnie przewrócić, usiąść na niej okrakiem i patrzeć na twarz wykrzywioną przerażeniem. Pełna dominacja. A kiedy już nasyciłby oczy widokiem zwierzęcej trwogi, rozpiąłby spodnie, zdarł z niej majtki, po czym wprawił w ruch swoją pałę.

„Co się z tobą dzieje, do jasnej cholery!? Nic, po prostu chcę zrozumieć".

Kobieta skręciła w boczną uliczkę, pewnie w nadziei że zgubi swojego prześladowcę. „Prześladowca". Kiedy o tym pomyślał, wygiął usta w uśmiechu. Nie, przecież on nie zamierza nic zrobić, nic, czego później, po latach, a może już po chwili, mógłby żałować. Szedł za nią, w porządku, wlepiał spojrzenie w szerokie biodra ukryte pod płaszczem, ale… nic poza tym. Nic, zrozumiano! Jasne, w takim razie dlaczego wciąż za nią podąża, czemu nie zrezygnuje?

Pozostały dwa metry. Woń seksu… A gdyby tak… a gdyby tak, właśnie w tym momencie, w dogodnej sytuacji, w sytuacji najlepszej z możliwych, w ciemnym zaułku, bez świadków… Wyciągnął przed siebie rękę. Wystarczy odrobina wysiłku, kilka bardziej zdecydowanych kroków, żeby dopiąć swego. A później…

„Zawracaj, póki jeszcze możesz! Działaj, na co czekasz!”

Kobieta, teraz już przestraszona nie na żarty, zaczęła biec. A on odniósł wrażenie, że coś, jakaś wielka siła, wnika mu pod czaszkę, przejmując nad nim kontrolę. Usłyszał nieznajome głosy, wszystkie nawołujące do jednego: „Zrób to, zrób!”. Przyspieszył. Stukot obcasów uderzających o chodnik. Krzyk wypływający z krtani ściśniętej przerażeniem. Zachowaj energię na później, bo za minutę, za dwie, może za kwadrans…

DOŚĆ!

Po chwili przystanął, po czym pokręcił głową.

Rzucił uciekającej kobiecie ostatnie spojrzenie.

Wypuścił powietrze z płuc.

Co w niego wstąpiło?

35

Nie mogła zasnąć od kwadransa, może nawet dwóch. Leżała w dużym małżeńskim łożu, myśląc o Janku. O tym, kim się stawał. Oschły, wiecznie niezadowolony, goniący za pieniędzmi, za sławą. Kiedyś mogli rozmawiać całymi godzinami, teraz nie wymieniali zdań, spostrzeżeń i uwag jak cywilizowani ludzie, prędzej na siebie warczeli.

Jakim cudem ich małżeństwo uległo przemianie w tak krótkim okresie?

Muszą odbudować małżeństwo, tak po prostu, choćby za cenę najwyższą z możliwych. Chociażby musieli pójść na wielkie ustępstwa, chociażby musieli zrezygnować z marzeń – zrobią to dla dobra sprawy, oczywiście, chyba że… Janek nie zechce, chyba że uzna, że książka jest najważniejszą rzeczą na świecie, stojącą w hierarchii ich wspólnych potrzeb znacznie wyżej niż porozumienie. Wówczas nie zadziałają ani groźby, ani prośby, ani nawet błagania. Nie warto dyskutować z kimś, kto ma wzrok wlepiony w jeden jedyny cel i sunie przed siebie z gracją lodołamacza.

Ciąża. Kolejny problem.

Wiedziała, musi powiedzieć o niej mężowi, im prędzej, tym lepiej. Została poniżona przez jakiegoś skurwysyna, może nawet zapłodniona… Nosi w sobie dziecko zwyrodnialca, chociaż może słowo „dziecko" nie jest zbyt precyzyjnym określeniem. Fasolka. Ziarnko grochu. Coś, co w każdej chwili można wyskrobać jak resztki pasztetu z metalowej puszki. A potem włożyć do foliowej torebki, wyrzucić na śmietnik i zapomnieć, tak po prostu. Powinna odsunąć od siebie wszelkie sentymenty, powinna zrobić to bez cienia wahania, ale... Do diabła, czemu w życiu nic nie jest proste? Jedna wizyta w gabinecie lekarskim i po kłopocie.

Tylko że... tylko że morderstwo pozostaje morderstwem bez względu na okoliczności. Nawet jeśli zabijesz staruszka, który nagle wtargnął na jezdnię, to i tak jesteś mordercą. A ona nie chciała nosić takiego brzemienia przez kolejne lata. Pragnęła żyć w zgodzie z sumieniem, tak trudno to zrozumieć?

Uznawszy, że nie uśnie zbyt szybko, poszła do kuchni zaparzyć herbatę. Nalała wody do czajnika, postawiła go na gazie, po czym usiadła przy stole. Spojrzała na zegar wiszący na ścianie. Niemal dwudziesta trzecia. „Janku, gdzie jesteś?" Z małżeństwa Kowalskich nie zostało nic, jedynie tabliczka z nazwiskiem wisząca na drzwiach. Może jeszcze łóżko, w którym kiedyś, dawno temu – a przecież minął zaledwie miesiąc z okładem! – wyznawali sobie miłość niezliczoną ilość razy.

Gwałt.

Zaczęła płakać. Ile jest w stanie wytrzymać rozdarta psychika kobiety? Tyle ciosów od złośliwego losu... Może powinna wrzucić do ust garść najróżniejszych tabletek nasennych, tak żeby już nigdy nie stanąć oko w oko z problemami tego parszywego świata? Rozwiązanie szybkie i łatwe, choć niekoniecznie przyjemne. Trzydziestka na karku. Swego czasu, zresztą jeszcze nie tak dawno, marzyła o dzieciach, o wnukach, o dużej szczęśliwej rodzinie, tymczasem obecnie chciała tylko...

Otworzyła szufladę. Przeciągnęła spojrzeniem po długim ostrzu kuchennego noża. Nie, nie możesz tego zrobić, chociaż z drugiej strony... Nie, nie i jeszcze raz nie! Silna kobieta, taka jak ona, walczy z wszystkich sił, przecież do tego została stworzona. Tak, ale głębokie pokłady energii wyparowały z niej jak wrząca woda, pozostawiając po sobie jedynie zmęczenie.

Sięgnęła po chusteczkę wetkniętą do kieszeni spodni. Wytarła policzki mokre od łez. W chwili gdy wyłączyła czajnik i zaczęła parzyć herbatę, usłyszała chrobot klucza obracanego w zamku i trzask zamykanych drzwi. Przez kilka sekund przedpokój wybrzmiewał odgłosami zwyczajowej krzątaniny, po czym do kuchni wszedł Janek. Sprawiał wrażenie kompletnie wykończonego, jak ktoś, kto przed momentem przerzucał tony węgla. Wory pod oczami, czerwone spojówki, rozczochrane włosy i wzrok błądzący po wszystkich zakamarkach kuchni.

Usiadł na krześle i zaczął oglądać linie papilarne obu dłoni. Przez dłuższą chwilę pomieszczenie otulała cisza, żadne z nich nie podejmowało rozmowy. Atmosfera zaczęła drgać od napięcia. Wreszcie podniósł głowę, spojrzał na nią tak, jak gdyby żałował, że w ogóle przyszedł na świat, po czym zapytał:

– Masz chwilę?

Kiedyś miała dla męża mnóstwo chwil, ale teraz...

– Nie, zaraz wychodzę – powiedziała, zamykając szufladę.

Wiedziała, że powinna szukać porozumienia, nie zwady, jednak ostatnio tyle wycierpiała, również przez niego...

– W piżamie?

Skinęła głową, usiłując wypchnąć spod czaszki myśli pokryte grubą warstwą brudu ostatnich wydarzeń. Wystarczy odrobina chęci, żeby przełamać lody, oboje o tym wiedzieli, jednak żadne nie potrafiło wykonać pierwszego ruchu. „No dalej, na co czekasz!?"

– Przepraszam, żartowałam... Chociaż to kiepski żart.

Nie zareagował, przynajmniej nie tak, jak tego oczekiwała. Zamiast uśmiechu na jego twarzy pojawił się ból. Kiedyś widywała ten grymas rzadko, teraz niemal codziennie, jakby każdego ranka zakładał maskę, z którą nie rozstawał się aż do wieczora. Może i w ogóle.

Co się z nimi stało, do ciężkiej, jasnej, ciasnej cholery?

– Chciałem pogadać – oznajmił, znowu oglądając spód dłoni.

Nie przypominał tryskającego energią trzydziestolatka, prędzej zgrzybiałego starca przygniecionego do samej ziemi brzemieniem lat.

Pogadać...

– Już wszystko zostało powiedziane.

Spojrzał na nią tak, jakby wymierzyła mu siarczysty policzek. Mnóstwo bólu, ale i braku zrozumienia. Nie, nie wszystko zostało powiedziane, to oczywiste, ale nie zamierzała powtórnie wkładać do gramofonu płyty, którą przesłuchała już setki, jeśli nie tysiące razy.

– Co się z nami dzieje? – zapytał smutnym głosem, którym mógłby roztopić nawet najbardziej zlodowaciałe serce.

Podziałało, bo po policzkach Anny zaczęły płynąć łzy. Wielkie, gorzkie, smakujące wiecznym cierpieniem, rozczarowaniem, żalem do całego świata.

Wyjęła z kieszeni chusteczkę. Wytarła twarz.

– Nie wiem – odparła, usiłując odzyskać kontrolę nad emocjami.

Nie zamierzała się rozklejać, przynajmniej nie w obecności męża, po prostu tak wyszło. Niezależna kobieta odeszła, ustępując miejsca bezbronnej istocie.

– Chyba oboje nie wiemy – oznajmił, zwieszając głowę. – Wszystko szło jak z płatka, nie było między nami żadnych zgrzytów, a teraz… To wszystko moja wina. Gdyby nie pogoń za tym psychopatą… Jestem skołowany… skołowany jak jasna cholera… Pomóż mi.

Wołanie tonącego, pragnącego za wszelką cenę wypłynąć na powierzchnię. Mały chłopiec w ciele dorosłego mężczyzny. Oto, do czego prowadzi pogoń za szaleńczymi marzeniami przesiąkniętymi odorem gwałtów i morderstw.

– Nie jestem w stanie pomóc nawet sobie – odpowiedziała łamiącym się głosem, czując, jak płynie na fali współczucia.

Każdemu należy się druga szansa, zwłaszcza że Janek nie zrobił nic złego, przynajmniej nic, czego nie sposób odwrócić, o czym nie można zapomnieć.

Wyciągnął rękę.

– W takim razie pomóżmy sobie nawzajem – powiedział.

Pozwoliła, żeby ich palce splotły się niczym nitki osnowy i wątku. Potrzebowała dotyku jak nigdy wcześniej, bardziej niż tysięcy słów zapewniających o miłości i głębokim uczuciu. Myśli o gwałcie odeszły… a jeśli nie, to w tym momencie zaledwie majaczyły gdzieś na horyzoncie. Mają szansę wskrzesić to, co uśmiercali przez ostatnie tygodnie. Jeszcze nie wszystko stracone, wystarczy trochę determinacji i wiary w człowieka. Reszta przyjdzie sama.

– Damy radę wszystko naprawić? – zapytała.

– Oczywiście – przytaknął.

– Ostatnio zaczęło dzielić nas tak wiele – westchnęła.

Przywarł do niej, objął ją, po czym pocałował w szyję. Poczuła smród nikotyny zmieszany z zapachem miętowej gumy do żucia. Jakiś czas temu, tydzień, może dwa tygodnie wstecz, zaczął sięgać po papierosy, czego nie robił nigdy wcześniej.

– Musimy z tym walczyć.

– Jestem taka zmęczona – odparła, patrząc mu w oczy. Zobaczyła głęboki smutek, coś, czego nie widziała od niepamiętnych czasów. – Wiem, że się powtarzam, ale przeszłam tak wiele... to wciąż we mnie tkwi... tym bardziej... przepraszam, że to powiem... tym bardziej że nie dostałam od ciebie żadnego wsparcia... Potrzebowałam cię, a ty przebywałeś gdzieś daleko, przy jakimś zwyrodnialcu.

Rozluźnił uścisk, stał przy niej jeszcze przez chwilę ze spuszczoną głową, po czym usiadł na krześle i schował twarz w dłoniach. Wszystkie znaki na niebie i ziemi wskazywały na to, że cierpiał, że duszę rozdzierał mu ból. Poczuła ulgę tak wielką, że o mało nie wybuchła płaczem. Janek, mąż, którego ostatnio traciła, dzień po dniu, nawet godzina po godzinie, wracał z dalekiej podróży.

– Gdybyś miała pojęcia, ile mnie to kosztuje...

– Powiedz mi.

Przez chwilę milczał, jak gdyby nie wiedział, od czego zacząć. Wreszcie, po minucie, może dwóch, spojrzał na nią wzrokiem człowieka, który chwyci się nawet płonącej gałęzi, żeby nie runąć w przepaść.

– Jestem rozdarty... – zaczął głosem stłumionym przez żal i rozgoryczenie. – To znaczy... chciałbym dokończyć książkę, chciałbym zamknąć ten projekt, poświęciłem mu tyle czasu, ale odnoszę wrażenie... a raczej wiem, że dzieje się coś... coś bardzo niedobrego, coś... po prostu złego.

Zadrżała.

– W jakim sensie?

Uciekł spojrzeniem w bok.

– Ze mną. To wszystko mnie przerasta, jest takie... trudne. Wszędzie gwałty, na każdym kroku... A teraz to spotyka ciebie i… zamiast okazywać sobie zrozumienie, warczymy na siebie.

Chciała położyć mu dłoń na ramieniu, może przytulić, ale nie potrafiła się przemóc. Żywiła nadzieję, że ta rozmowa uleczy to, co ostatnimi czasy toczyła choroba, jednak nie potrafiła zapomnieć o wcześniejszym zachowaniu męża.

– Co zamierzasz?

– Nie wiem. Dostałem dwadzieścia kawałków zaliczki…

– Możesz oddać pieniądze.

– …i podpisałem umowę – ciągnął, jakby nie usłyszał wtrącenia żony. – To rodzi określone zobowiązania. Jestem zaangażowany w ten projekt całym sercem, ale… coś wnika w mój umysł, coś przejmuje nade mną kontrolę, coś… czego nie potrafię nawet nazwać. Jakaś siła…

Chciałaby powiedzieć, że słowa męża nie zrobiły na niej wrażenia, ale nie mogła okłamywać samej siebie.

– Od momentu, kiedy zacząłeś chodzić do więzienia, jesteś inny, bardziej… – Urwała, szukając w myślach odpowiedniego określenia. – Oschły. Kiedyś okazywałeś mi mnóstwo uczucia, teraz przechodzisz obok zupełnie obojętnie.

Znowu schował twarz w dłoniach.

– Tak mi przykro, tak cholernie przykro.

– Rzuć to w diabły, to jedyne rozwiązanie.

Pokręcił głową.

– Nie mogę.

– Możesz…

– Naprawdę nie mogę.

– Po prostu nie chcesz.

Spojrzał na nią błagalnie i wyszeptał:

– Pomóż mi.

Sięgnęła po chusteczkę, żeby wytrzeć oczy mokre od łez.

– Spróbuję.

36

Janek poczuł na twarzy uderzenie wiatru. Postawił kołnierz kurtki, po czym zerknął na wejście do budynku, w którym Anna urządziła biuro. Nikogo. W oknach wciąż paliło się światło, dlatego stwierdził, że dziewczyny nie wrócą do domów zbyt szybko. Trudno. Najwyżej zacznie wracać do domu, wstąpi do najbliższej apteki i wykupi cały asortyment leków przeznaczonych do walki z przeziębieniem i grypą.

Ale musi zostać. Skoro już przyszedł, skoro już wyturlał tyłek z ciepłego mieszkania, to nie odpuści, nie dzisiaj. Sterczał na mrozie już od trzech kwadransów i nie chciał, żeby ten czas poszedł na marne.

Uliczne latarnie karmiły chodnik owalnymi plackami światła, toteż na punkt obserwacyjny wybrał miejsce pod wiatą przystanku autobusowego. Nie miał pojęcia, dlaczego przyszedł akurat tutaj. Wyszedł z domu wyłącznie po to, żeby zaczerpnąć świeżego powietrza, nic ponadto. A jednak nogi przywiodły go pod biuro żony. Przyszedł tak po prostu. Przyszedł, bo posłuchał podszeptów instynktu. Przyszedł, bo jedna z ostatnio zrodzonych spraw nie dawała mu spokoju i za każdym razem gdy przykładał głowę do poduszki, domagała się uwagi.

Wątpliwości, które zrodziły się w nim ostatnimi czasy, odeszły w niepamięć. Nie może porzucić projektu, jak sugerowała Anna. Raz, bo dostał solidną zaliczkę i gdy myślał o tych dwudziestu kawałkach, czuł przyjemne ciepło w okolicach serca. Dwa, bo złożył podpis na umowie, a dżentelmeni nie rzucają słów na wiatr, prawda? Fakt, przez chwilę – ale tylko przez mgnienie oka – odnosił wrażenie, że wpada w sidła obłędu, że coraz częściej przekracza granicę dzielącą normalnych od obłąkanych. Jednak teraz wcześniejsze obiekcje minęły jak ręką odjął.

Wyjął z kieszeni piersiówkę i paczkę papierosów. Najpierw wypił kilka łyków, potem zapalił. Wydmuchał z ust kłąb dymu. Poczuł, jak ciało zalewa wielka fala rozluźnienia. Właśnie tego było mu trzeba. Relaksu spod znaku procentów i nikotyny.

Malarz…

Kolejna wizyta u seryjnego mordercy zaowocowała garścią cennych informacji, z których mógł wykiełkować całkiem zgrabny rozdział. Sadyzm w rodzinie. Ojciec psychopata i obłąkana matka. Ciągłe bicie, upokorzenie, walka z uczuciami. Ciało naznaczone siniakami. I tak do czternastego roku życia. Facet przyjął na siebie tyle ciosów, że mógłby obdzielić nimi kilkunastu bokserów wagi ciężkiej. Po takiej dawce umysł nie wytrzymał, wybrał drogę zbrodni.

Standard.

Janek nie musiał odbywać pogawędki z psychologiem, żeby stwierdzić, że zwyrodnienie w wieku dojrzałym czerpie z głębokich pokładów poniżania i katowania w młodości. Niekiedy wystarczy jeden impuls, żeby we wnętrzu nastolatka zaszczepić miłość do zła. A w wypadku Malarza z tych impulsów można by ulepić kilkumetrowy pomnik. Statuę bestialstwa.

Następny kłąb dymu.

Zakaszlał, po czym wrócił myślami do własnego dzieciństwa. Siedzi nad książkami. Odrabia lekcje. Słyszy pukanie do drzwi. Do pokoju wchodzi matka, trzymając w dłoni skórzany pas. Zajmuje miejsce na tapczanie. Gładzi dłonią narzutę w czerwone róże. Prosi, żeby usiadł obok. Janek robi to niechętnie, bo wie, co zaraz nastąpi. Pragnie uciec daleko stąd, za granicę, do ojca, którego nawet nie miał okazji poznać. O tak, pragnie tego z całego serca, bo ojciec, co oczywiste, nigdy nie podniósł na niego ręki. W przeciwieństwie do matki. Ona widzi w nim całe zło tego świata. Widzi w nim potwora, który wsiadł do pociągu i wyjechał z kraju w poszukiwaniu lepszego życia. Widzi w nim swojego niedoszłego męża.

Pyta, dlaczego nie pozmywał naczyń. Przecież powinien po sobie sprzątać, nie tylko w swoim pokoju, ale również w łazience i w kuchni. Powinien zdejmować buty przed progiem, o czym zapomina. Powinien chować ubrania do szafy, a nie, jak do tej pory, rozwieszać na oparciu krzesła. Powinien brać kąpiel przed dziewiętnastą, żeby w okolicy dwudziestej leżeć w łóżku. Powinien słuchać poleceń. Ba, powinien oddychać tylko wówczas, gdy ona wyrazi na to zgodę.

Powinien, powinien, powinien.

Ulubione słowo matki.

Janek wzrusza ramionami. Wie, że cokolwiek powie, zostanie to wykorzystane przeciwko niemu. Jak w amerykańskich kryminałach. Matka spogląda na klamrę pasa. Nie, nigdy nie uderzyła klamrą, ale za to samym pasem potrafiła lać... i lać... i lać. Rzucała krótkie: „Kładź się!" i wprawiała w ruch swoje masywne ramiona. Osiemdziesiąt kilogramów wagi musi zrobić wrażenie nawet na dwunastoletnim chłopcu. Zamach. Zamach. Zamach. Ból.

Tym razem matka odpuszcza. Wstaje, kiwa głową, po czym wykrzywia usta w imitacji uśmiechu, tak marnej, że aż odpychającej. Mówi, żeby skończył odrabiać lekcje. Nic więcej. Żadnych krzyków, żadnych przekleństw, żadnego bicia. Janek nie jest w stanie wykonać najmniejszego ruchu. Siedzi jak sparaliżowany od pasa w dół, jak ktoś, komu trzeba wydać polecenie, żeby zareagował w jakikolwiek sposób. Nie może uwierzyć w to, że matka odchodzi bez tego swojego: „Kładź się!". Nie, to jest zbyt nierzeczywiste.

A jednak!

Zaciągnął się, po czym wydmuchał dym i cisnął niedopałkiem na chodnik. Przydepnął go. Pogrzebał w kieszeni kurtki. Wyjął piersiówkę i zaczął pić. Nie małymi łyczkami, lecz zachłannie, jak alkoholik po dwudniowym poście. Przestał dopiero wtedy, gdy w butelce zamajaczyło dno.

Koniec. Właśnie tak rozwiązuje sprawy Janek Kowalski.

Nie zamierzał przywoływać niechcianych wspomnień, reanimować uśmierconej przeszłości, ale Malarz nie pozostawił mu wyboru. Opowieść przestępcy podziałała z siłą elektrowstrząsu, dzięki czemu nawet najgłębiej skrywane, najbardziej bolesne sekrety z dzieciństwa wypłynęły na światło dzienne niczym śnięte ryby. Mieli z sobą więcej wspólnego, niż pierwotnie przypuszczał, choć oczywiście on pozostał praworządnym obywatelem, który płaci podatki, zarabia na utrzymanie rodziny, a o maltretowaniu niewinnych kobiet nigdy nawet nie pomyśli.

Sadyzm w rodzinie. Za podnoszenie ręki na dzieci każdy dorosły powinien odsiedzieć swoje za kratami. Może tam, w mroku i chłodzie obejmującym każdy zakamarek, wyciągnąłby wnioski ze swojego postępowania i już nigdy nie wrócił na ścieżkę, którą kroczył wcześniej. Jak można spuszczać łomot własnemu dziecku za... no właśnie, za co? Za co dostawał on, Janek? A co uczynił dziesięcioletni Malarz, że zasłużył sobie na matczyną i ojcowską nienawiść?

Splunął na chodnik. Może po prostu przyszedł na świat. To wystarczyło.

Może...

Schował pustą butelkę do kieszeni kurtki. W zamian wyjął małą kartkę z zapisanym numerem znalezionym w książce telefonicznej. Chciał rzucić trochę nowego, świeżego i, co ważniejsze, jasnego światła na postać Malarza, toteż postanowił pójść za radą kumpla klawisza i zadzwonić do gliniarza, który prowadził dochodzenie w sprawie seryjnego gwałciciela i mordercy. Alfred Bomba. Emerytowany funkcjonariusz, twardziel usiłujący oczyścić miasto z brudu. Może ten koleś, cokolwiek teraz porabiał, znajdzie trochę czasu na rozmowę o minionych latach?

Wrzucił do ust dwie gumy do żucia, po czym zaczął stukać w klawisze aparatu. Drżące dłonie. Cholera! Po chwili przyłożył komórkę do ucha i po usłyszeniu suchego „halo?" powiedział:

– Dzień dobry. Nazywam się Jan Kowalski. Chciałbym z panem porozmawiać.

Nie ustalił żadnej strategii rozmowy. Żywioł. Improwizacja. Myślał tylko o tym, że nie może, albo raczej nie powinien, kłamać, bo pies, który swego czasu biegał po mieście w pogoni za mętami różnej maści, wywęszyłby każdą próbę ominięcia prawdy. Jeśli chce z nim pogadać, to musi odkryć wszystkie karty, bez wyjątku. Tylko w ten sposób osiągnie cel.

Policjant nie odpowiedział od razu. Dyszał do słuchawki przez dłuższą chwilę, po czym chrząknął – co przypominało głuchy wystrzał z karabinu – i zapytał mocnym, stanowczym głosem:

– O czym?

Palce Janka oplotły telefon niczym macki.

– O Malarzu. Słyszałem, że to pan wsadził drania za kraty.

Znowu moment ciszy. Najwyraźniej gliniarz nie zamierzał ułatwiać mu sprawy.

– Jest pan dziennikarzem?

Janek poczuł się tak jak wcześniej, gdy pierwszy raz rozmawiał z mordercą. Jeden fałszywy ruch i spadasz w przepaść zwaną niepowodzeniem. „Prawda. Myśl tylko o prawdzie". Albo przekona wapniaka do swoich racji, albo przegra z kretesem, a biografia przestępcy nigdy nie nabierze kantów i wypukłości. Pozostanie płaska niczym kartka papieru leżąca na stole. A przecież chciał poznać działalność Malarza z wszystkich możliwych stron. Czytał już akta, rozmawiał z mordercą, odwiedził dom, w którym ten psychopata przetrzymywał bezbronne kobiety. Teraz zaś przyszła pora na wyciągnięcie informacji od Alfreda Bomby.

Dziennikarz. Czy grając w otwarte karty, nie popełni błędu?

– Czy to, kim jestem, ma znaczenie?

– Synku, jeśli chcesz ze mną pogadać, zmień ton, dobrze? Przez trzydzieści pięć lat nosiłem policyjny mundur. Potrafię wyczuć zarówno ćpuna, jak i pismaka z odległości kilkudziesięciu kilometrów. Więc daj na wstrzymanie, bo odłożę słuchawkę.

Janek poczuł uderzenie fali gorąca.

– Czemu więc pan tego nie zrobi?

Kolejna pauza.

– Dawno nikt nie dzwonił do mnie w sprawie tego potwora.

Na moment, który Jankowi wydawał się całą wiecznością, policjant zawiesił głos. Po drugiej stronie wybrzmiewał tylko ciężki, głęboki oddech.

– Ciekawość, synku – ciągnął Bomba. – Gliną jesteś całe życie, bez względu na to, czy czyścisz odznakę co tydzień, czy ostatnim razem robiłeś to lata temu.

Fala gorąca przetoczyła się po czole i zaczęła sunąć w kierunku potylicy.

– Tak, jestem dziennikarzem, ale nie szukam sensacji.

– A czego? – zapytał gliniarz, nie kryjąc ironii. – Informacji o Malarzu? Proszę z nim pogadać, może opowie panu kilka tych swoich bajeczek... A może już pan próbował, co? I nie uzyskał pan nic, oczywiście prócz odmowy.

– Tak, rozmawiałem z nim. Kilkakrotnie.

– Kilkakrotnie?

– Zgadza się. Jestem umówiony na kolejne spotkanie.

Tym razem milczenie policjanta trwało przerażająco długo. Gdyby nie brak sygnału przerwanego połączenia, Janek uznałby, że gliniarz odłożył słuchawkę. Ale nie, facet wciąż oddychał, nadal tkwił gdzieś tam w swoim domu i rozważał propozycję.

– Synku, robisz sobie ze mnie jaja?

Doświadczenia nabyte w kontaktach z Malarzem kazały Jankowi zignorować zaczepkę. Najpierw „chłopcze", teraz „synku". Jeśli zechce zasięgnąć języka u kolejnej osoby, choć miał nadzieję, że nie będzie musiał, może usłyszy „dziecino" albo „bobasie".

– Nie, proszę pana. Chcę z panem porozmawiać, ustalić kilka faktów – odparł. – Opowieść Malarza nie zawsze trzyma się kupy i... Wie pan, co dwa źródła informacji, to nie jedno.

– Głęboka myśl.

– Prawdziwa.

– Opowieści Malarza nigdy nie trzymały się kupy – powiedział Bomba już nieco łagodniejszym tonem. Chrząknął, po czym dodał po kilkunastu sekundach: – Znasz mój adres?

Fala gorąca cofnęła się w głąb morza.

– Tak.

– Kiedy możesz przyjechać?

Wiktoria! Wiktoria!

– Muszę sprawdzić rozkład jazdy autobusów.

– Nie masz samochodu?

Westchnął.

– Dziennikarze nie śpią na kasie. Przynajmniej nie wszyscy.

– Zupełnie jak gliniarze... Mnie tam wszystko jedno. Tylko pamiętaj, żeby przyjechać jutro, najlepiej przed południem. Może nawet przed jedenastą. O dziesiątej trzydzieści kończę oglądać poranny program telewizyjny, później chcę odwiedzić sąsiada, który... Zresztą, nieważne. Do zobaczenia, synku.

Odłożył słuchawkę.

Niby wszystko mu jedno, a określił czas wizyty niemal z dokładnością do kwadransa. Ciekawy osobnik. Może właśnie dzięki skrupulatności dopadł i wsadził za kraty seryjnego mordercę? Jeśli zamierzasz zrozumieć motywy, którymi kieruje się zbrodniarz, musisz myśleć tymi samymi kategoriami. Albo być świrem identycznego kalibru, maszyną zaprogramowaną tylko na jeden cel.

Odetchnął.

Zrobił kolejny krok na drodze ku pieniądzom i sławie.

Wieczór wszedł w ponurą fazę, którą można by określić mianem „pustych ulic". O ile przed godziną między kamienicami kręciło się jeszcze sporo mieszkańców, to teraz ten stan uległ całkowitej zmianie. Nikogo. Dosłownie. Pochłonięty rozmową Janek dopiero w tym momencie zdał sobie sprawę z tego, że jeśli o tej porze w Raciborzu tętni jeszcze życie, to wyłącznie w centrum. Widząc Annę i Kaśkę, które wyszły z budynku, pokręcił głową. Musi zachować odpowiednią odległość, jeśli nie chce zostać zdemaskowany już na wstępie.

Odczekał kilkanaście sekund, przekładających się na dystans trzydziestu, może czterdziestu metrów, po czym ruszył za dziewczynami. Szły szybkim, zdecydowanym krokiem, jakby poganiane przez wspomnienie gwałtu. Światło lamp dawało poczucie bezpieczeństwa, złudne, ale jednak, toteż nie lustrowały wzrokiem okolicy, nie odwracały się, nie spanikowały na widok faceta w czapce, który wyszedł wyrzucić śmieci. Dobrze, przynajmniej Janek mógł robić swoje bez obaw.

Przecięły ulicę Opawską i weszły w ulicę prowadzącą do małego ronda koło szkoły muzycznej. O czymś dyskutowały, nawet dość żywo, ze sporym ładunkiem emocji, ale odległość powodowała, że Janek nie mógł wyłapać sensu poszczególnych zdań. Na moment przystanęły. Zrobił to samo. Gestykulacja. Podniesione głosy. Aż wreszcie przedłużający się moment ciszy. Kwestie zawodowe, a może prywatne? Pewnie Anna chciała wyczyścić wnętrze z zalegającego tam brudu rodzinnych nieporozumień i potrzebowała rozmowy z przyjaciółką.

Oczywiście przyjmował do wiadomości fakt, że ostatnio łącząca ich więź stała się napięta jak jeszcze nigdy wcześniej. Akceptował również to, że nie potrafił temu zapobiec. Jeśli chcesz coś osiągnąć, jeżeli masz robotę do wykonania, to niekiedy musisz odsunąć wszystko inne na drugi plan. Małżeństwo Kowalskich wymagało remontu, wiedział o tym, jednak wiedział też, że dzięki opowieściom seryjnego mordercy może coś osiągnąć. A raczej COŚ. Po napisaniu książki wszystko wróci do normy, brał to za pewnik… chyba że zwalą mu się na głowę przedstawiciele wszystkich mediów w kraju, a on zostanie gwiazdą telewizji.

Wygiął usta w uśmiechu.

Wywiady, autografy...

Po chwili dziewczyny znowu ruszyły. Kiedy dotarły do ronda, uściskały się na pożegnanie, po czym Anna, zmierzając do mieszkania, weszła w ulicę Wileńską, a Kaśka skierowała kroki w stronę budynków Śląskiego Oddziału Straży Granicznej.

Koniec tego dobrego. Dość poruszania zagadnień, które nigdy nie powinny wyjść na światło dzienne. Janek przypuszczał, że kobiety, w przeciwieństwie do mężczyzn, od czasu do czasu muszą wyczyścić duszę z grzechów. Przyjmował to do wiadomości, ale tego nie rozumiał. Faceci nigdy nie pozwalają sobie na emocjonalny ekshibicjonizm, bo niby dlaczego mieliby rozpowiadać o swoich problemach na lewo i prawo? Z Darkiem mógł pogadać o wszystkim, jednak zazwyczaj rozmawiali o niczym: o sporcie, o laskach, o polityce, o alkoholu. Ale nigdy nie naruszali swej prywatności. Może w tym tkwi sekret prawdziwej przyjaźni? Nie wchodź na zaminowane terytorium, bo możesz stracić obie nogi, dłonie, a nawet głowę.

Podążył za Kaśką. Zmniejszył dzielący ich dystans. Odziana w kurtkę biodrówkę i spodnie z niebieskiego dżinsu, przyciągała wzrok niczym chodząca reklama kobiecych kształtów. Zgrabne pośladki, smukłe uda, kształtne łydki. A wszystko gustownie zapakowane w odpowiednią ilość materiału. Gdyby zechciała, pewnie od ręki dostałaby rolę w jakimś filmie, na przykład w komedii romantycznej. Albo chociaż zagrałaby epizod w serialu z miłością w tle.

Kiedy doszła do ponurego, nieoświetlonego parku Jordanowskiego, wylęgarni alkoholizmu wśród młodocianych, spotkała jakiegoś mężczyznę. Facet nosił długi ciemny płaszcz i ciemny kaszkiet. Wysoki, dobrze zbudowany, sprawiał wrażenie kogoś, z kim mogłaby pójść do łóżka bez mrugnięcia okiem. Przywitali się bez czułości, ot, zwykły pocałunek w zmarznięty policzek, po czym wymienili kilka zdań i...

Oczyma duszy Janek już widział, jak kończą wieczór w sypialni Kaśki, lecz nic takiego nie nastąpiło. Amant, kimkolwiek był, podążył swoją drogą, może na nocne łowy damskich majteczek, może na jakieś biznesowe spotkanie, a może – to wydawało się pozbawione jakiegokolwiek sensu, ale Janek tak właśnie pomyślał – szukać ofiary, by zaspokoić swą chorą żądzę.

Gwałciciel? Nie, wykluczone.

A może...

Utkwił wzrok w Kaśce. Przyspieszył. Nie potrafił otrząsnąć się z wrażenia, że spędziła z gogusiem kilka upojnych chwil w swoim mieszkaniu. W pościeli. Wymiętej, przesiąkniętej zapachem potu, perfum i spermy. Skażonej wonią seksu.

Kobieta wyzwolona, co?

Prywatne sprawy powinny pozostać poza kręgiem jego zainteresowań, lecz nie potrafił przejść obojętnie obok seksualnego wyuzdania Kaśki. Lodzik o poranku, lodzik w południe, lodzik wieczorem. A gdy przyszło do stawienia czoła rzeczywistości, zamordowała nienarodzone dziecko jak zawodowy zabójca. Bez skrupułów, bez sentymentów, bez wyrzutów sumienia.

Kurwa!

Zawrzało w nim. Gdy szli wzdłuż murów otaczających koszary, dopadł Kaśki, położył dłoń na jej ramieniu i szarpnął ją. Niezbyt mocno, lecz tak, żeby poczuła. Żeby zrozumiała, że zabawa w kotka i myszkę ze zdeterminowanym mężczyzną może skończyć się... jeśli nie tragicznie, to przynajmniej źle. Żeby przyjęła do wiadomości, że kolejna zbrodnia na nienarodzonym dziecku nie ujdzie jej na sucho.

Otworzył usta, chcąc wyrzucić z siebie kilka mocnych słów, ale nie zdążył tego zrobić. Usłyszał tylko charakterystyczny dźwięk, syk, jak gdyby ktoś odkręcił zawór butli z gazem. A po chwili twarz zalała mu fala ognia.

Ból.

Żar.

Kurwa!

Nie, to nie butla z gazem…

Kurwa, kurwa, kurwa!

…lecz gaz pieprzowy.

Cholerny gaz pieprzowy!

Zaczął pocierać oczy.

Jezu!

37

Po powrocie do mieszkania Anna od razu napuściła wody do wanny, po czym zaczęła zdejmować z siebie poszczególne części garderoby. Żeby ściągnąć rajstopy, musiała się schylić, co sprawiło, że poczuła, jak coś skręca jej wnętrzności, zaciska pięść na żołądku i tarmosi. Całe szczęście, że miała pod ręką umywalkę, w innym wypadku zapaskudziłaby kafelki.

Potem przemyła twarz, zdjęła ubranie i zaczęła się kąpać. Zmęczona do granic możliwości, pozbawiona choćby krztyny energii, pragnęła tylko poczłapać do sypialni i zagrzać swoje miejsce pod pościelą. Położyła się w wannie tak, żeby nie zamoczyć włosów, i przymknęła powieki. Odprężenie. Potrzebowała odpoczynku, ale życie nie wyrażało zgody na żadną formę relaksu. Praca. Spięcia z mężem. Niechciane wspomnienia. To wszystko powodowało, że siły witalne uchodziły z niej w zastraszającym tempie.

Ciąża. Właśnie doświadczała efektów stanu błogosławionego na własnej skórze. Wymioty, zmęczenie i całkowity brak apetytu. Podobno niektóre kobiety już na samym początku zaczynają wrzucać do organizmu wszystko, co zawiera chociażby odrobinę kalorii, ona jednak odczuwała wstręt nawet do kromki chleba posmarowanej masłem. Łaknienie przyjdzie, ale – jak na wszystko w życiu – i na to potrzeba czasu. Za tydzień, za dwa, góra za miesiąc zacznie pakować w siebie tony jedzenia, ale teraz…

Albo i nie zacznie, bo przecież zamierzała odwiedzić lekarza i usunąć ciążę. Może jeszcze nie podjęła ostatecznej decyzji, lecz Bogiem a prawdą nie wyobrażała sobie wychowywania dziecka, którego tak naprawdę nie chciała... W porządku, nawet dziecko spłodzone z jakimś skurwysynem zaczerpnie z puli jej genów, ale… tylko połowicznie. Reszta będzie pochodzić od kogoś, kogo w ogóle nie znała. Od kogoś, kto potrafił wyłącznie zadawać ból. Od kogoś, kogo mogła jedynie nienawidzić. Od kogoś, kto nie znał pojęcia litości. Od największego potwora, jakiego kiedykolwiek spotkała w życiu.

Od bestii.

Przed wykonaniem jakiegokolwiek ruchu musiała porozmawiać z mężem. Tego obawiała się teraz najbardziej. Lustro zaparowało. Wilgotność powietrza skoczyła o kilka poziomów.

Punkt widzenia zależy od punktu siedzenia, stwierdziła nie bez goryczy. Kiedyś uważała aborcję za niegodną prawdziwej kobiety, dzisiaj najchętniej chwyciłaby za telefon i zaklepała termin u specjalisty od zabijania. Tak, należy nazywać rzeczy po imieniu. Morderca w białych rękawiczkach.

Usiłowała przekonać samą siebie, że zabieg jest jedynym wyjściem. Bo urodzenie dziecka spłodzonego z tym… tym skurwysynem (wciąż nie potrafiła znaleźć określenia lepiej oddającego to, co czuła do tego… skurwysyna) nie stanowiło żadnego rozwiązania. W porządku, mogła zrobić badanie DNA na ustalenie ojcostwa, jednak każdy tydzień zwłoki oddalał od szansy, jaką dawała skrobanka. Jeśli nie podejmie decyzji za dzień lub dwa, straci możliwość wykonania aborcji bez narażania zdrowia na szwank. A przecież nie o to chodziło, prawda? Chciała pozbyć się problemu bez strat własnych, bez komplikacji, bo w tym wypadku ryzyko mogło oznaczać śmierć.

„Co zrobiłabyś na moim miejscu?"

„Skarbie, nie muszę gdybać. Już to zrobiłam".

Niektórym podejmowanie decyzji przychodzi bez najmniejszego trudu. Może dlatego, że nie muszą liczyć się ze zdaniem innych. Ona musiała porozmawiać z mężem. Fanatyka nie przekonasz do zmiany raz zajętej pozycji żadnym sposobem, żadnym fortelem, żadnym trikiem. Możesz walić głową w mur, a wyżłobisz na nim najwyżej kilka rys. A przecież tu nie chodzi o ciążę, owoc lekkomyślności. Przecież została zgwałcona! ZGWAŁCONA! Dlatego powinien zrozumieć. Powinien przyjąć do wiadomości, że w życiu nic nie jest czarne lub białe, że zazwyczaj dominują najróżniejsze odcienie szarości. A może wpadła w objęcia paranoi i wyolbrzymia sprawę? Może po wysłuchaniu argumentów Janek pójdzie po rozum do głowy i wykaże chociaż odrobinę elastyczności? Marzenia.

Gdyby sytuacja nie była poważna, pewnie wysłałaby w przestrzeń chociaż cień uśmiechu. Kto jak kto, ale Janek, człowiek o sztywnym kręgosłupie moralnym, nigdy nie zmienia zdania. Przenigdy. Gdyby miała pod ręką broń, mogłaby przyłożyć mu lufę pod brodę i zagrozić pociągnięciem za spust, ale i tak nie uzyskałaby spodziewanego rezultatu. Nie w wypadku kogoś tak zatwardziałego, o poglądach bardziej zaśniedziałych niż stary kawałek miedzi.

„Nie spodziewałbym się nigdy tego po tobie"...

Wyszła z wanny, wytarła ciało ręcznikiem, po czym założyła bokserki i koszulkę z krótkim rękawem. Zniechęcona, pozbawiona nie tylko energii, ale również optymizmu, poczuła się samotna, opuszczona przez wszystkich tych, których uważała za ważnych. Zwłaszcza przez Janka. Dzieląca ich ściana stawała się coraz grubsza i grubsza (a jeszcze przed chwilą prosił o pomoc!), zaś poszczególne warstwy nieporozumień przylegały do niej niczym świeży tynk. Powinni wziąć do ręki młotek – każde z osobna – i walić, walić, walić. Aż do skutku, aż do wykucia wielkiej dziury w tym murze ciągłych niesnasek i sprzecznych pragnień. Powinni, to oczywiste, ale…

Poszła do sypialni. Runęła na łóżko jak worek kartofli. Przed miesiącem wiadomość o ciąży przyjęłaby z radością, dzisiaj nie potrafiła zmusić kącików ust do wędrówki w górę. Bo nie miała powodów chociażby do odrobiny zadowolenia. Owoc gwałtu. Pomiot tego sukinsyna. Dlaczego ona? Czemu nie ktoś inny, ktokolwiek?

Znowu te same pytania, każde dotykające problemu tylko z jednej strony.

Zaczęła płakać. Łzy wypływały z oczu szerokim strumieniem, nie przynosząc duszy ukojenia. Tym razem nie oczyszczały, nie działały jak silne tabletki przeciwbólowe. Anna zdawała sobie sprawę z tego, że jutro, kiedy się obudzi (o ile w ogóle zaśnie), problem pozostanie na swoim miejscu, zrośnięty z nią jak pasożyt. Tylko od niej zależało, czy rozetnie ten węzeł gordyjski jednym precyzyjnym cięciem, czy też będzie się szarpać i szarpać, tracąc energię i czas.

38

Janek siedział w kuchni mieszkania Kaśki, wciąż czując, jak ogień trawi mu twarz. Kawałek po kawałku, jak gdyby wpadł do beczki z kwasem albo wskoczył do ogniska. Do diabła, gdyby nie przyszedł mu do głowy ten głupi pomysł, teraz leżałby na kanapie przed telewizorem i oglądał jakiś denny program publicystyczny. A tak...

Chciał przemyć zimną wodą okolice spryskane gazem pieprzowym, ale Kaśka powiedziała, żeby tego nie robił, po czym wzięła w dłoń szmatkę, nasączyła ją mlekiem i odrobiną szamponu i zaczęła wykonywać delikatne okrężne ruchy dookoła oczu. Przymknął powieki i odetchnął kilka razy, tak dla rozluźnienia. Został potraktowany jak przestępca, jak najgorszy śmieć. No proszę, do czego to doszło. Praworządny obywatel musi drżeć z obawy o zdrowie. Ale gdy patrzył na sprawę z innej perspektywy, musiał przyznać, że miał więcej szczęścia niż rozumu. Gdyby zaczepił nieodpowiednią osobę, gdyby dostał cios nożem prosto w brzuch, teraz nie tkwiłby w kuchni przesiąkniętej zapachem tytoniu, lecz na intensywnej terapii raciborskiego szpitala, wdychając odór najróżniejszych detergentów i antyseptyków.

– Ostrożnie! – krzyknął, czując narastające palenie w prawym oku.

Kaśka znała się na rzeczy, ale nie odgrywała roli pielęgniarki czułej na potrzeby pacjenta, raczej chciała mu pokazać, że zadarł z nieodpowiednią kobietą. Tylko wzruszyła ramionami.

– Gdybyś za mną nie szedł, nie tkwiłbyś tu teraz. Proste, prawda, skarbie?

O tak, nie tkwiłby, ale… czyż nie chodziło mu właśnie o to?

– Dziwne, że nie wyciągnęłaś broni.

– Myślałam o kupnie czegoś poręcznego, lecz ostatecznie postawiłam na gaz. Wiesz co? – zapytała, po czym wręczyła mu szmatkę i sięgnęła po papierosa. Wetknęła go w kącik ust i zapaliła. Paznokcie pomalowane czarnym lakierem lśniły w blasku lampy jak oszlifowane onyksy. – Nie żałuję. Ani trochę. Nie wiem tylko, co mnie napadło, żeby zapraszać cię do domu. Mogłam cię tam zostawić na pastwę jakiegoś kutafona. Dostałbyś solidną nauczkę, co, skarbie?

Pokręcił głową. Przytknął szmatkę do oczu.

– Jesteś stuknięta.

Nie odpowiedziała. Wydmuchała dym, ale tym razem w bok. Przez moment wlepiała wzrok w tańczący obłoczek, który – płynąc pod sufit – zmieniał kształty, wibrował, aż w końcu znikł.

Janek wrócił myślami do wcześniejszej wizyty w mieszkaniu Kaśki. Nie mógł nazwać spędzonego tu czasu przyjemnym, prędzej osobliwym. Siedzieli przy tym samym stole, palili papierosy i rozmawiali. W zasadzie o niczym, bo po kwadransie temat aborcji przestał oddychać i skonał pod grubą warstwą braku porozumienia. A później… a później runęli na łóżko i zaczęli uprawiać dziki, spontaniczny seks.

Pobożne życzenia. Oczywiście nic takiego nie nastąpiło. Atmosfera w mieszkaniu zgęstniała do tego stopnia, że oddychanie powietrzem naładowanym seksualną elektrycznością sprawiało trudności, ale do niczego nie doszło. Trwali naprzeciwko siebie jak dwa posągi, ćmili fajki, patrzyli sobie w oczy… i NIC! Gdyby wykonał pierwszy krok, gdyby poszedł na całość, nie dbając o konsekwencje, nie odmówiłaby, był tego pewien. Lecz tkwiący w nim mąż nie pozwolił przemówić samczemu instynktowi. Gdy tylko w okolicach krocza czuł przyjemne, lecz uciążliwe mrowienie, wciskał pedał hamulca do samej podłogi i blokował koła pędzącej maszyny pożądania.

Nie mógł przelecieć najlepszej przyjaciółki żony, choćby nawet chciał. A Bóg mu świadkiem, że… Spojrzał na Kaśkę. Pokręcił głową. Nie chciał tego, nie mógł chcieć. Po prostu nie mógł. Obrączka włożona na palec przypominała o złożonej przysiędze, o ślubowaniu i odwzajemnionej miłości. Bo kochał Annę mimo tych wszystkich nieporozumień, mimo niesnasek i sprzeczek. Po burzy zawsze wychodzi słońce, chociaż z drugiej strony… Skoro tak, to dlaczego, mając szansę odeskortowania Anny do domu, całej i zdrowej, wybrał inny kierunek? Czemu nie zapewnił bezpieczeństwa żonie, lecz pchany przez coś, czego nawet nie potrafił nazwać, podążył za Kaśką?

Ogień trawiący mu twarz zaczął przygasać, toteż położył szmatkę na stole.

– Kim jest ten facet? – zapytał.

Strzepnęła popiół z papierosa.

– Jaki facet?

– Nie zgrywaj się, dobrze?

Westchnęła.

– Posłuchaj, skarbie. – Spojrzała mu w oczy. – Posłuchaj bardzo uważnie, bo widzę, że nic nie dociera do tej twojej pustej głowy. Nie jesteś moim mężem, więc nie muszę odpowiadać na głupie pytania. Moje życie, moja sprawa. Nie byłeś, nie jesteś i nigdy nie będziesz jego częścią.

Nie odpowiedział od razu. Wyjął z kieszeni paczkę swoich papierosów. Zaczął obracać w dłoniach, nie spuszczając wzroku z Kaśki. Powinien siedzieć w domu z żoną, ale wylądował w mieszkaniu kogoś, kogo nienawidził. Tak szczerze, całym sercem. Nienawidził całą duszą. Nienawidził jak największego wroga. Nienawidził po stokroć.

Zarazem pożądał.

– To się jeszcze okaże – powiedział po chwili milczenia.

Parsknęła ciepłym śmiechem.

– Okaże się? – zapytała, kiedy opanowała rozbawienie. – Okaże się? A niby co zamierzasz, twardzielu? Podasz mi chloroform, zwiążesz, wywieziesz na jakieś zadupie i zgwałcisz, co?

– Nie.

Wypuściła z ust kłąb dymu.

– Tak myślałam. Jesteś na to zbyt... hmm... cywilizowany.

– Nie podam ci chloroformu.

Pewność, z jaką to powiedział, spowodowała, że uśmiech Kaśki przygasł. Nie odrywając od niego wzroku, przeczesała dłonią włosy. Kilka mięśni twarzy zadrgało, odkrywając targające nią emocje.

– A reszta się zgadza?

– Tak. Nie wiem tylko, czy zrobię to w takiej kolejności.

Zdusiła papierosa w popielniczce. Sięgnęła po następnego. Wzięła do ręki zapalniczkę, która tym razem nie zadziałała.

Janek wyjął z kieszeni paczkę zapałek. Potarł główką o draskę. Nic. Po chwili ponowił próbę. Jest!

– Lepiej zajmij się żoną. Ona naprawdę cierpi – powiedziała Kaśka, zapalając papierosa.

Położyła dłoń na dłoni Janka, wciąż patrząc mu w oczy. Po paznokciach przepłynął refleks światła. W powietrzu zawisła słaba woń perfum. Ten niespieszny gest spowodował, że poczuł ciepło rozchodzące się po skórze.

– Nie przyszedłem tu rozmawiać o Annie.

– A o czym, skarbie?

– Nie przyszedłem tu rozmawiać... w ogóle.

Podszedł do lodówki. Wyjął piwo. Nawet nie zapytał, czy może skorzystać z prywatnego składu Kaśki, ba, nawet nie spojrzał jej w oczy. Postąpił jak ostatni cham, ale nic sobie z tego nie robił.

Kaśka nie zareagowała, a przynajmniej nie tak, jak przypuszczał.

– Czyli co, będziemy siedzieć w milczeniu i palić fajki? – zapytała spokojnym, pozbawionym emocji głosem, po czym zerknęła na swoje paznokcie, jakby sprawdzała, czy lakier wciąż trzyma się płytek.

Pociągnął solidny łyk z butelki. Oblizał wargi.

– Mnie pasuje. Przynajmniej sobie popatrzę.

– Na co?

– Na ciebie.

Wykrzywiła kąciki ust w nieznacznym uśmiechu. Spojrzała na końcówkę papierosa. Chciała powiedzieć coś, czego później mogłaby żałować, czuł to, ale ostatecznie powstrzymała zapędy języka.

– Za oglądanie się płaci – odparła.

Kolejny łyk. Zaczął obracać paczkę papierosów trzymaną w dłoni.

– Ile chcesz?

Pokręciła głową. Wydmuchała z ust kłąb dymu. Milczała, jak gdyby segregowała odpowiedzi, chcąc z pozornego rozgardiaszu wyłowić tę najlepszą, tę najwłaściwszą. Po chwili zdusiła dopiero na wpół wypalonego papierosa w popielniczce, po czym oznajmiła tym swoim ochrypłym głosem, obniżonym teraz przynajmniej o oktawę:

– Nie powinieneś tu przychodzić. Nigdy.

– Wiem.

– Wiesz, a mimo to przychodzisz.

Sięgnęła po butelkę piwa. Najpierw spojrzała na etykietę, później podniosła wzrok na twarz Janka.

Janek poczuł skurcz w okolicach dolnej partii brzucha.

– Dlaczego mnie śledziłeś? Czemu ciągniesz się za mną jak kurewski smród po gaciach?

Kiedy pełne usta Kaśki objęły szyjkę, skurcz przybrał na sile. Janek ścisnął w dłoni paczkę marlboro, tak że gdyby w papierosach tliła się iskierka życia, ciszę przerwałby zduszony jęk agonii.

– Nie wiem – odpowiedział.

Wyszedł z domu, nie mając pojęcia, dokąd zmierza i gdzie ostatecznie wyląduje. Traf chciał, że zakotwiczył w mieszkaniu najlepszej przyjaciółki żony. Znienawidzonej morderczyni. Kobiety zabijającej nienarodzone dzieci z uśmiechem na twarzy.

– Wiesz, nie wiesz. Wiesz, nie wiesz. Zdecyduj się, skarbie.

– Jestem zdecydowany.

– Jesteś rozrzutny.

– Nie rozumiem.

Wskazała palcem zgniecione opakowanie po papierosach.

– To jawne marnotrawstwo.

– Spróbuj coś z tego odzyskać. Może się uda.

– Tyle dla ciebie zrobiłam...

– O tak, załatwiłaś mnie gazem pieprzowym.

– ...przemyłam ci buźkę, poczęstowałam piwem, ugościłam jak Pan Bóg przykazał, a ty nie potrafisz okazać ani odrobiny wdzięczności. Jesteś cholernym dupkiem, wiesz? Cholernym, zapatrzonym w siebie dupkiem.

Wzruszył ramionami.

– Podobno masz do takich słabość.

Wypiła kolejny łyk piwa. Nieznacznym ruchem głowy wskazała Jankowi wyjście.

– Na ciebie już czas.

Udawanie zdziwienia nigdy nie wychodziło mu najlepiej, jednak tym razem mina, którą zrobił, sprawiała wrażenie autentycznej: usta wygięte w podkówkę, ściągnięte brwi, bruzdy żłobiące czoło.

– Naprawdę?

Westchnęła.

– Miałam ciężki dzień…

– …poza tym czeka na mnie Anna – dokończył za Kaśkę.

– Pojętny z ciebie uczeń, skarbie.

Wstał od stołu. Zanim skierował kroki do wyjścia, spojrzał na jej pomalowane paznokcie, a po chwili na ustach pokrytych cienką warstwą wilgoci. Piwo sprawiło się o niebo lepiej niż markowa pomadka.

– Wrócę – oznajmił, wkładając kurtkę.

– Chloroform, tak?

– Już mówiłem, nie używam chloroformu.

Wyszedł, zostawiając na stole pomięte opakowanie papierosów.

39

Leżała w łóżku, słuchając, jak krople deszczu bębnią o parapet. Północ minęła kwadrans temu (cyfry na elektronicznym zegarze stojącym na szafce nocnej pulsowały w rytmie odmierzanym przez upływające sekundy), a Janek wciąż nie wracał. Dokąd poszedł? Gdzie tym razem postanowił myszkować? Mnóstwo pytań, żadnych odpowiedzi, tylko pustka w głowie oraz w sercu.

Pragnęła zakopać topór wojenny – dobra, może nie topór, lecz toporek – ale nie miała ku temu sposobności. Bo mąż albo siedział przed komputerem, albo, znacznie częściej, wychodził bez słowa wyjaśnienia. Nawet teraz, w porze odpowiedniej dla nietoperzy, wciąż nie dawał znaku życia. Czy małżeństwo powinno przybierać taką formę? Czy miłość odchodzi w zapomnienie po kilku spędzonych razem latach? Czy drogi życiowe po jakimś czasie zawsze muszą podążać w innych kierunkach?

Żaden związek nie jest idealny, wiadomo, ale – do diabła! – dlaczego to właśnie oni, mimo wcześniejszych zapewnień, przestają walczyć? Czemu nie podejmują wysiłków, żeby uratować ich małżeństwo? Miłość umiera tylko wtedy, gdy codzienne starania o lepsze jutro, o marzenia, o przyszłość przegrywają w starciu z marazmem przyzwyczajeń. Czyżby ogień, który płonął w każdym z nich, zaczął przygasać? A może już wygasł?

Usłyszała chrobot klucza obracanego w zamku. Po chwili trzask zamykanych drzwi. Wstała, żeby porozmawiać z kimś, kogo jeszcze niedawno uważała za najważniejszą osobę w swoim życiu, a teraz... Pokręciła głową. Nie może składać broni bez jednego wystrzału, bo to oznaczało nieme przyzwolenie na zaistniałą sytuacją. Albo scementują małżeństwo zaprawą złożoną z porozumienia i wzajemnego zaufania, albo oboje poniosą klęskę.

Już raz przegrała, tam w parku. Nie chciała znowu czuć w ustach smaku goryczy.

Weszła do przedpokoju. Janek właśnie zdejmował kurtkę i buty, które pozostawiły na podłodze kilka mokrych plam. Spojrzał na nią tak, jakby zobaczył ducha, po czym przywołał na twarz skąpy uśmiech, lecz nie odezwał się ani słowem. Uznała, że musi wziąć sprawy w swoje ręce, inaczej nigdy nie naprawią tego, co psuli przez ostatnie tygodnie. Do ciężkiej, jasnej, ciasnej cholery, potrzebowała wsparcia, tymczasem musiała stawić czoło mężowi, z którym traciła kontakt! Boże, czym sobie na to zasłużyła?

– Wiesz, która godzina? – zapytała, opierając się o szafę.

– Przepraszam, straciłem poczucie czasu – powiedział głosem wypranym z wyrzutów sumienia.

Nie oczekiwała, że padnie na kolana i zacznie błagać o wybaczenie, ale przynajmniej mógł okazać odrobinę skruchy. Czy wymagała zbyt wiele?

Spojrzała na jego nieogoloną twarz. Wyczuła zapach alkoholu i dymu.

– Nie pierwszy i pewnie nie ostatni raz.

Wzruszył ramionami.

– Przeprosiłem.

O tak, przeprosił, tylko co z tego?

Patrzyła, jak zdejmuje spodnie, ściąga bluzę i idzie do salonu w samej bieliźnie. Poszła za nim, zdenerwowana brakiem zaangażowania w małżeństwo i brakiem jakichkolwiek przejawów empatii. Jeśli myślał, że takim podejściem do sprawy rozwiąże problemy drążące ich związek, to trafił jak kulą w płot.

– Gdzie byłeś?

Stanął na środku pokoju. Potarł dłońmi zaczerwienione oczy.

– Pracowałem.

„Co ty powiesz?"

Próbowała z nim porozmawiać, usiłowała wrzucić kilka łopat piachu do dzielącego ich rowu nieporozumień, ale on, uparty jak akwizytor pukający od drzwi do drzwi, nie robił nic, żeby nie została sama na tym polu bitwy.

„Nie spodziewałbym się nigdy tego po tobie"...

– O tej porze?

Rozłożył ręce w geście bezradności.

– Rozmawialiśmy już o tym. Próbuję wygrzebać się z dołka. Pracuję nad sprawą Malarza, pamiętasz? Nie mogę teraz odpuścić, zabrnąłem w to za daleko. Czemu wiecznie muszę to powtarzać?

– Tak, rozmawialiśmy o tym i przyjęłam do wiadomości fakt, że dla naszego małżeństwa jesteś stracony – powiedziała z goryczą w głosie. – Stracony... przynajmniej na czas pisania książki. Nie chodzi mi o to. Zapytałam, gdzie byłeś, i oczekuję odpowiedzi. Nie możesz znikać na pół nocy, nic nie mówiąc!

– Pracowałem – oznajmił tym samym beznamiętnym tonem.

– Czyżby?

– Do diabła, co sugerujesz? Że chodzę po mieście w poszukiwaniu mocnych wrażeń? – warknął, sypiąc kroplami śliny na lewo i prawo. – Że wydaję pieniądze na dziwki!? Że rucham wszystko, co się rusza!?

Chciała coś odpowiedzieć, cokolwiek, ale zakneblowana zdumieniem, nie potrafiła wydusić z siebie choćby słowa. O opanowanym, rozważnym Janku mogła już myśleć wyłącznie w kategoriach przeszłości. Janek, którego znała przez te wszystkie lata, odszedł, przyprowadzając na swoje miejsce kogoś, kogo widziała pierwszy raz w życiu.

W końcu wzięła się w garść i odparła:

– Nic nie sugeruję, ale...

– Właśnie że to robisz!

Jasne, ależ oczywiście!

Dostrzegła w jego oczach cienie, których nie widziała nigdy wcześniej. Mroczne, posępne, napawające strachem. Przez cały ten czas, kiedy żyła pod jednym dachem z ukochanym mężczyzną, trwała w przeświadczeniu, że nie tylko nie podniesie na nią ręki, lecz również nawet nie krzyknie. A teraz, gdy wodziła wzrokiem po nieogolonej, wykrzywionej gniewem twarzy, odniosła wrażenie, że wcześniejsze przypuszczenia mogą w każdej chwili zostać starte na proch.

„Pomóż mi".

– Nic nie sugeruję – powtórzyła, wyciągając na powierzchnię resztki autokontroli, ukryte gdzieś w odmętach złości. – Po prostu brakuje mi ciebie, tak trudno to pojąć? Przeżywam kryzys, oboje przeżywamy, tymczasem ty, zamiast ratować nasze małżeństwo, znikasz, jakbyś miał wszystko gdzieś.

Wypuścił powietrze z płuc.

– Robię, co mogę – odparł przez zaciśnięte zęby.

– Najwyraźniej robisz za mało!

– Przecież się nie rozdwoję! – krzyknął. Sprawiał wrażenie rozwścieczonego psa, który zerwał się ze smyczy i runął w tłum, żeby gryźć, kąsać i szarpać. – Praca nad poważną sprawą wymaga poświęceń, a za taką uważam sprawę Malarza. Nie rozumiesz tego? Nie rozumiesz!? Jak już z nim skończę, wszystko wróci do normy, obiecuję.

Ponownie spojrzała mu w oczy. Usiłowała dostrzec w nich odrobinę światła, jakiś promyk nadziei na osiągnięcie małżeńskiego kompromisu, ale widziała wyłącznie złość i egoizm.

– Przestaniesz palić papierosy? – zapytała. – Przestaniesz pić alkohol?

Znieruchomiał. Mięśnie szczęk zadrżały.

– Szpiegujesz mnie?

– Co się z tobą dzieje? – zagadnęła już nieco spokojniej, wiedząc, że wymiana ciosów prowadzi donikąd. „Trzymaj język za zębami, inaczej przegrasz", powiedziała do siebie w myślach. – Ostatnio jesteś nie tylko nieobecny, jesteś po prostu inny. Nie za takiego Janka wychodziłam. Nie z takim Jankiem chciałam ułożyć sobie życie. Nie z takim…

Uniósł rękę. Nie żeby uderzyć, raczej chciał zasugerować, żeby zamilkła.

– Przestań! Przecież nic się nie zmieniło!

– Nic się nie zmieniło? – Zrobiła taką minę, jakby zamierzała wylać morze łez. – Boże, posłuchaj sam siebie. Nic się nie zmieniło? Nie, jest dokładnie na odwrót. Wszystko się zmieniło, dosłownie wszystko, i to w momencie, w którym najbardziej cię potrzebuję. Najbardziej na świecie. Rozumiesz czy powinnam to przeliterować?

Milczeli przez dłuższą chwilę. Kobieta w spodenkach i koszulce z napisem „PIWO OCZYSZCZA UMYSŁ". Mężczyzna w czarnych slipach i białym podkoszulku. Oboje niemal toczący pianę z ust. Oboje rozwścieczeni, sypiący z oczu iskry gniewu. A wszystko w mroku salonu rozjaśnianym tylko przez niewielką lampkę ustawioną na szafce ze szwedzkiego marketu.

– O co chodzi? – zapytał. – O gwałt? Przecież…

– Nie, nie chodzi o gwałt.

– Więc o co?

Uciekła spojrzeniem w bok. Wzięła kilka głębokich oddechów. Jeśli chce powiedzieć mu o dziecku, musi zrobić to w tym momencie, bo lepszy nigdy nie nadejdzie. Nie miała pojęcia, jak Janek zareaguje, czy wpadnie w szał, czy też wybuchnie niepohamowaną radością. Miesiąc temu skakałby ze szczęścia pod sufit, ale teraz... Teraz spodziewała się wszystkiego.

– Jestem w ciąży – powiedziała.

Zapadła przytłaczająca cisza. Anna wzięła się w garść i wbiła wzrok w pozbawione wyrazu oblicze Janka. Milczał. Znowu. Przez sekundę. Pięć. Dziesięć. Odniosła wrażenie, że patrzy nie na żywego człowieka, lecz na trupa wypchanego trocinami, zabalsamowanego, pustego w miejscu, gdzie powinna znajdować się dusza.

– Słucham? – zapytał, odzyskując mowę.

– Tak, właśnie tak. Słuchasz, ale nie słyszysz.

Ponownie zapomniał, do czego służy język. Czas upływał, a on stał naprzeciwko z twarzą pozbawioną wyrazu, z oczyma powleczonymi mgłą. Nie miała bladego pojęcia, na co czeka. Na wyjaśnienia? Na rozwinięcie tej kwestii? A niby cóż mogłaby dodać? Przecież rozmawiała z inteligentnym facetem potrafiącym powiązać fakty, nawet tak niewygodne, jak te dotyczące ostatnich tygodni ich wspólnego życia.

– Teraz rozumiem. – Pokiwał głową. – Rozumiem doskonale. Zgwałcił cię, spuścił się w tobie i zostawił na pastwę losu. Wtedy o tym nie pomyślałem, ale teraz... Przez jakiś czas staraliśmy się o dziecko, a kiedy zaszłaś w ciążę, masz wątpliwości, kto jest ojcem. Twój ukochany mąż czy ten skurwysyn.

– Janek...

Znowu uniósł rękę.

– Co zamierzasz? – spytał.

Spojrzała na otwartą dłoń przypominającą ostrze gilotyny. Poczuła, jak strach szarpie jej wnętrzności. Jakaś cząstka, którą wciąż w sobie nosiła, podpowiadała, że kto jak kto, ale mąż nigdy nie dopuściłby się przemocy. Przecież ślubowali sobie miłość, wierność, uczciwość. Natomiast inna podpowiadała, żeby zważała na słowa, żeby nie ufała mężczyźnie zapatrzonemu w mordercę, komuś, kto szedł do celu po trupach... chociaż oczywiście nikogo nie zabił.

– Nie patrz tak na mnie – poprosiła słabym głosem. – Zostałam zgwałcona.

Sprawiał takie wrażenie, jak gdyby nie usłyszał tych słów. Opuścił rękę, pokręcił głową, po czym wygiął usta w nieznacznym uśmiechu. Lody zaczęły pękać, a kry nieporozumienia ruszyły w dół rzeki, przynajmniej miała taką nadzieję. Jako małżeństwo powinni pokonywać momenty słabości. Może problem powstał wyłącznie w jej umyśle karmionym przez hektolitry adrenaliny, przez bolesne wspomnienia i gorycz upokorzenia?

– Nie bój się – oznajmił. – Po prostu powiedz, co zamierzasz.

Złapała haust powietrza.

– Dużo o tym myślałam...

– Tak? – zachęcił, patrząc na nią z nieskrywaną troską.

Takiego Janka pamiętała: czułego, rozumiejącego potrzeby drugiej strony, zainteresowanego nie tylko swoimi sprawami, lecz również kwestiami dotyczącymi ich obojga. Faceta na poziomie.

– Boże, dlaczego to jest takie trudne? – westchnęła.

Podszedł do niej. Objął ramieniem. Przytulił.

– Kochanie, cokolwiek postanowisz, jestem po twojej stronie.

– Naprawdę?

Przyjazny uśmiech nie schodził mu z twarzy nawet na sekundę.

– Przecież jesteśmy małżeństwem.

Wzięła kilka głębokich oddechów. Zamknęła oczy. Wreszcie przyszedł moment, aby decyzja o aborcji opuściła bezpieczne schronienie umysłu i powędrowała w świat, jednak Anna nie potrafiła wydusić z siebie ani słowa. Odnosiła wrażenie, że zachowanie męża jest tylko ułudą, zagrywką i że mieszkają w nim dwie istoty. Pierwsza, ta bardziej agresywna, zrobiłaby wszystko, żeby osiągnąć cel. Druga, niezwykle dobrotliwa, przenigdy nie podnosiła głosu i wszelkie spory chciałaby zakończyć zgodą. Która z nich teraz uzyskiwała przewagę? Doktor Jekyll czy pan Hyde?

– Rozmawiałam z Katarzyną i...

– Niepotrzebnie. Sami rozwiązujemy własne problemy.

– Tak, wiem, ale...

Wyswobodziła się z jego objęć. Spojrzała mu w oczy, chcąc dojrzeć ukryty tam podstęp, zalążki rodzącej się wściekłości, ale zobaczyła jedynie łagodność. Odetchnęła.

– Jest moją najlepszą przyjaciółką i... Nie mogę urodzić tego dziecka, Janek. Wiem, jakie masz zdanie w kwestii skrobanki, ale nie mogę pozwolić, żeby... po prostu nie mogę urodzić tego dziecka.

Kiedy wreszcie wyrzuciła to z siebie, poczuła wielką ulgę. Ciśnienie opadło, a pustkę, którą po sobie zostawiło, wypełniła nadzieja. Wcześniejsze obawy przestały mieć jakiekolwiek znaczenie. Liczyło się tylko to, że zrobiła pierwszy, ten najtrudniejszy krok. Za moment przyjdzie pora na następne.

Janek cofnął się o metr. Powstałą między nimi przestrzeń wypełnił chłód.

– Przepraszam, co powiedziałaś?

– Nie mogę urodzić tego dziecka... – powtórzyła, wciąż spoglądając na męża.

Oczy na powrót powlekła mu mgła, uśmiech znikł, czoło przeorały bruzdy gniewu. Przechodził zdumiewającą metamorfozę, zresztą nie pierwszą. Zdjęta strachem, zaczęła drżeć. Gdyby tylko znalazła sposobność do ucieczki, skorzystałaby z niej, nie wyłącznie dla własnego dobra, lecz również dla dobra ich małżeństwa. Ale przerażenie spowodowało, że nie potrafiła wykonać żadnego ruchu. Żadnego! A gdzieś w środku, w zakamarkach trzewi czuła, że najgorsze dopiero nadchodzi.

– Janek, błagam, nie patrz tak na mnie!

Cios, niezbyt mocny, zadany otwartą dłonią, przyjęła z godnością. Wprawdzie głową szarpnęło, a po policzku rozlało się mocne pieczenie, ale nie dała po sobie poznać, że cierpi. Psychicznie, gdyż ból fizyczny nie doskwierał jak ten, który ogarniał każdy skrawek duszy. Nigdy nie padła ofiarą domowej przemocy… aż do dzisiaj. Nigdy nie musiała zważać na słowa w trakcie rozmowy z mężem… aż do dzisiaj. Nigdy, przenigdy nie rozmyślała o Janku w kategoriach zwierzęcia, które zakopuje rozsądek pod ziemią i pozwala dojść do głosu instynktowi… również aż do dzisiaj.

– Urodzisz to dziecko!

Wargi pokryła mu piana, jakby chorował na wściekliznę.

– Janek… – powiedziała słabym głosem, niemal szeptem.

– Urodzisz to dziecko, słyszysz!? Urodzisz!

– Nie mogę…

Kolejne uderzenie, również otwartą dłonią, lecz tym razem mocniejsze, spowodowało, że straciła równowagę i runęła na kanapę. Chciała się podnieść, ale usiadł na niej okrakiem i zaczął bić.

Zamknęła oczy. Usiłowała zasłonić rękoma twarz, jednak uderzenia i tak docierały do celu.

– Janek!

Nie zareagował. Nadal bił z szaleńczym zaangażowaniem. Sypał kroplami śliny na lewo i prawo. Dyszał i charczał.

– Urodzisz to dziecko! Urodzisz, słyszysz!?

Kiedy nacisk na ciało osłabł, przyjęła pozycję embrionalną, osłaniając rękoma głowę. Czekała, kiedy przestanie. Łzy kompletnej bezsilności spływały po policzkach, po czym wsiąkały w obicie kanapy. Oprócz bólu głowę rozsadzało jedno zasadnicze pytanie: „Dlaczego?".

DLACZEGO?

– Janek...

Doszła do wniosku, że skona, pobita przez własnego męża. Przez kogoś, komu ślubowała miłość, wierność i tym podobne bzdury, oczywiście z wzajemnością... Puste gesty, puste słowa... Idealna pustka, taka, która musi wypełniać wnętrze tam, po drugiej stronie życia.

– Janek...

Dopiero teraz zdała sobie sprawę z tego, że przestał. Sięgnęła do niemal wyczerpanych rezerw odwagi i otworzyła oczy. Przetarła dłonią policzki mokre od łez i krwi. Stał nad nią, wciąż dysząc. Pan i władca, albo raczej karykatura człowieka. Gniew w najczystszej postaci. Wycelował w nią dwa złączone palce, jak gdyby trzymał w ręku naładowany pistolet.

– Urodzisz to dziecko, czy ci się to podoba czy nie.

Wyszedł z salonu.

Po chwili usłyszała trzaśnięcie zamykanych drzwi.

„Nie spodziewałbym się nigdy tego po tobie"...

Mieszkanie spowiła cisza.

40

Malarz sprawiał wrażenie nieobecnego, jakby tkwił po drugiej stronie rzeczywistości, tej wykreowanej przez zwichrowany umysł, toteż siedzieli w kompletnym milczeniu. Janek najpierw zlustrował wszystkie kąty pomieszczenia, następnie stan swoich paznokci, aż w końcu nieco przybrudzonych butów. Nie miał ani czasu, ani siły na zadbanie o poszczególne części garderoby, bo ostatnią noc spędził w hotelu. Sto pięćdziesiąt złotych za dobę. Zdzierstwo, niemniej sytuacja wymagała poświęceń.

Wbił wzrok w dłonie, którymi skatował żonę. Nie miał pojęcia, co w niego wstąpiło, po prostu tak wyszło. Nigdy nie przypuszczał, że jest w stanie zrobić coś tak... obrzydliwego, tak potwornego, tak przerażającego. Gdy o tym myślał... niekiedy trudno zaakceptować fakty, ale... nie odczuwał specjalnych wyrzutów sumienia, takich, które demolują wnętrze i rozszarpują umysł. Nie powinien tego robić, to jasne, lecz został postawiony pod ścianą.

Pierwszy cios.

Drugi.

Seria kolejnych.

Trzask zamykanych drzwi

Po wszystkim poszedł do najbliższego sklepu z alkoholem, kupił dwie butelki wódki, później wynajął pokój w hotelu, gdzie mógł zapłakać nad swoim marnym losem, jednak nie uronił nawet jednej łzy. Prawdziwy twardziel. Wlewał w siebie czystą niczym oranżadę, zagryzał chrupkami o smaku trocin i wlepiał wzrok w zieloną wykładzinę. Jakim cudem przeszedł tak zdumiewającą metamorfozę? Co sprawiło, że podniósł rękę na żonę? Wiedział... ale wypychał ze świadomości prawdziwe powody swojego postępowania, jakby zawierały w sobie potężny ładunek trucizny.

Zerknąwszy na mordercę, powiedział:

– Chcę wiedzieć, jak to jest...

Malarz powrócił do krainy żywych. Spojrzał na Janka, wygiął usta w tym swoim nieznacznym uśmiechu, który nigdy nie odkrywał zębów, po czym poprosił pozbawionym emocji głosem:

– Kontynuuj, chłopcze.

Przez chwilę w pomieszczeniu panowała cisza. Janek skrzyżował ręce na klatce piersiowej, rzucił okiem na obrączkę i... znieruchomiał. Kiedyś ślubował Annie miłość, wierność i uczciwość małżeńską, ale teraz, po dwóch wspólnie przeżytych latach, obietnicami złożonymi przed ołtarzem mógł podetrzeć sobie tyłek, wrzucić do muszli i spłukać.

– Jak to jest... gdy wbijasz w ciało nóż...

Malarz pokręcił głową.

– Nie zrozumiesz.

– A jeśli?

– Jesteś zwykłym dziennikarzem, normalnym człowiekiem...

– Normalność, czymże ona jest?

– Dobre pytanie, chłopcze.

– Chcę wiedzieć, jak to jest, gdy posyłasz kogoś do piachu. – Janek potarł obrączkę kciukiem, po czym zdjął z palca i schował do kieszeni spodni. Wiedział, że ten gest nie umknie uwagi mordercy, ale… pieprzyć to! – Chcę wiedzieć, co się wtedy czuje, jakie myśli chodzą po głowie… Chcę to wszystko wiedzieć, rozumie pan? Bez tego książka…

Malarz nawet nie drgnął.

– Książka jest tylko przystankiem na drodze prowadzącej do właściwego celu. – Zrobił kilkusekundową pauzę, pozwalając Jankowi na przetrawienie tych słów. – Jest nieważna, jest kompletnie bez znaczenia. Zapiszesz setki stron, wydasz to swoje… dzieło i co potem?

– Nie myślę o przyszłości. Już nie.

Malarz kiwnął głową.

– Liczy się tylko teraźniejszość – powiedział.

Janek rzucił okiem na mordercę, chcąc dostrzec na jego twarzy choćby cień emocji. Malarz jednak pozostawał niewzruszony, co więcej, mówił tak, jakby wypowiadane zdania nie miały żadnego znaczenia. A przecież miały, kontakty z tym sukinsynem utwierdzały w przekonaniu, że nawet pojedyncze zdanie niesie z sobą mnóstwo cennych informacji.

– Już to wiem – odparł Janek.

Malarz spuścił wzrok.

– Trudno opisywać uczucia, chłopcze.

– Jest pan w tym całkiem niezły.

Spojrzenie powędrowało w górę.

– A ty, w czym jesteś niezły?

Pomyślał o ostatnich wydarzeniach. Ciąża. Aborcja. Pobicie. Uderzał raz za razem, bez opamiętania. Gdyby nie głos zdrowego rozsądku, naprawdę cichy, ledwo słyszalny, to mógł zrobić coś, czego żałowałby do końca swoich dni.

– Nigdy nikogo nie zabiłem – odparł.

Malarz wciąż siedział niemal bez ruchu.

– Nawet nie uderzyłeś – powiedział.

Nie, nie uderzył... Cios za ciosem, otwartą dłonią na odlew. Krzyki, jęki, błagania. Wpadł w prawdziwą niszczycielską furię i gdyby nie katował żony... gdyby podnosił rękę na kogoś innego, na przykład na Kaśkę... Czuł, że mógłby przekroczyć ostateczną granicę, na szczęście w ostatniej chwili się opamiętał. Skinął głową.

– Tak...

Przez twarz Malarza przemknęło zadowolenie.

– Zrób krok dalej, chłopcze.

– Dla pana wszystko jest proste.

Malarz nie odpowiedział od razu. Patrzył na Janka z cieniem uśmiechu na ustach, choć oczy pozostawały martwe. Trzynaście ofiar na koncie. Czy komuś tak przeżartemu przez zło cokolwiek mogło sprawiać trudności?

– Nie komplikuj sobie życia, rób to, do czego zostałeś stworzony.

Janek poczuł olbrzymie zmęczenie. Nieprzespana noc, adrenalina krążąca we krwi, morze wódki, mnóstwo przemyśleń. Czy coś jest w stanie odcisnąć na organizmie człowieka mocniejszy stygmat?

– Gdybym to wiedział...

– Wszystko przyjdzie z czasem.

Metaliczny, suchy głos mordercy niemal hipnotyzował.

– Więc jak to jest?

– Najlepszym źródłem poznania jest doświadczenie.

– Brednie.

– Sama prawda.

Upór Malarza sprawił, że senność odeszła. Cholera, jakie doświadczenie? Przecież nie trzeba doświadczyć czegoś na własnej skórze, żeby zrozumieć, wystarczy oprzeć się na wiedzy innych, tych, którzy więcej przeszli.

– Czyli co, mam chwycić tłuczek do mięsa i rozwalić komuś łeb? – zapytał z narastającym wzburzeniem. Każda rozmowa z tym psychopatą wyglądała identycznie i tak naprawdę miał dość zabawy w kotka i myszkę. – Do tego pan zmierza? A może powinienem pociąć nożem ciało jakiejś dziewczyny? Wtedy zrozumiem, co? Wtedy, kurwa, zrozumiem!

Malarz tylko pokręcił głową.

– Nie jesteś na to gotowy, chłopcze.

Janek położył dłonie na stole. Przytknął twarz do szyby.

– Na zabijanie? Kurwa, pan oszalał!

– Nie bardziej niż inni – odparł Malarz ze spokojem.

Wyglądał jak ktoś, kto zażył końską dawkę środków odurzających i teraz nawet widok gwałconej żony nie jest w stanie poruszyć w nim żadnej czułej struny.

– Jasne, facet, który załatwił na jebany amen trzynaście kobiet! – Janek już nie mówił, raczej warczał. – Trzynaście! Jest pan chory, rozumie pan? Jest pan kurewsko chory! Po jaką cholerę zawracam sobie panem głowę? Spierdalam stąd, jasne!? Spierdalam jak najdalej stąd! Jak najdalej!

Zerwał się na równe nogi. Poprawił poły kurtki. Zamierzał chwycić suwak zamka koniuszkami drżących palców, jednak nie potrafił. Gniew ścisnął mu krtań. Chciał wyrzucić z siebie kilka soczystych przekleństw, ale nie był w stanie. Świdrował mordercę wzrokiem, sapał i dygotał. Przywodził na myśl kogoś, kto usłyszał, że żona mu się puszczała przez ostatnie kilka lat.

Malarz wzruszył ramionami.

– Do widzenia – powiedział.

Gdyby nie bariera utworzona z szyby, Janek pewnie doskoczyłby do skurwysyna i obił mu ryło. Zamiast tego zacisnął pięść, rąbnął w blat stołu i wybełkotał tak, jakby przechowywał w ustach porcję rozmiękłych klusek:

– Kurwa, kurwa, kurwa!

Malarz nie odezwał się słowem przez dłuższą chwilę. Czekał, aż atak wściekłości minie. Siedział nieruchomo ze wzrokiem utkwionym w ścianę, nie okazując żadnych emocji. Dopiero kiedy Janek powrócił do równowagi, oznajmił:

– Zrozumiesz we właściwym momencie.

Janek znowu poczuł zmęczenie, tym razem jeszcze większe niż poprzednio. Osunął się na krzesło, westchnął, po czym zwiesił ręce wzdłuż tułowia, tak że palcami niemal dotykał podłogi.

– Pieprzenie – wyszeptał.

Malarz patrzył na niego wzrokiem pozbawionym wyrazu.

– Już wkrótce.

41

Miała na sobie przepoconą koszulkę...

Biegała po parku...

Wyszedłem na spacer z psem, którego dostałem od kolegi... Luźna znajomość, nic specjalnego... Czasami piwo, niekiedy spotkanie przy winie... lub wódce... Zawsze wolałem wino...

Miała na palcu obrączkę...

Znowu przypadek...

Była żoną... kolegi... tego od psa...

Bez przypadku...

Łączące nas więzi... rozumiesz, co mam na myśli... powodowały, że czułem specyficzny rodzaj podekscytowania. Awansować obcą kobietę to jedno, zrobić to z kimś znajomym, to już zupełnie inna sprawa.

Rozmawialiśmy dobry kwadrans.

O wszystkim... o niczym...

Wilgotna koszulka opinała ciało...

Bezwietrznie... Zapach sierpnia, lata...

Co za widok...

Chciałem, żebyśmy poszli do mnie... Odmówiła, ale za to zaprosiła mnie do siebie. Do mieszkania mojego kolegi. Ich mieszkania... Nie mogłem nie skorzystać...

Nie mogłem, rozumiesz, chłopcze?

Pojechaliśmy do niej moim samochodem...

Zapach potu...

Falująca pierś...

Materiał koszulki...

Wdech, wydech.

Nie potrafiłem oderwać od niej wzroku, nie potrafiłem zmusić rozbieganych myśli do posłuszeństwa... Nie potrafiłem... Była taka... pociągająca, taka... pociągająca... Wybacz brak oryginalności, chłopcze, inne określenie nie przychodzi mi do głowy...

Kolega pojechał w delegację. To nie miało większego znaczenia... Albo i miało... Wszystko jedno... Działałem bez planu, nakręcany pragnieniem... pożądaniem... wszystkim naraz.

Siedzieliśmy przy butelce wina aż do wieczora. Ciemność... Mrok... Włączyłem radio... Nie puszczali nic nadzwyczajnego... przynajmniej nic, co wpadałoby w ucho... Dobrze, że szybko znaleźliśmy wspólny język...

Bez podtekstów...

Patrzyłem na nią... patrzyłem, czując, jak coś przejmuje nade mną kontrolę, jak coś mnie pożera, kawałek po kawałku, jak coś trawi zdrowy rozsądek... trawi i wydala... Aż w końcu nie wytrzymałem...

Zacisnąłem pięść... Uderzyłem tylko raz...

Wystarczyło...

Straciła przytomność, osunęła się na podłogę... Stałem, nie mogąc oderwać od niej wzroku... Znowu... Była taka... zwyczajna... A jednak niezwyczajna... Pociągała mnie, tak po prostu...

Żona mojego kolegi.

Znalazłem koc. Gruby, puszysty, idealny do tego, co zamierzałem zrobić. Nie chciałem, by mnie ktoś zobaczył... Mrok. Ciemność. Mimo wszystko musiałem zachowywać ostrożność.

Ważyła nie więcej niż pięćdziesiąt kilogramów. Ciało wyrzeźbione przez zamiłowanie do biegania… Sprężyste piersi, ukryte pod materiałem obcisłej bluzki… tym razem innej, ale równie dopasowanej…

Wylądowała w bagażniku… A po kwadransie spokojnej podróży w piwnicy mojego domu. Nie spieszyłem się, kiedy leżała na materacu, nie musiałem zważać na upływający czas. Nie miałem pojęcia, czym jest stres…

Odzyskała przytomność…

Zdumienie… to najpierw, bo później mnóstwo łez… Strach, może nawet przerażenie. Wiedziała, że z miejsca, do którego trafiła, nie sposób powrócić. Skojarzyła mnie z tymi wszystkimi… awansami. Bystra dziewczynka. Szkoda, że kończyła w taki sposób. Naprawdę szkoda…

Improwizowałem.

Pójście na żywioł daje mnóstwo satysfakcji.

Godzina zabawy, może dłużej…

Zrozumiesz w odpowiednim momencie…

Gwarantuję…

Chłopcze.

42

Leżała w salonie opatulona grubym kocem. Płakała. Po raz pierwszy w życiu czuła się taka... bezsilna, sprowadzona do parteru, upokorzona. Przy tym, co zrobił Janek, gwałt wydawał się dziecinną igraszką. Bo tam, w parku, została upokorzona przez nieznajomego, przez drania największego kalibru, ale jednak obcego. A tu, w mieszkaniu, cierpiała przez własnego męża. Wytarła łzy rękawem starej rozciągniętej bluzy. Janek spędził noc poza domem, poza miejscem, które jeszcze przed chwilą stanowiło ich azyl przed całym złem tego świata. Przed chwilą... o tak, to chyba odpowiednie określenie, bo teraz nawet tutaj nie mogła odnaleźć bezpiecznego schronienia. Już nigdy nie znajdzie. Pobita przez kogoś, komu mogła ufać... to kiedyś, dawno temu, w czasach, które już nigdy nie wrócą.

Wstała, chcąc pójść do kuchni, żeby zaparzyć kawę, ale poczuła silny ból w okolicach skroni. Najpierw usiadła, później osunęła się na kanapę, po czym położyła głowę na poduszkę. Odetchnęła. Zbyt wiele emocji jak na jedno krótkie życie. O tak, stanowczo zbyt wiele.

Zwinęła się w kłębek.

Ponownie zaczęła płakać.

43

Siedział za kierownicą volkswagena passata, jadąc w kierunku Kuźni Raciborskiej. Do pokonania miał nie więcej niż dwadzieścia kilometrów, dlatego nie żyłował wozu. Koleś pracujący w wypożyczalni polecił mu auto w wersji kombi, twierdząc, że „w pojeździe takich rozmiarów można przewozić trumny". Gdy wypowiadał te słowa, odsłonił w uśmiechu dwa rzędy zepsutych, prawie czarnych zębów.

Wyjeżdżając z miasta ulicą Markowicką, Janek wrzucił czwórkę i włączył ogrzewanie. Temperatura wynosiła około zera, a nad horyzontem wisiały ciężkie chmury.

Początkowo chciał skorzystać z komunikacji miejskiej, ale ostatecznie wybrał coś, co pozwoli mu załatwić kilka spraw prawie jednocześnie. Potrzebował własnego środka transportu, bo… W porządku, może i nie przygotował żadnego planu, ale czuł, że pomysł kiełkujący mu w głowie w końcu zechce przebić grubą warstwę niepewności. A wtedy własne cztery kółka przydadzą się jak nigdy wcześniej.

„Urodzisz to dziecko, czy ci się to podoba czy nie".

Przesadził. O tak, przesadził i doskonale zdawał sobie z tego sprawę. Stracił panowanie nad emocjami, pozwolił przejąć kontrolę nad ciałem czemuś, co mógłby określić tylko mianem zwierzęcego instynktu. Gdy usłyszał, co Anna chce zrobić, coś w nim pękło, tak po prostu. A potem poszło już z górki. Całe zdarzenie pamiętał jak przez mgłę i musiał wytężać umysł, żeby z porozrzucanych klocków wspomnień złożyć konkretną budowlę.

Co się z nim dzieje, do diabła?

Dotarł do Markowic, jednej z dzielnic Raciborza. Musiał zatrzymać wóz na przejeździe kolejowym, po czym ruszył dalej. Najpierw minął kościół, później stację benzynową, żeby wreszcie wyjechać na długą prostą, gdzie mógł wdepnąć gaz do samej podłogi. Ale nie zrobił tego. Sunął najwyżej osiemdziesiątką, pozwalając pracować szarym komórkom wśród pomruków silnika. Świetnie, tylko... czemu dopiero teraz?

Aborcja.

Przed oczyma stanął mu obrazek z przeszłości. Siedzi przed telewizorem, trzymając w dłoni szklankę z gorącą herbatą z sokiem malinowym. Jest grubo po dobranocce, Jedynka nadaje film dla dorosłych. Horror, western, sensacja. Bez znaczenia. Najważniejsze, że trup ściele się gęsto, a największy twardziel, facet o barach jak kule do kręgli, rozwala kolejnych przeciwników, spluwając przy tym na lewo i prawo. Idealna pozycja dla nastolatków.

O tej porze powinien ślęczeć nad książkami, odrabiając zadanie domowe, ale matka wyszła do znajomej, skąd przychodzi zazwyczaj koło północy. Babskie ploteczki, jak zwykła nazywać posiedzenia organizowane u koleżanek w pierwszy dzień tygodnia. Życie nie jest sprawiedliwe, o nie, ale od czasu do czasu pokazuje łaskawsze oblicze nawet komuś takiemu jak on, chłopakowi, który funkcjonuje w ściśle określonych ramach. Szkoła, dom, sprzątanie, klęczenie na grochu i tym podobne przyjemności. Żadnych rozrywek, żadnych filmów, a nawet komiksów. Przecież przyszedł na świat bocznym wejściem, skąd wychodzą tylko społeczne wyrzutki, w niektórych kręgach nazywane bękartami.

Aborcja.

Zapatrzony w migoczący ekran, nawet nie zdaje sobie sprawy z tego, że zwalnia uścisk, a szklanka wypuszczona z rąk uderza w podłogę. TRACH! Mnóstwo okruchów na świeżo wyczyszczonym dywanie. Czerwona plama ogarniająca swoim zasięgiem coraz większe połacie materiału. Wsiąkająca we włókna z bezlitosną skutecznością. Problem. Nie, nie problem, raczej katastrofa!

Matko przenajświętsza!

Biegnie do łazienki, chwyta za szmatę, wkłada pod kran, po czym wraca i zaczyna szorować. Lewo, prawo. Lewo, prawo. I tak niemal bez końca. Po plecach spływają mu strugi potu. Język przysycha do podniebienia. Mięśnie drżą jak po intensywnych ćwiczeniach fizycznych. Po zrelaksowanym chłopaku nie pozostaje nawet ślad. W jednej chwili przemienia się w kłębowisko nerwów, w żałosną karykaturę człowieka, a wszystko przez matkę, przez kogoś, kto nie zna litości.

Chrobot klucza obracanego w zamku.

To już? To już!?

Podbiega do telewizora. Wciska wyłącznik. Ponownie klęka na dywanie i zaczyna pracować. Lewo, prawo. Lewo, prawo. Wie, że nie uniknie garbowania skóry. Wie, że tym razem matka pójdzie na całość. Wie też, że nie jest niczemu winny, takie rzeczy się zdarzają... o tak, on to wie, z tym że matka... Przechodził to dziesiątki, jeśli nie setki razy. Już po nim, tym razem nie uniknie kary, choćby zaczął szlochać, chociażby błagał o łaskę i odrobinę zrozumienia.

Aborcja.

Matka ściąga buty, zdejmuje płaszcz i wchodzi do pokoju. Staje nad nim jak kat nad swoją ofiarą, z tym że nie trzyma w rękach siekiery, o nie, ona jej nie potrzebuje. Jest władczynią ich skromnego mieszkania, ich królestwa, ba, jest panią życia ich obojga. Przecież urodziła syna wbrew głosowi zdrowego rozsądku, wydała na świat dziecko, mimo że zamierzała odwiedzić gabinet znajomego ginekologa i… usunąć ciążę. Szybka akcja i po sprawie.

W ciągu sekundy atmosfera w pokoju gęstnieje do granic możliwości. Cisza ciągnie się prawie w nieskończoność. Nawet przedmioty wstrzymują oddech. W powietrzu dryfują pierwsze cząsteczki wściekłości, która paruje matce przez skórę. Jeszcze tylko chwila, jeszcze dosłownie mgnienie oka, a matczyny gniew zaleje całe pomieszczenie.

Błagam…

Matka zaczyna krzyczeć. Jest nieudacznikiem. Jest kompletnym zerem. Jest bękartem, który nigdy nie powinien stąpać po tej ziemi. Przyszedł na świat tylko dlatego, że uległa namowom tego drania. Gdyby od razu zrobiła pieprzoną skrobankę, to miałaby święty spokój, to po pierwsze. A po drugie, nie zmarnowałaby sobie życia. O tak, przez to, że okazała mu swoją wspaniałomyślność – WSPANIAŁOMYŚLNOŚĆ! – straciła najlepsze lata młodości. Powinna oddać bękarta do sierocińca, tam gdzie jego miejsce. Ale nie, zawahała się, czego żałuje do dziś. Nieudacznik. Kompletne zero. Nieporozumienie.

Wyskrobać. Zapakować do worka i wyrzucić.

Zabić.

Tym razem matka nie podnosi na niego ręki, nie bije, nie zaczyna tarmosić. Najpierw chowa twarz w dłoniach, następnie zaczyna płakać, a później wybiega do łazienki, skąd nie wychodzi przez następny kwadrans. A on nadal klęczy, drży na całym ciele, trzyma szmatę w dłoniach i zaciska zęby tak mocno, że niemal słyszy chrobot trących o siebie kości. Dlaczego to wszystko nie spotyka kogoś innego, kogoś, kto naprawdę zasłużył?

Aborcja.

Zmarnował matce najlepsze lata życia. Przemielił młodość w żarnach wiecznych obowiązków. A przecież mogła chodzić na potańcówki, mogła szaleć w dyskotekach, mogła latać za facetami, mogła robić to, co wszystkie dziewczyny stojące u progu dorosłości. Ale nie, zamiast tego uległa urokowi jakiegoś... drania, poszła z nim do łóżka i... już, tak po prostu. Brzemienna w skutki chwila zapomnienia. Chciała usunąć ciążę, pragnęła pozbyć się zbędnego balastu, jednak ojciec zapewniał, że wytrwa przy niej bez względu na wszystko, że pomoże w wychowaniu dziecka. A później zwyczajnie wyjechał.

Aborcja. Skrobanka. Nie! Nie! Nie!

Nie pozwoli zabić nienarodzonego malucha, ani teraz, ani nigdy.

Nie pozwoli, zrozumiano?!

NIE POZWOLI!

Bękart. Wyskrobek. Bachor.

Pieprzyć to! Pieprzyć!

Wyjął z kieszeni piersiówkę. Wypił kilka łyków, po czym włożył do ust papierosa. Facet z wypożyczalni ostrzegał, żeby nie palił w aucie, ale Janek miał to w głębokim poważaniu. Musiał płacić stówę za każdy dzień użytkowania samochodu. Cholerne zdzierstwo. Ktoś w końcu powinien przemówić kolesiowi do rozumu, a do pustych łbów wiedza najlepiej wchodzi przez odbyt. Zatem do dzieła! Przyłóż sukinsynowi lufę do skroni, każ opuścić spodnie i wypiąć zadek, załóż wojskowe buciory, weź zamach i... JACKPOT!

Wypuścił kłąb dymu. Znamienne, że jeszcze przed momentem chciał załatwić gnoja, który zgwałcił żonę – Bóg mu świadkiem, że wpakowałby w łeb skurwysyna cały magazynek – tymczasem posunął się do... tego, do czego się posunął. Gdy o tym myślał, nie nazywał rzeczy po imieniu, bo właściwe słowa nie chciały mu przejść przez gardło. No powiedz to, na co czekasz? I tak nikt nie usłyszy, że... że...

No dalej!

Zacisnął dłonie na kierownicy, tak że aż pobielały mu knykcie.

...że zmaltretowałeś żonę, że usiadłeś okrakiem na słabej, bezbronnej kobiecie i wprawiłeś w ruch masywne dłonie. Biłeś tak długo, aż przyszło opamiętanie, aż twarz osoby, której ślubowałeś miłość, wierność i uczciwość małżeńską, zaczęła przypominać zgniłe jabłko. Niezły z ciebie twardziel. Prawdziwy facet z jajami tak wielkimi, że mógłbyś stanąć w ringu z samym Mariuszem Pudzianowskim.

Kurwa mać!

Minąwszy wieś o nazwie Nędza, wjechał w las, toteż sunął z prędkością najwyżej sześćdziesięciu kilometrów na godzinę. Gdyby spomiędzy drzew wyskoczyło jakieś zwierzę, na przykład sarna lub dzik, miałby czas na reakcję.

Kolejny kłąb dymu. Wnętrze auta zaczęło przypominać koksownię.

Nie chciał pobić Anny, nigdy, przenigdy nie zrobiłby tego bez pomocy kogoś z zewnątrz. Katarzyna. Kaśka. Kobieta wyzwolona. Suka. Wszystko przez nią. Usuwanie ciąży to specjalność tej dziwki i zapewne to ona, nikt inny, podsunęła żonie to rozwiązanie. A przecież ojciec dziecka nie może pozwolić, żeby umarło... nie, raczej żeby zginęło z ręki własnej matki! Wierzył, że plemniki gwałciciela przegrały wyścig z tymi wystrzelonymi przez niego. Marzenia o rodzinie, które nosił w sobie przez ostatnie lata, zaczynały przybierać namacalne kształty, tymczasem Anna zamierzała mu odebrać to, czego tak bardzo pragnął, do czego dążył. O nie, nie mógł do tego dopuścić.

Solidarność jajników. Gdyby nie Kaśka, Anna nigdy nawet nie pomyślałaby o aborcji. Kto jak kto, ale nie ona. Niepotrzebnie podniósł na nią rękę, bo przecież wina leżała po stronie Kaśki. Chociaż z drugiej strony, obie maczały palce w usiłowaniu zabójstwa, obie opracowały niecny plan unicestwienia nienarodzonego życia. Wspólniczki. Towarzyszki na drodze prowadzącej do morderstwa.

Dziwki.

Potrząsnął głową. Nie, Anna nigdy nie zrobiłaby czegoś takiego.

„Jesteś pewny, że została zgwałcona?"

Tak, jestem pewny!

Czyżby?

Przestań!

„Jesteś pewny, że została zgwałcona?"

Przestań, do kurwy nędzy!

Dom Alfreda Bomby stał zaraz przy głównej drodze, wciśnięty w szereg podobnych, a nawet niemal identycznych zabudowań. Dwie kondygnacje, spadziste dachy, okna standardowej wielkości, smugi dymu ulatujące w przestworza z kominów obudowanych pomarańczową cegłą. Każdą posesję otaczało ogrodzenie z kutego żelaza albo z najzwyklejszej siatki, albo – jak w wypadku działki emerytowanego policjanta – z drewna. Każdą wypełniał gąszcz najróżniejszych drzew i krzewów. Wreszcie każdą przygotowywano do nadchodzącej zimy: na kilka zwieziono węgiel, na parę dostarczono piasek, zaś o ściany niektórych budynków oparto nowo zakupiony sprzęt do odśnieżania.

Wjechał na teren posesji przez otwartą bramę. Zatrzymał wóz na podjeździe, wysiadł, po czym podszedł do drzwi. Rzucił niedopałek na żwirową ścieżkę. Przydepnął. Wyjął z kieszeni piersiówkę, zdezynfekował gardło alkoholem, schował i dopiero wtedy zapukał.

Przed pierwszą wizytą w zakładzie karnym stres demolował mu organizm, teraz nie czuł dosłownie nic. Trening czyni mistrza.

Otworzył mu niski mężczyzna o twarzy przypominającej księżyc w pełni. Miał na sobie dżinsowe spodnie, nieco za luźne, zwłaszcza w okolicach krocza, i flanelową koszulę w kratę, opinającą wydatny brzuch. Spojrzał na Janka spod gęstych siwiejących brwi, uśmiechnął się i znieruchomiał w pozie sugerującej wyczekiwanie.

Janek chrząknął, po czym zapytał:

– Pan Alfred Bomba?

– A ty jesteś Jan Kowalski...

– Zgadza się.

Policjant wskazał ręką samochód zaparkowany na podjeździe. Janek nie dostrzegł na palcu serdecznym prawej dłoni ani obrączki, ani śladu, który mógłby wskazywać na to, że kiedyś tam tkwiła.

– Mówiłeś, że pismaki nie śpią na forsie, a przyjeżdżasz do mnie niezłą furą.

Janek wzruszył ramionami.

– Nie kłamałem. Proszę spojrzeć na oznaczenie. To auto z wypożyczalni.

– Faktycznie. Autobusy przestały kursować?

– Chciałem być niezależny.

– Dobrze zrobiłeś, synu. Wejdź.

Zdjął kurtkę w niewielkim przedsionku. Następnie poszedł za gospodarzem do przestronnego salonu pachnącego środkami czystości. Wyczuł aromat kwiatów polnych, lasu i wanilii. Pomieszczenie lśniło, tak jakby właściciel nie robił nic innego prócz biegania ze szmatką do wycierania kurzu. Na panelach nie walał się ani jeden okruszek, okna błyszczały niczym oszlifowane brylanty, a na ekranie płaskiego telewizora próżno by szukać choćby drobinki pyłu.

No tak, kogoś, kto wsadził za kraty Malarza, musiała cechować pedantyczność, skrupulatność i zamiłowanie do porządku. Konsekwentne podążanie za chociażby najmniejszym tropem wymaga od człowieka określonych predyspozycji, które nawet w środowisku domowym nie schodzą na drugi plan.

– Czego się napijesz, synku? – zapytał Bomba. – Kawy, herbaty?

Janek usiadł na kanapie.

– Mogę prosić o coś mocniejszego?

Gospodarz zmarszczył czoło.

– Masz na myśli oranżadę?

– Jeśli ta oranżada nie pluje gazem i zawiera w sobie chociaż trochę procentów…

– Synku, nie minęło jeszcze południe – oznajmił poważnym tonem, stojącym w kontraście z cieniem uśmiechu, który przemknął mu przez twarz.

Oczy rozbłysły tylko na moment, ale to wystarczyło, żeby Janek zrozumiał, z kim przyjdzie mu rozmawiać. Strażnicy w zakładzie karnym wlewali w siebie alkohol o każdej porze dnia i nocy, więc dlaczego policjanci, zwłaszcza ci pobierający świadczenia wypłacane przez ZUS, mieliby robić inaczej?

– Nigdy nie twierdziłem, że jestem dżentelmenem.

O tak, Anna mogłaby coś o tym powiedzieć.

Bomba położył na stole trzy tekturowe podkładki. Następnie otworzył barek. Wyjął butelkę whisky, po czym poszedł do kuchni po dwie szklanki, do których wrzucił lód, nalał alkohol, usiadł naprzeciwko Janka, przepłukał usta niewielką porcją, po czym zapytał z przyganą w głosie:

– Siądziesz za kółkiem po alkoholu?

– Czy widzi tu pan kogoś, kto pije alkohol?

Bomba skinął głową i wykrzywił cienkie usta w nieznacznym uśmiechu. Zmarszczki wokół oczu nabrały zdumiewającej głębi. Prawdziwy buldog, taki, który ściga przestępcę do upadłego, do skutku... chyba że padnie w biegu jako pierwszy. Właśnie dlatego to on przyskrzynił Malarza. Tylko ktoś, komu determinacja paruje każdym porem skóry, jest w stanie wygrać batalię z seryjnym mordercą.

– Rozmawiałeś z tym potworem...

– Słyszałem, że to pan prowadził dochodzenie i to pan wsadził faceta za kratki. – Obracając szklankę w dłoni, Janek wpatrywał się w płyn w kolorze bursztynu. – Może pan zdradzić jakieś szczegóły? Jak do tego doszło, jak pan wpadł na jego trop, gdzie i kiedy dokonano aresztowania...

Bomba również wlepił wzrok w zawartość szklanki. Milczał przez dłuższą chwilę, jak gdyby czekał, aż porozrzucane puzzle wspomnień ułożą się w całość. W końcu przeniósł spojrzenie na Janka i powiedział:

– Nad sprawą Malarza nie pracowałem sam. Powołano specjalną grupę mającą badać każdy pojedynczy ślad, każdy szczegół, każdą poszlakę. Facet wodził nas za nos przez tyle lat... – Przerwał, kuląc się na fotelu niczym dziecko, które wie, że za moment może znowu poczuć smak ojcowskiego gniewu. Sprawiał wrażenie przygniecionego ciężarem odpowiedzialności za to, że nie złapał seryjnego mordercy wcześniej, że nie zdołał ocalić wielu ludzkich istnień. – Spieprzał przed nami tak długo, że straciłem nadzieję na to, że cokolwiek wskóramy. I wiesz co? Potrzebowaliśmy szczęścia, mnóstwo szczęścia, inaczej skurwysyn wciąż chodziłby na wolności i zabijał.

Janek zamoczył usta w alkoholu.

– Szczęścia? Media podawały, że drań wpadł w zastawione przez was sidła.

– Media? – zapytał Bomba z taką dawką ironii w głosie, że mogłaby zalać dom aż po sufit. – Synku, nie wierz we wszystko, co widzisz na ekranie telewizora. Mieliśmy fart. Malarza zatrzymał patrol drogówki. Rutynowa kontrola, nic związanego ze śledztwem. Powód: rozbite światło mijania. Oczywiście chłopaki nie wiedzieli, z kim mają do czynienia. Sprawdzili papiery, wymienili parę zdań… Podobno na każde pytanie odpowiadał z uśmiechem na ustach, rozluźniony, pogodny, zupełnie beznamiętny. I gdyby nie dziwne odgłosy dochodzące z bagażnika, pewnie pojechałby do tego swojego kurewskiego domu, żeby pociąć kolejną ofiarę.

Janek nie mógł uwierzyć w to, co usłyszał. Do tej pory sądził, że Malarz wpadł dzięki znakomicie wykonanej policyjnej robocie, tymczasem gliniarze potrzebowali „mnóstwo szczęścia", żeby wsadzić drania za kratki.

– Przyłapaliście kolesia na gorącym uczynku zupełnie przypadkiem?

Gospodarz wypił whisky jednym haustem, nawet się nie krzywiąc. Zmierzył Janka uważnym, surowym wzrokiem, takim, który musiał trenować na twarzach podejrzanych, gdy siedzieli w pokoju przesłuchań i robili pod siebie ze strachu.

– Myślałeś, że rozmawiasz z najlepszym gliniarzem w kraju? Z kimś przypominającym porucznika Borewicza? Przepraszam, że sprawiam zawód, naprawdę nie chciałem, synku – oznajmił na poły z rozbawieniem, na poły z goryczą w głosie. – Jeśli naprzeciwko stoi ktoś taki jak Malarz, zdolny manipulator, nie planujesz żadnego kroku, to nie jest możliwe. Bierzesz to, co przynosi los, nic poza tym.

„Zdolny manipulator".

Kolejny człowiek używający takiego sformułowania.

– Koledzy wezwali posiłki, niemal całą armię – ciągnął gospodarz, nalewając sobie kolejną porcję whisky. Zamieszał alkohol w szklance, kołując dłonią, po czym przeniósł spojrzenie na Janka. – Nie wiem, jakim cudem wyszli z tego bez szwanku... to znaczy, bez żadnych urazów psychicznych. Stanąć oko w oko z kimś tak popieprzonym... i to przebywającym na wolności... Trzeba mieć jaja ze stali... z betonu... i sam Bóg raczy wiedzieć, z czego jeszcze.

– Z tytanu.

– Słucham? – zapytał, jak gdyby zatopiony we wspomnieniach od stóp po czubek głowy, odcięty od rzeczywistości przez myśli o sprawie sprzed ładnych paru lat, nie usłyszał lub nie zrozumiał.

– Z tytanu... No wie pan, jaja... Jaja z tytanu.

– Może być tytan. Zresztą – machnął ręką – co tylko zechcesz.

Janek chciał sięgnąć po papierosa, lecz przypuszczał, że w domu przesiąkniętym zapachem środków czystości dym jest bardziej niepożądany niż smród zwierzęcych odchodów.

– Mówiłeś, że z nim rozmawiałeś – podjął gospodarz po chwili milczenia.

– Tak. Mówił dużo, ale bez konkretów.

– Więc, tak dla odmiany, może ty zaczniesz być konkretny?

Ostry zawodnik. Pies bez kagańca.

– Zawsze myślałem, że wybierał mężatki. Przynajmniej taką informację znalazłem w aktach sprawy. Tymczasem on twierdzi, że stan cywilny ofiar nie miał żadnego znaczenia. I że nie polował na określony typ, zdawał się na przypadek.

Bomba wstał, po czym podszedł do komody, sięgnął po szmatkę, spryskał płynem do czyszczenia mebli i zaczął wycierać blat stołu, który nie wymagał żadnej, choćby najskromniejszej, kosmetyki.

– Brednie – powiedział, taksując wzrokiem idealnie czystą powierzchnię. – Każda ofiara podlegała starannej selekcji, rozumiesz, synku? Każda. Malarz działał jak wytrawny łowca. Przypadek? Wolne żarty. Ktoś o tak rozwiniętej inteligencji kalkuluje wszystkie za i przeciw, dokonuje szczegółowych analiz, a dopiero później wprowadza plan w życie. Zabijał mężatki, bo czerpał z tego chorą satysfakcję. Brał w posiadanie cudzą własność, kradł innym mężczyznom...

Janek wypił. Miał ochotę na dolewkę, ale zdawał sobie sprawę z tego, że za chwilę usiądzie za kółkiem, a przecież nie chciał skończyć za grubymi murami zakładu karnego. Pragnienie wlania do organizmu środka zwalczającego stres ustąpiło zdrowemu rozsądkowi.

– Nie rozumiem. Skoro tak, to dlaczego skłamał? Przecież siedzi za kratami i nigdy nie wyjdzie na wolność. Nie musi robić mnie na szaro. Może mówić prawdę, to nic nie kosztuje.

Gospodarz, który przeniósł uwagę na szafę z sosnowego drewna, pracując z mrówczą wytrwałością, znieruchomiał i spojrzał na Janka tak, jak gdyby rozmawiał z małym dzieckiem.

– Synku, w przypadku tego psychopaty wszystko ma swoją cenę.

„Jest zdolnym manipulatorem".

I co z tego?

„Jesteś pewny, że została zgwałcona?"

Tak, do kurwy nędzy, jest pewny!

„Co jesteś w stanie poświęcić, żeby ze mną porozmawiać, chłopcze?"

Wszystko, absolutnie wszystko!

„Chcesz tylko brać, nie dając nic w zamian".

Nie, oddał już naprawdę wiele.

– A co z prowokacjami?

Krzaczaste brwi gospodarza powędrowały w górę.

– Słucham?

– Malarz do dzisiaj twierdzi, że nigdy nie posunąłby się do zbrodni, gdyby nie został do tego zmuszony – wyjaśnił, odnosząc wrażenie, że jabłko Adama stanęło mu w gardle, utrudniając oddychanie. Zaczynał czuć się jak idiota, jak ktoś, kogo przez lata utwierdzano w przekonaniu, że jest najlepszym pływakiem na świecie, tymczasem ledwo potrafił unosić się na powierzchni wody. – Podobno kobiety wodziły go za nos, podpuszczały, bawiły się nim. Podobno...

Gospodarz machnął ręką, po czym usiadł w fotelu.

– Podobno, podobno, podobno. Synku, zamierzasz napisać książkę opartą na faktach czy na bredniach szaleńca? Każde posunięcie planował z niezwykłą starannością, rozumiesz? Każdy ruch obmyślał po kilkaset razy. Zanim zaczął pociągać za odpowiednie sznurki, badał teren, węszył, obserwował... aż w końcu dochodził do wniosku, że może działać.

– Więc dlaczego wpadł?

– Przypadek.

– Mówił pan...

– Wiem, co mówiłem. – Bomba ponownie wstał, poszedł w kierunku telewizora, przybliżył twarz do ekranu i zaczął sprawdzać, czy na powierzchni nie osiadł kurz. – Dlaczego nie mogliśmy złapać sukinsyna przez tyle lat? Czemu wciąż nam umykał, jakby nie był istotą z krwi i kości, lecz duchem? Bo nigdy nie zdawał się na przypadek. A poza tym potrafił manipulować ludźmi. Przypuszczam, że nadal to potrafi.

Janek przełknął ślinę.

– To znaczy?

Gospodarz otworzył jedną z szuflad komody, wyjął stos bielizny, rzucił na stół i zaczął na nowo układać coś, co nie wymagało najmniejszej ingerencji. Ciekawy sposób na wypełnienie dnia od świtu do późnego wieczoru.

– Rusz głową, synku, to nie boli! Jak myślisz, dlaczego kobiety dawały się zwabić do jego domu? Czemu wsiadały do samochodu nieznajomego? – Gdy mówił, pracował dłońmi z wprawą godną pozazdroszczenia. Pewnie mógłby układać poszczególne części garderoby z zamkniętymi oczyma. – Bo miały nierówno pod sufitem? Bo chciały przeżyć coś ekscytującego? Nie, po prostu niczego nie podejrzewały. Zostały urobione jak ciasto na kołacz z makiem, łapiesz?

O tak, zaczynał łapać, chociaż nadal tkwił w nim solidny kawał sceptyka.

– Tak, ale… został zatrzymany w momencie, gdy wiózł ofiarę w bagażniku. Skąd zmiana w modus operandi? Dlaczego z inteligentnego mordercy, planującego każde posunięcie, przeistoczył się w zwykłego bandziora? Czemu porzucił środki ostrożności i pozwolił sobie na tak kardynalny błąd?

Bomba schował bieliznę do komody, po czym wrócił na miejsce.

– Pycha, synku, słyszałeś kiedyś o takim słowie? – zapytał z ironicznym uśmiechem. – Dorwaliśmy gnoja, bo stał się zbyt pewny siebie. I druga sprawa, pragnął coraz więcej krwi. Zaczął mordować niemal bez opamiętania, prawie dzień po dniu. Oficjalnie mówiono o trzynastu ofiarach… nieoficjalnie o kilkudziesięciu. Ile naprawdę zabił? Tego nie wie chyba nawet on sam.

Kilkadziesiąt.

Las. Możliwość zakopania zwłok. O tak, to miałoby sens.

Janek chwycił za butelkę.

– Pozwoli pan?

– Nie krępuj się.

Nalał whisky do szklanki. Wypił jednym haustem. Zrozumiał, że odkrycie prawdy, niekiedy dryfującej na powierzchni, innym zaś razem znikającej w głębinach, stanowi wielkie wyzwanie. Wyzwanie, któremu sprosta, chociażby musiał poświęcić wszystko, dosłownie. Dotarł tak daleko, że myśl o rzuceniu prywatnego dochodzenia w diabły i powrotu do tego, czym żył do momentu poznania Malarza, wydawała się wręcz idiotyczna. Nie, nie odpuści, nie może tego zrobić. Tym bardziej że chropowaty, lecz jednolity dotychczas wizerunek mordercy pokryło wiele pęknięć.

– Wiem, że zakopywał zwłoki w ogrodzie...

– Tak, trzynaście ciał. Facet przyszedł na świat nie jako człowiek, lecz jako potwór. Czyste zło. Już od najmłodszych lat przejawiał skłonności do przemocy i sadyzmu. A później... Cóż, później rozwinął swoją obsesję.

Obsesja.

Bomba mówił przytłumionym głosem, jakby rozczarowanie dławiło mu krtań. Albo wciąż miał do siebie pretensje, że nie złapał sukinsyna wcześniej, albo wspomnienie dawnych lat poruszało jedną z czułych strun ukrytych gdzieś w zakamarkach duszy.

– Chwila, moment. – Janek wyjął z kieszeni koszuli paczkę papierosów. Włożył marlboro do ust drżącymi rękoma i rzucił okiem na gospodarza. Policjant sprawiał takie wrażenie, jak gdyby nie zauważył, że w jego prywatnym sanktuarium czystości ktoś zamierza skazić atmosferę zapachem palonego tytoniu. – Powiedział mi, że był spokojnym, ułożonym dzieckiem, z tym że maltretowanym przez ojca i matkę.

– Synku, dałeś się wpuścić w maliny.

Błysnął płomień zapalniczki. W powietrze wzleciała smuga szarego dymu.

– Nie rozumiem. Po odejściu ojca...

– Ojciec Malarza nie odszedł, tylko zniknął w niewyjaśnionych okolicznościach. – Bomba spojrzał na zegarek.

Odwiedziny u sąsiada nie mogą czekać. – Przypuszczamy, że ten psychol przyłożył do tego rękę, ale nie mamy na to żadnych dowodów. Kolejna niewyjaśniona sprawa. Gdyby facet odszedł, wyjechał, gdziekolwiek, chociażby na drugi koniec świata, moglibyśmy go jakoś namierzyć. Ale on po prostu rozpłynął się w powietrzu.

Janek wstrzymał oddech. Czuł, że pęknięcia na wizerunku seryjnego mordercy stają się coraz głębsze i głębsze. Papieros wypadł mu z dłoni. Mieszanina tytoniu i bibułki rozsypała się na podłodze niczym garść piasku. Malarz drwił z niego od samego początku, nie tylko od pierwszej wizyty w zakładzie karnym, lecz również od pierwszego telefonu. A on połykał każdą bajeczkę, trawił każde kłamstwo.

„Jest zdolnym manipulatorem".

Załatwi gnoja!

Załatwi na jebany amen!

– A matka? – zapytał, usiłując postawić tamę na drodze wzbierającego gniewu.

Bomba rzucił okiem na panele, ale tylko wzruszył ramionami.

– Matka to zupełnie inna historia. I mówiąc „inna", mam na myśli to, że… jest inna, rozumiesz? To nie matka maltretowała syna, było na odwrót. Sąsiedzi często słyszeli krzyki…

Jakim cudem?

– …i widzieli biedną kobiecinę z siniakami na twarzy…

Jak to możliwe?

– …ale nikt nie reagował. Przedkładali własny spokój nad współczucie i obowiązek niesienia pomocy. Może to i dobrze, bo kto wie, czy dzisiaj, gdyby wtedy wetknęli nos w nie swoje sprawy, chodziliby po tym świecie.

Janek zacisnął pięść. To, co usłyszał w domu emerytowanego policjanta, było sprzeczne z tym, o czym opowiadał seryjny morderca. I szczerze mówiąc, nie wiedział, któremu z nich wierzyć. Chciał wierzyć gliniarzowi, komuś, kto nie miał powodów, żeby kłamać, lecz jakiś głos szeptał mu do ucha, że gwałciciel również nie musiał posuwać się do oszustwa. A może obaj łgali jak najęci? Może opowiadali brednie wyssane z palca? Prawda zazwyczaj leży pośrodku, ale...

„Jest zdolnym manipulatorem".

Chyba powinien przyjąć wersję stróża prawa, nie jednego z największych zbrodniarzy w historii kraju? Tak, bez wątpienia, jednak... jednak... Do diabła z tym! Rozsądek opowiadał się za śledczym, natomiast ciemna strona osobowości sugerowała, żeby najpierw rozważył wszystkie za i przeciw, żeby poszukał dziur w wersji policjanta.

Oczyma duszy zobaczył kamienną twarz Malarza. Popłynął wspomnieniami do chwili, gdy myszkował po domu seryjnego mordercy. Do momentu, gdy łapał w nozdrza zapach stęchlizny, może nawet krwi. Gdy ściskał w dłoni nabrzmiałego penisa. Czuł nieprzyjemne pulsowanie w okolicach potylicy, jakby ściany czaszki usiłował przebić jeden dobrze mu znany zwrot: „CHCĘ ZROZUMIEĆ".

O tak, chciał i nic innego nie miało znaczenia.

– Jak umarła? – zapytał, wbijając paznokcie w oparcie fotela.

– Matka? Przedawkowała środki nasenne, to wersja oficjalna.

„Nowotwór wyssał z niej wszystkie siły, zdemolował wnętrze".

Kurwa!

– A nieoficjalna?

Gospodarz wzruszył ramionami.

– Ktoś jej w tym pomógł.

44

Trzymała w dłoni telefon, zastanawiając się, czy zadzwonić do Katarzyny. Musiała powiedzieć przyjaciółce, że nie przyjdzie do pracy, bo... została pobita przez własnego męża. Przez potwora, z którym mieszkała pod jednym dachem od dwóch lat. Ale oczywiście nie mogła obwieścić światu, że wychodząc za Janka, popełniła największy życiowy błąd. Wciąż miała nadzieję, że klocki ich małżeństwa jeszcze wskoczą na swoje miejsce. Nadal chciała, żeby wszystko wróciło do normy. I wreszcie wciąż gdzieś w zakamarkach duszy pragnęła, żeby przyszedł do mieszkania z bukietem róż, żeby padł na kolana, żeby zaczął błagać o wybaczenie.

Jednak z drugiej strony zdawała sobie sprawę z tego, że taki scenariusz mógłby napisać wyłącznie autor kiepskich romansów, nie zaś ten brutal, sadysta i cynik zwany powszechnie losem. Przymknęła powieki, tworząc prowizoryczną tamę dla wzbierającej fali łez. Kochała męża bezwarunkowo, na dobre i na złe, ale wraz z każdym uderzeniem, z każdym ciosem coraz mniej. I mniej. I mniej. Zatem chyba jednak nie bezwarunkowo. Zresztą, każda emocja jest obwarowana warunkami, zarówno gniew, jak i nienawiść, czy też miłość lub najzwyklejsza sympatia. Kochała Janka, kochała jak jasna cholera...

Wciąż nie odrywała spojrzenia od wyświetlacza telefonu.

Tak było wczoraj, przed tygodniem, miesiąc temu. A dzisiaj usiłowała wmówić sobie, że mąż nadal jest panem jej serca, lecz nie mogła okłamywać samej siebie. Teraz, po tylu zadanych ciosach, po słowach tnących jak ostrze noża, wiedziała, że ulokowała uczucia w niewłaściwym mężczyźnie. W potworze. O tak, w potworze, nie w człowieku. Słowo „POTWÓR" chodziło jej po głowie w masywnych buciorach... i tupało, i tupało, i tupało.

Piękna i bestia.

Pobita i zwierzę.

Upokorzona i władca.

Ostatecznie wysłała Katarzynie krótką wiadomość, że dzisiaj, z powodu kiepskiego samopoczucia, zostanie w domu. Gdyby usłyszała ochrypły głos przyjaciółki, pełen troski i empatii, pewnie nie opanowałaby targających nią emocji i wybuchłaby histerycznym płaczem. Rany psychiczne, wciąż świeże („Pewnie nigdy się nie zabliźnią", pomyślała), sprawiały dotkliwy ból i wystarczył jeden mały impuls, żeby bluznęły krwią. A gdyby Katarzyna zechciała drążyć temat, gdyby zaczęła zadawać niewygodne pytania, Anna nie uciekłaby od konieczności wyjawienia prawdy, na co jeszcze nie była gotowa.

Podeszła do szafy stojącej w przedpokoju. Szarpnęła klamki podwójnych drzwi, tak że prawie wyskoczyły z zawiasów. Przeciągnęła spojrzeniem po ciuchach. Rzuciła okiem na torbę podróżną, którą kupiła przed ich wspólnym wyjazdem do Zakopanego. Tydzień spędzony na górskich wędrówkach, wieczory w przytulnych knajpkach i noce z wielogodzinnym seksem. Pamiętała, że wrócili z urlopu tak zmęczeni, że przez dwa kolejne dni spali po czternaście godzin na dobę. Przytuleni, czujący bicie swoich serc, słyszący szept oddechów.

O tak, wrócili zmęczeni, ale niezmiernie szczęśliwi.

A teraz?

Powinna spakować najpotrzebniejsze rzeczy i uciec daleko stąd, tam gdzie nie sięgają łapska tego... potwora. Ale – do diabła z tym! – uczucie wciąż w niej tkwiło, może nie tak wielkie i żywe jak wcześniej, niemniej jeszcze nie skonało. Nadal pulsowało, domagając się uwagi. Nadal dawało o sobie znać za każdym razem, gdy rozmyślała o ucieczce. Wystarczy wrzucić do torby parę ubrań, trochę gotówki chowanej w jednej ze skarpet (dosłownie!), trochę jedzenia, tak na wszelki wypadek. Nic prostszego, tak, zatem dlaczego nie potrafiła tego zrobić?

Dlaczego, dlaczego, dlaczego...

Kiedy weszła do łazienki, dostała odpowiedź od Katarzyny. „W porządku, jakoś sobie poradzę. Odpoczywaj, myśl, odpoczywaj, myśl. I podejmij jedyną słuszną decyzję. Buźka". Nic więcej, ale to wystarczyło, żeby poczuła ukłucie w dołku. Podjęcie jedynej słusznej decyzji zaczynało przekraczać jej możliwości, tym bardziej że do gry wszedł mocny i zdeterminowany zawodnik. Ktoś, kto stosował nieczyste chwyty. Ktoś, z czyim zdaniem musiała się liczyć jak nigdy wcześniej.

Spojrzała na swoje odbicie w lustrze. Rozcięta dolna warga. Podbite lewe oko. Opuchlizna niemal na całej twarzy. Dobrze, że uszła z życiem, bo furia, w którą wpadł Janek, mogła doprowadzić do prawdziwego nieszczęścia. A może powinna zrobić obdukcję i zawiadomić policję? Gwałtu dokonał nieznany napastnik, którego nie rozpoznałaby nawet na okazaniu, gdyby stał w szeregu kilku podobnych zboczeńców, ale o tożsamości sprawcy pobicia mogłaby napisać kilka opasłych tomów.

Jan Kowalski.

Niegdyś cudowny mąż, czuły i łagodny człowiek.

Dzisiaj wyłącznie potwór, zwierzę spragnione ludzkiej krwi.

Zaczęła płakać. Szloch odbijał się od ścian łazienki donośnym echem. Łzy ciekły po opuchniętych policzkach. Żywiła nadzieję, że wyczyszczą umysł z rozterek, że wypłuczą duszę z wszelkich wątpliwości, ale nic takiego nie nastąpiło. Kiedy przyszło opanowanie, nadal nie miała pojęcia, co zrobić, żeby wyjść na prostą. I wciąż nie wiedziała, czy bardziej kocha, czy też nienawidzi.

Najpierw gwałt. Teraz pobicie.

Do ciężkiej, jasnej, ciasnej cholery, ile jeszcze?

45

Siedząc w pokoju wizyt raciborskiego zakładu karnego, wbijał wzrok w pozbawioną wyrazu twarz Malarza. Raz po raz zaciskał pięści i gdyby nie dzieląca ich szyba, zapewne obiłby mordę kłamliwego skurwysyna tak, że koleś przez następne tygodnie chodziłby z opatrunkiem na głowie, z oczyma ozdobionymi purpurowymi kręgami i z wargami napompowanymi jak odpustowe baloniki.

– Oszukiwał mnie pan! – wrzasnął. – Oszukiwał od początku!

Jasne, może i gdzieś w środku pragnął, żeby niektóre z wyjaśnień przestępcy znalazły potwierdzenie w rzeczywistości, ale wciąż słyszał matowy głos emerytowanego policjanta usiłujący przebić mu ściany czaszki, zdemolować umysł, powiązać wszystkie neurony w jeden wielki znak zapytania.

„Kradł innym mężczyznom"...

„Nigdy nie zdawał się na przypadek"...

„Oficjalnie mówiono o trzynastu ofiarach... nieoficjalnie o kilkudziesięciu"...

„Ktoś jej w tym pomógł"...

Malarz sprawiał wrażenie nieco znudzonego. Wyglądał niczym figura woskowa: brak mimiki twarzy, oczy powleczone zasłoną obojętności, nieruchome usta. Kompletna pustynia emocji.

– Nie rozumiem – powiedział niskim, gardłowym głosem.

– Nie rozumie pan? – Janek zerwał się na równe nogi. Oparł dłonie o blat. – Nie rozumie?! Przychodzę do pana w dobrej wierze, zadaję setki pytań, wysłuchuję opowieści o pańskim życiu, tymczasem... pan opowiada brednie! Pan pieprzy głupoty! Pan...

– Spokojnie, chłopcze. Weź kilka głębokich oddechów, rozluźnij się... – Malarz skrzyżował ręce na wątłej klatce piersiowej. W kącikach ust igrał mu tylko cień uśmiechu, coś tak niezauważalnego, że tylko dobry znajomy, obcujący z nim przez lata, mógłby dostrzec zmiany na martwym obliczu. – Tak, doskonale... A teraz powiedz, o co chodzi, tylko zacznij mówić do rzeczy, dobrze?

Słowa mordercy nie zrobiły na Janku najmniejszego wrażenia. Przybliżył twarz do szyby, rąbnął pięścią w blat, po czym, czując nieprzyjemne mrowienie rozchodzące się po prawej dłoni, zapytał przez zaciśnięte zęby:

– Dlaczego nie mówi pan prawdy? Czemu opowiada pan bajeczki o matce... o przypadku... o mężatkach? Czemu wszystko pan utrudnia... komplikuje? – Irytacja powodowała, że mówił przerywanymi zdaniami. – Chciałem napisać o panu książkę, ale widzę, że nic z tego nie wyjdzie. Stoimy w miejscu... ba, cofamy się... a wszystko przez... wszystko przez pana!

– Posłuchaj, chłopcze...

„Ktoś jej w tym pomógł"...

Nie wytrzymał. Strumień gniewu wystąpił z brzegów i zalał całe pomieszczenie.

– Nie, to ty posłuchaj! – Zdumiony własną porywczością, brakiem kontroli nad emocjami, chciał powściągnąć zapędy języka, ale słowa wypadły z niego niczym śmieci z przewróconego kontenera. – Nie napiszę o tobie ani słowa, przynajmniej nic pozytywnego, łapiesz?! Obsmaruję ci dupsko, oczernię tak, że nawet w oczach kumpli zza krat wyjdziesz na kompletnego debila! Nie zostawię tego bez odpowiedzi! Nie pozwolę, żeby... żeby jakiś psychopata robił ze mnie idiotę! Nie pozwolę!

W pokoju zapanowała nieprzyjemna cisza, pełna napięcia i negatywnych wibracji. Powietrze wypełniał testosteron w ilości niemal hurtowej. Malarz tylko wzruszył ramionami, jakby uznał wybuch swojego rozmówcy za kiepski żart.

– Skończyłeś? – zapytał.

Opanowany, beznamiętny, sprawiał takie wrażenie, jak gdyby ostrza zawarte w tyradzie Janka chybiły celu i utkwiły gdzieś w ścianie, nie czyniąc mu żadnej krzywdy. Wskazał palcem krzesło.

– Skoro tak, to siadaj na tyłku i słuchaj...

Janek nie zareagował. Wciąż opierał dłonie o blat, nadal nie odrywał spojrzenia od twarzy seryjnego mordercy. Po chwili milczenia, ciągnącej się prawie w nieskończoność, zaczął odzyskiwać kontrolę nad sobą.

– Usiądź!

Podniesiony głos Malarza przez krótką chwilę dryfował w pomieszczeniu, po czym opadł na podłogę i skonał. Odkąd siadywali oko w oko, oddzieleni tylko grubą kuloodporną szybą, pierwszy raz okazał emocję, w tym wypadku gniew, albo raczej zalążek gniewu.

– Po pierwsze – zaczął, gdy Janek spełnił polecenie – nie przypominam sobie, chłopcze, żebyśmy przechodzili na ty. Więc zrób mi przyjemność i okaż odrobinę szacunku... Po drugie, puszczę ten incydent w niepamięć, bo mimo wszystko jesteś całkiem porządnym facetem... Po trzecie, nie ufaj ludziom, których mózgi pływają w alkoholu.

Szklanka whisky przed południem. Janek zmierzył Malarza podejrzliwym wzrokiem, nie wierząc, że facet mógł wiedzieć o wizycie w domu emerytowanego policjanta. Nie, to jakiś absurd. Chociaż z drugiej strony... Podczas rozmów z tym skurwysynem już wielokrotnie miał okazję doświadczyć na własnej skórze, że koleś nie odkrywa wszystkich kart, wprost przeciwnie, w rękawach czerwonego drelichu zawsze chowa po dwa asy.

– Nie rozumiem – powiedział, uciekając spojrzeniem w bok.

– Myślę, że rozumiesz. Rozmawiałeś z komisarzem policji, którego nazwiska nie wymienię przez wzgląd na stare czasy... Miły gość. Elokwentny. Pedantyczny. Skrupulatny. Zawsze skory do pomocy. Zawsze uczynny. Chodząca encyklopedia wiedzy... ale zarazem człowiek tonący we własnych nałogach. Alkohol nie zabija od razu, jednak wysusza mózg... co z kolei może prowadzić do innych tragedii...

– O czym pan mówi?

Wzruszył ramionami.

– Słyszałeś o żonie naszego emerytowanego gliny?

– Niby o czym miałem słyszeć?

– Dajesz wiarę komuś, kto załatwił własną kobietę tłuczkiem do mięsa.

Janek słyszał w głowie tylko nieprzyjemny szum. I trzy słowa: „tłuczkiem do mięsa". Reszta kwestii wypowiedzianej przez mordercę nie miała żadnego znaczenia. Nawet gdyby oznajmił, że rozmawiał z najpiękniejszą modelką na świecie, która wyraziła zainteresowanie spotkaniem z Jankiem, ten wciąż zwracałby uwagę tylko na „tłuczek do mięsa". I może jeszcze na „tłuczek do mięsa".

Chryste!

Otworzył usta, z których zamiast ciągu zdań wypadł jeden wyraz:

– Ale…

– Pewnie chciałbyś zapytać, skąd to wiem? Dlaczego po tym… nazwijmy to incydentem… Zatem dlaczego po tym incydencie wciąż pracował w policji? Czemu nie siedzi za kratami w towarzystwie… na przykład moim? Policjanci mogą więcej. A poza tym ciała nigdy nie odnaleziono. Łopata potrafi czynić cuda, naprawdę.

– Ale…

„Tłuczkiem do mięsa”…

Malarz machnął ręką. Zabrzęczały łańcuchy.

– Chcesz rozmawiać o wściekłym psie czy o swoich wątpliwościach?

O wątpliwościach, to chyba oczywiste, chociaż teraz rozmnożyły się jak lemingi. Wrócił pamięcią do chwili, gdy Bomba wskazywał ręką samochód z wypożyczalni. Janek nie dostrzegł ani obrączki, ani śladu potwierdzającego, że kiedyś tkwiła na palcu. Zbieg okoliczności? A może Malarz znowu podrzuca mu fałszywy dowód, myli tropy, żeby zdjąć z siebie ciężar uwagi?

Tak, ale… po jaką cholerę?

„Ktoś jej w tym pomógł”.

„Tłuczkiem do mięsa”.

Kurwa mać!

Zerknął na swoje splecione dłonie spoczywające na blacie. Drżały. Zacisnął palce, chcąc odzyskać kontrolę nie tylko nad ciałem, lecz również nad umysłem. Wszystko, co dotychczas usłyszał zarówno od mordercy, jak i od gliniarza, musiał przesiewać przez sito prawdy. Mimo to wciąż nie potrafił stwierdzić, który z nich blefował.

– Mam wątpliwości, o tak, ale… czy w ogóle chcę z panem rozmawiać. – Przerwał, czekając na reakcję. Zupełnie nic. Zaklął w myślach. Wymiana zdań z tym ćwokiem jest pozbawiona sensu, bo jak tu dyskutować z kimś, kto każdy argument zbija swoim, może nie o niebo lepszym, ale bardziej skutecznym? – Dlaczego bawi się pan ze mną w ciuciubabkę? Proszę odkryć wszystkie karty, zasługuję na to!

Oblicze Malarza pozostawało bez wyrazu.

– O tak, zasługujesz, nawet nie wiesz jak bardzo.

– Więc?

– Prawda jest stanem umysłu, rozumiesz? – Błękitne oczy na moment rozbłysły. Cień uśmiechu pogłębił bruzdy żłobiące twarz, co sprawiło, że skóra zaczęła wyglądać jak pognieciony papier. – Stanem, który z obiektywnością nigdy nie miał wiele wspólnego.

Pieprzenie!

– Co z pańską matką? – spytał Janek, przełykając ślinę.

Przypuszczał, że facet nie piśnie nawet słówka o zabójstwie, że zdecyduje się na garść kłamstw, tak jak do tej pory. Chciał mu wierzyć, pragnął, żeby ten drań wreszcie powiedział prawdę, bo od tego zależała jakość książki. A jakość i pieniądze łączyła nierozerwalna więź, przynajmniej w tym wypadku.

Malarz wzruszył ramionami.

– Umarła.

– Jak?

Westchnął.

– Po prostu umarła... i to jest fakt. Jak umarła? Kiedy umarła? Czy cierpiała? W porządku, potrzebujesz odpowiedzi, ale akurat to nie powinno cię obchodzić, chłopcze. Zwróć uwagę na inne kwestie, zacznij ogarniać umysłem cały horyzont, nie tylko jego wycinek.

– Chcę wiedzieć.

– Nie, chcesz zrozumieć, to spora różnica.

„Tłuczkiem do mięsa".

– Nie ułatwia mi pan tego.

– Nie jestem tu po to, żeby cokolwiek i komukolwiek ułatwiać.

– Zabił pan własną matkę…

Malarz znowu westchnął, tym razem bardziej ostentacyjnie. Spojrzał na swoje dłonie, jakby sprawdzał ułożenie linii papilarnych. Wcześniejsza nuta rozbawienia, igrająca w głosie, zgasła, pozostawiając po sobie znużenie: rozmową, przebywaniem w celi, życiem. A może wszystkim naraz.

– Awansowałem wiele kobiet, chłopcze.

– Awansowałem… – Janek niemal przeliterował to słowo. – Oczywiście, pan nigdy nie posłał nikogo do piachu, pan nigdy nie podciął nikomu gardła, pan nigdy nie wypruł nikomu flaków. Pan tylko awansował. Pięknie brzmi, prawda? A może wypiera pan fakty ze świadomości, może kreuje pan własną rzeczywistość, może tym sposobem zwalcza pan poczucie winy?

Malarz pokiwał głową. Zanim odpowiedział, minęło kilka długich sekund.

– Miałeś kiedyś wyrzuty sumienia, chłopcze?

– Wiele razy.

– A teraz?

Gniew, ten uśpiony potwór, zaczął budzić się z chwilowej drzemki. Ponownie wymieniali uwagi o niczym, bo ten psychopata kierował rozmowę na tory prowadzące donikąd. Zamiast odpowiadać, pytał. Zamiast wyjaśniać, mącił. Zamiast pomagać, przeszkadzał. Pieprzony sukinsyn!

– Moje sprawy zostawmy na boku, dobrze?

– Jak sobie życzysz… Co u Anny?

Nie mógł, a może nie chciał, powstrzymać naporu irytacji.

– Nie pański interes!

Moment ciszy. A po chwili:

– Wszystko u niej w porządku?

Przed oczyma stanął mu obraz pobitej żony: opuchlizna całej twarzy, rozcięta warga, łzy spływające po policzkach, usta ułożone w niemą prośbę o litość. Zrobił to, wprawił w ruch pięści i maltretował Annę, tak jakby okładał worek kartofli.

– Tak, do kurwy nędzy! Wszystko u niej w porządku! – wrzasnął targany wyrzutami sumienia.

A potem przyszła cholernie natrętna myśl: „ON WIE!". Zdawał sobie sprawę z tego, że podniósł rękę na żonę w zaciszu własnego mieszkania, zatem nikt nie mógł widzieć tej pieprzonej masakry... ale gdzieś w zakamarkach duszy czuł, że ten skurwysyn, ten cholerny psychopata wie.

ON WIE!

Malarz posłał mu nieznaczny uśmiech.

– Nie unoś się, chłopcze, przecież jestem po twojej stronie.

ON WIE!

Myśl na tyle absurdalna, wręcz nierzeczywista, jednak penetrująca mu głowę z niesamowitą zajadłością. Wziął kilka głębokich oddechów, usiłując wyczyścić organizm z napięcia. Jeśli nawet ten plugawy robak jakimś fatalnym zbiegiem okoliczności dowiedział się, jak on, Janek, pobił żonę, to i tak nie stanowił najmniejszego zagrożenia. Siedział za kratami, wsuwał żarcie dla psów, korzystał z kibla o określonych godzinach, a kości prostował na spacerniaku najwyżej raz w tygodniu.

Co innego żona, ona mogła narobić mu sporo kłopotów...

„Tłuczkiem do mięsa".

...tym bardziej że chciała usunąć ciążę.

– Moja strona? A czymże ona jest? – zapytał, czując, jak poziom adrenaliny opada, pozostawiając po sobie znużenie. – Niczym, bo coś takiego po prostu nie istnieje. Jest tylko pan, seryjny gwałciciel i morderca, oraz książka, którą zamierzam napisać. Nic innego mnie nie interesuje. Nic, zrozumiano?

Malarz skinął głową.
– Po prostu chcesz zrozumieć.
– Tak, chcę zrozumieć.
– Więc poświęć się temu, chłopcze. W pełni.

46

Wyrywane paznokcie u stóp…
Okropny ból… cierpienie…

Wszystko naraz…

Ojciec wydzielał zapach potu i szaleńczego podniecenia…

Miał na sobie dżinsowe spodnie i flanelową koszulę w kratę rozpiętą pod szyją. Temperatura panująca w piwnicy, z drzwiami zbitymi z desek i tektury, wynosiła mniej więcej piętnaście stopni…

Siedziałem na starym krześle…

Unieruchomiony skórzanymi paskami…

Prosiłem, żeby tego nie robił, żeby odłożył obcęgi na miejsce…

Błagałem, żeby odpuścił, żeby pozwolił mi odejść.

Wybuchnął szyderczym śmiechem. Śmiał się przez minutę, może dwie… a może w nieskończoność. Śmiał się, wycierał twarz błyszczącą od potu rękawem koszuli, pociągał nosem… i wciąż rechotał…

Zapaskudziłem spodnie…

Do zapachu potu dołączył fetor ekskrementów…

Upokorzenie i bezsilność…

Patrzyłem, jak zdejmuje mi buty i skarpetki. Jak przykłada do palców u stóp obcęgi, szczerząc zęby. Jak znowu zaczyna ryczeć ze śmiechu, widząc, że po policzkach spływają mi łzy...

Do piwnicy zeszła matka...

Trzymała w dłoniach niewielkie radio...

Postawiła na stoliku... włączyła...

Pocałowała ojca w spocone czoło, posłała mu ciepły uśmiech...

Kiedy nieznacznie kiwnęła głową, ojciec przyłożył obcęgi do jednego z moich palców... konkretnie do środkowego palca... Poczułem chłód bijący od metalowych szczęk. Zacząłem krzyczeć, a przecież nie wykonał jeszcze żadnego ruchu, tylko patrzył na mnie i wykrzywiał usta w uśmiechu...

Po chwili przed oczami eksplodowały mi gwiazdy...

Wrzasnąłem...

Szarpnąłem paski...

Nic...

Nie musiałem spoglądać w dół, żeby stwierdzić, że stopa broczy krwią. Zresztą, nie miałem siły, żeby spoglądać gdziekolwiek. Zamknąłem oczy, bo powieki ciążyły mi bardziej niż dwa wielkie kamienie. Płakałem...

Drugie szarpnięcie...

Kolejny paznokieć do nowej kolekcji ojca...

Ból zmusił mnie do otwarcia oczu...

Łzy powodowały, że widziałem wszystko jak przez gęstą mgłę...

Matka złożyła na ustach ojca czuły pocałunek, po czym zaczęła tańczyć...

W radiu grali jakąś anglojęzyczną piosenkę...

Zaczęła tańczyć...

Matka...

Moja matka...

Chciałem stracić przytomność, w jakikolwiek sposób, ale stracić, lecz za każdym razem gdy ją traciłem, ojciec cucił mnie ciosem na odlew w twarz...

Matka...

Ona wciąż tańczyła... tańczyła... tańczyła...

Ojciec podsunął mi pod nos obcęgi. Zobaczyłem paznokieć zalany krwią. Kawałek ludzkiej tkanki. Część mnie. Zawartość żołądka podeszła mi do gardła. Zwymiotowałem. Zapaskudziłem biały podkoszulek resztkami śniadania: kawałki chleba, kiszonych ogórków, sera i parówki...

Do zapachów wiszących w piwnicy dołączyły następne...

Smród...

Fetor...

Potworny odór wszystkiego, co najgorsze...

Upokorzenia zaklętego w kale i wymiocinach...

Matka przetańczyła jeszcze dwie piosenki. Oczywiście z uśmiechem na ustach. Kołysała biodrami, przestępowała z nogi na nogę, machała rękoma. Falbanki spódnicy wirowały w rytm dźwięków dolatujących z głośnika...

Tańczyła...

Tańczyła...

Tańczyła...

Aż w końcu przestała, zabrała radio i odeszła...

Tak po prostu...

Ojciec zajął się jeszcze trzema moimi palcami. Za każdym razem podnosił obcęgi do oczu, patrząc na wyrwane paznokcie jak na trofeum. Toczył pianę z ust, to rechotał, to poważniał i obrzucał mnie smutnym wzrokiem...

Gdy skończył, zarzucił mnie sobie na ramię, po czym zaniósł do mieszkania...

Tam zostałem umyty, opatrzony, ubrany i położony na łóżku...

Oczy otworzyłem dopiero trzy dni później...

Gorączka...

Kuleć przestałem po miesiącu…

Pełne obuwie włożyłem po kwartale…

Czasami śnię o tym…

Rzadko, bo rzadko, ale śnię…

Chcesz zrozumieć, chłopcze?

Naprawdę tego chcesz?

Klucz znajdziesz w puszce wetkniętej w ziemię na lewo od drzwi…

I proszę, nie spraw mi zawodu…

47

Mężczyzna w grubej puchowej kurtce. Około stu osiemdziesięciu centymetrów wzrostu. Albo i więcej. W przybliżeniu sto kilogramów wagi. Albo i więcej. Chodzący potwór, taki, który może przygnieść swoim cielskiem drobną kobietę. A później zerwać z niej ubranie, zwłaszcza majtki, wyjąć ze spodni...

Schowana za firankami Anna obserwowała otoczenie. Facet w czapce dokerce stał przy wiacie śmietnikowej i czekał ukryty w cieniu rzucanym przez jedną ze ścian. Widziała wystające kości policzkowe, szeroki podbródek wyrzeźbiony hektolitrami testosteronu krążącego we krwi, odstające uszy i głęboko osadzone oczy. Rysopis gwałciciela. Gdyby musiała wytypować sukinsyna, z którego ręki doznała tylu krzywd, postawiłaby na mężczyznę w tej cholernej czapce dokerce. Przypuszczała, że to ten mężczyzna był sprawcą gwałtu, którego doświadczyła tamtej nocy.

Zlustrował wzrokiem okno i kiedy stwierdził, że jest obserwowany, uśmiechnął się nieznacznie, niemal niezauważalnie, ale ona wiedziała swoje. O tak, kąciki ust tego zboczeńca drgały w ironicznym uśmiechu, jak gdyby facet chciał jej powiedzieć: „Zrobię wszystko, żebyś znowu poczuła w tyłku moc mojego drąga... wszystko, a nawet jeszcze więcej!". Najpierw poprawił czapkę, przekrzywiającą się w lewo na wielkiej, idealnie okrągłej głowie, po czym schował dłonie do kieszeni kurtki. Uśmiech zgasł niczym przepalona żarówka.

Anna opadła na krzesło. Wypiła kilka łyków zimnej już kawy, chcąc zmusić do powrotu na miejsce serce, które od jakiegoś czasu biło jej w gardle. Czym sobie na to zasłużyła? Dlaczego ten chory sukinsyn nie odpuści? Czemu nie wystarczył mu ten pierwszy raz? Gwałciciele nigdy nie atakują powtórnie tej samej kobiety, o nie, bo taki ruch byłby nieostrożny i lekkomyślny. Poza tym kochają różnorodność. Ale ten facet... ten psychopata nie zachowywał się jak zwyczajny napaleniec, on działał z zimną krwią. W porządku (nie, to wcale nie było w porządku!), tylko dlaczego?

Spojrzała na spakowaną torbę. Zaczęła płakać. Kilka godzin temu zadzwoniła do Katarzyny po radę – tak, jednak musiała porozmawiać z najlepszą przyjaciółką – i usłyszała coś, co spowodowało, że podjęła jedyną słuszną decyzję: „Jeśli twój mąż zrobił to raz, zrobi następny i jeszcze kolejny". Chciała wierzyć, że Katarzyna mija się z prawdą, że wyolbrzymia problem, ale nie mogła. Przecież ostatnimi czasy widziała zdumiewającą metamorfozę Janka, który z dobrego i kochającego człowieka przeistoczył się w... no właśnie, w kogo? Słowo „potwór" odmieniła już przez wszystkie przypadki, więc może w kata albo w oprawcę?

Wzięła do ręki chusteczkę. Wytarła łzy spływające po policzkach. Nie potrafiła określić, dokąd pojedzie, wiedziała natomiast, że musi odejść przynajmniej na jakiś czas. Po tygodniu, może dwóch wszystko wróci do normy. Tkwiąca w niej optymistka podpowiadała, że zmiana Janka jest tymczasowa, że jak dociągnie sprawę Malarza do końca, brutal ustąpi pola temu, który mieszkał w ciele męża już wcześniej – empatycznemu, łagodnemu mężczyźnie.

O tak, chciała w to wierzyć, ale z drugiej strony przed oczyma nadal stał jej obraz jak z najgorszego koszmaru: otwarta dłoń spadająca na twarz, wściekłość, furia, krzyki, sapanie. Wystarczyło jedno spojrzenie w lustro, aby wiara w lepsze jutro runęła niczym konstrukcja z zapałek. Ciało puszczone w ruch nigdy nie przestaje się poruszać.

Wypiła parę łyków kawy. Podeszła do okna na drżących nogach. Kiedy na pierwszy plan przebijał się głos optymizmu, przekonywała samą siebie, że pada ofiarą paranoi, że mężczyzna w czapce nie istnieje, jest tylko wytworem rozbuchanej wyobraźni, niczym więcej. A jeśli nie, to może po prostu mieszka gdzieś w pobliżu i na kogoś czeka, ale tym kimś na pewno nie jest Anna Kowalska.

Wzięła kilka głębokich oddechów. Ludzki umysł potrafi płatać niewybredne figle, zwłaszcza komuś, kto przeżył silny wstrząs. A ona została wstrząśnięta, zmieszana, wstrząśnięta, zmieszana. I tak wiele razy. Pewność siebie wyciekała nie tylko wraz z pchnięciami tego psychopaty, lecz również z każdym ciosem… innego psychopaty. Pytania o sens istnienia przez ostatnią noc powracały do Anny niczym zły sen i teraz pomyślała, że powinna pójść do księdza (psycholog Stefania Kwiecień nie wchodziła w grę, przynajmniej nie teraz, gdy zamierzała uciec daleko stąd), żeby zrozumieć, dlaczego los ją tak doświadczył.

Odchyliła firankę. Nawet nie zdawała sobie sprawy z tego, że nie oddycha. Trwała w bezruchu tak samo jak mężczyzna w czapce dokerce. Wciąż stał koło śmietnika, nadal nie odrywał wzroku od okna. Z tym że teraz na martwej twarzy nie drgał żaden mięsień. Kąciki ust opadały, a oczy mrużone pod naporem słońca sprawiały wrażenie kocich, przebiegłych, takich, którym nie umknie żaden szczegół otoczenia. Oczy gwałciciela. O ile wcześniej usiłowała wmówić sobie, że niepotrzebnie daje się ponieść emocjom, o tyle teraz miała już całkowitą pewność. Ten sukinsyn jest prawdziwy, jest postacią z krwi i kości, jest materią budującą stukilogramowe cielsko… A jeśli na kogoś czeka (a przecież czeka, prawda?), to wyłącznie na Annę Kowalską.

Odskoczyła od okna jak porażona prądem. Chwyciła za telefon. Już wybierała numer na policję, ale palce zastygły w bezruchu, gdy tylko kilka promieni zdrowego rozsądku padło na cień, w którym tonęła od dłuższej chwili. Cóż miałaby powiedzieć? „Chciałam zgłosić napastowanie seksualne… Nie, nie skrzywdził mnie, ale czuję, że zamierza". Pięknie, naprawdę wspaniale! Albo: „Jakiś facet stoi przed klatką i wlepia gały w moje okno. Tak, strasznie się boję. Tak, wygląda podejrzanie. Nie, jeszcze nic nie zrobił. Nie, nie groził mi! Po prostu przyjedźcie i nakopcie mu do tyłka!". Gliniarze na pewno wysypią się z radiowozu za niecały kwadrans. A może: „Facet obmacuje mnie wzrokiem! Jak tak dalej pójdzie, to zostaną mi na ciele zaczerwienienia, siniaki i zadrapania! Przyjeżdżajcie, bo za moment wedrze się do mieszkania!". Idiotyzm.

Odłożyła telefon. Spojrzała na dłonie. Już nie drżały, lecz dygotały jak u chorego na febrę. Musi wziąć się w garść, w przeciwnym razie nie wyjdzie z mieszkania, lecz skończy w ramionach męża. Oczywiście nie jako żona obsypywana czułymi pocałunkami, raczej jako ofiara.

Znowu podeszła do okna. Gdyby wcześniej nie opróżniła pęcherza (zrobiła to jakieś pół godziny temu), teraz zapaskudziłaby podłogę. Strach krążył jej w żyłach wraz z litrami adrenaliny. W głowie szumiało tak, jakby przebywała w hali produkcyjnej RAFAKO, największego zakładu w mieście. Odchyliła firankę. Rzuciła okiem na zewnątrz, tam gdzie powinien stać mężczyzna w czapce… Powinien, to dobre określenie, bo facet rozpłynął się jak opar porannej mgły.

Przez moment trwała w bezruchu, nie wierząc w to, co widzi. Pustka. Zlustrowała wzrokiem otoczenie. Ponownie nic. Nie zauważyła drania ani koło śmietnika, ani na placu zabaw, ani w pobliżu ławek, na których lubiły przesiadywać staruszki. Co więcej, nie dostrzegła kompletnie nikogo, jak gdyby okolica usnęła... albo wszyscy mieszkańcy osiedla zostali wytruci, rozstrzelani, a może po prostu wygnani.

W łazience przemyła twarz zimną wodą, Spojrzała na swoje odbicie w lustrze: czerwone powieki, przekrwione białka, podkrążone oczy, siniak rozlewający się na lewym policzku. Nie nałożyła makijażu, bo nie czuła potrzeby maskowania obrażeń. Zresztą, jeśli już, to wybrałaby okulary przeciwsłoneczne, bo opuchlizny nie sposób ukryć pod nawet najgrubszą warstwą pudru.

Mężczyzna w czapce. Wytwór chorej wyobraźni. A może...

Sięgnęła po chusteczkę. Wydmuchała nos. Nie chciała rzucać wszystkiego w diabły, ale nie miała wyboru. Mąż. Potwór. A jeśli nie potwór, to przynajmniej ktoś, kto zaczynał przeobrażać się w potwora.

Pytanie: dlaczego miłość nie umiera od razu?

Odpowiedź: bo wówczas nie byłaby miłością, lecz tylko zauroczeniem.

Wyszła z łazienki, włożyła płaszcz sięgający do połowy łydki i czapkę, twarz ukryła za dużymi przeciwsłonecznymi okularami. Nie wyglądała najlepiej (to delikatne określenie, wyglądała jak wycięta z kiepskiego komiksu), ale postanowiła nie przejmować się własną powierzchownością. Chodziło o ukrycie efektów pobicia, nic innego nie miało znaczenia.

Wzięła do ręki torbę podróżną. Odetchnęła. Opracowała plan najprostszy z możliwych. Pojedzie na dworzec kolejowy – na postój taksówek miała nie dalej niż trzy minuty marszu – gdzie wsiądzie w najbliższy pociąg zmierzający... dokądkolwiek. Najpierw jednak wyczyści konto z zalegających tam rezerw. Powinno wystarczyć na miesiąc, może trochę dłużej, a potem... a potem zacznie improwizować.

Usunięcie ciąży.

Westchnęła. Gdyby mąż wykazał odrobinę zrozumienia...

Przed wyjściem jeszcze raz wyjrzała przez okno. Pustka. Mężczyzna w czapce dokerce zniknął. Albo w ogóle nie istniał (ta ewentualność wydawała się najmniej prawdopodobna, chociaż z drugiej strony...), albo czekał na kogoś, na żonę, kochankę, przyjaciela, znajomego. Na kogokolwiek. Chciała wierzyć, że tak jest... O tak, chciała w to wierzyć, ale nie mogła... chyba... może... raczej.

Teraz niczego nie była już pewna.

Ruszyła w kierunku drzwi. Kiedy zamierzała położyć dłoń na klamce, usłyszała szczęk otwieranego zamka. Znieruchomiała, czując na lędźwiach dotyk zimnego palca strachu. Wstrzymała oddech. Zacisnęła wargi tak mocno, że z kącików ust popłynęła krew. Zanim zdążyła pomyśleć, że znowu dostała od losu solidnego kopniaka, w progu stanął mąż. Najpierw spojrzał na torbę, później, po krótkiej chwili, przeniósł zdumiony wzrok prosto na nią.

– Wybierasz się gdzieś? – zapytał.

48

Nie potrzebował opowieści seryjnego mordercy, aby zrozumieć. Zrozumieć, że najważniejsza osoba w jego dotychczasowym życiu bierze sprawy w swoje ręce. Zrozumieć, że ktoś, komu dotychczas ufał niemal bezgranicznie, zawiódł na całej linii. Wreszcie zrozumieć, że Anna, kobieta nosząca w sobie dziecko, ich wspólne dziecko, zamierza uciec w nieznane, żeby usunąć ciążę.

– Wybierasz się gdzieś? – powtórzył, po czym wytarł kciukiem krew spływającą z kącików jej ust.

W okularach z ciemnymi szkłami, w czapce i w płaszczu wyglądała jak maltretowana żona, która wreszcie, po latach upokorzeń, postanowiła uwolnić się od sadysty, od potwora w ludzkiej skórze. Od bestii. A przecież pobicie stanowiło jedynie odosobniony incydent. Zrobił to pod wpływem impulsu, stracił nad sobą kontrolę, tak po prostu. Ale żałował, Bóg mu świadkiem... żałował aż do tej chwili. Nie mógł uwierzyć, że wyjeżdża bez słowa wyjaśnienia, żeby zabić dziecko. Tak nie postępują cywilizowani ludzie, zwłaszcza tworzący szczęśliwe małżeństwo.

Zdrajczyni!

Nie odpowiedziała. Stała unieruchomiona przerażeniem i tylko świszczący, ciężki oddech świadczył o tym, że w tym drobnym ciele wciąż czai się życie ukryte w głębinach, wystraszone, czekające na rozwój wypadków. Mógłby uruchomić pięści, jednak stłumił gniew w zarodku i przywołał na twarz cień uśmiechu. Jeśli zamierza rozegrać tę partię po swojemu, musi myśleć, myśleć i jeszcze raz myśleć. A najlepsze myśli kiełkują podlewane zimną wodą racjonalności, nie wrzątkiem uczuć.

– Daj – zagadnął, sięgając po torbę podróżną. – Pomogę.

Otworzyła usta, żeby zaprotestować, ale nie wypowiedziała ani słowa.

– Janek… – zaczęła, gdy wyszli na korytarz.

Chciała coś dodać, lecz chyba zrozumiała, że nie dałby wiary żadnym wyjaśnieniom. Dlatego nie wypowiedziała ani słowa, nie wykonała żadnego gestu, tylko westchnęła.

Zdrajczyni!

„Jesteś pewny, że została zgwałcona?"

Ruszyli do wozu zaparkowanego dwie ulice dalej. Szli pod rękę jak stare dobre małżeństwo. Pomyślał, że Anna musiała wyczyścić konto bankowe, bo przecież i podróż, i skrobanka kosztują. A może zgarnęła kasę z zaliczki? Suka! Zarobione pieniądze odkładali na przestronniejsze mieszkanie, tymczasem ona uśmierciła ich wspólne marzenia jednym precyzyjnym cięciem. Najpierw oznajmiła, że usunie ciążę, a później spakowała najpotrzebniejsze rzeczy z zamiarem dania pieprzonej nogi!

Pokręcił głową. Wciąż nie mógł w to uwierzyć.

– Wsiadaj – powiedział, gdy doszli do samochodu. – Czas na przejażdżkę.

Gdy wracał do mieszkania z zakładu karnego, rozmyślał o formie, jaką nada przeprosinom. Chciał zakopać topór wojenny, zamierzał wepchnąć ich małżeństwo na wyższy poziom porozumienia. Podniósł rękę na żonę, trudno, czasu nie sposób cofnąć, ale zawsze można błagać o wybaczenie. Jednak po tym, co zobaczył...

Zdrajczyni!

Rzucił torbę na tylną kanapę. Zajął miejsce za kierownicą. Anna usiadła na fotelu pasażera. Gdy uruchamiał silnik, zdjęła okulary i posłała mu pytające spojrzenie. Pachniała... pachniała strachem. Nigdy nie potrafił wyczuwać aromatów, oczywiście prócz intensywnej woni perfum, ale teraz czuł zapach przerażenia wydostający się z każdego otworu jej ciała.

„Po prostu chcesz zrozumieć".

„Tak, chcę zrozumieć", usłyszał własną odpowiedź.

„Więc poświęć się temu, chłopcze. W pełni".

– Przyszykowałem dla ciebie niespodziankę – oznajmił po włączeniu się do ruchu.

Nie protestowała, nie krzyczała, nie wzywała pomocy. Siedziała w całkowitym bezruchu, apatyczna, zrezygnowana, czekająca na to, co przyniesie los. Z tym że los, przypadek, przeznaczenie czy jak tam nazwać to, co kieruje ludzkim życiem, nie miały tu nic do rzeczy. Chcąc wystrychnąć go na dudka, popełniła poważny błąd, a za co jak za co, ale za błędy trzeba płacić.

– Janek... – Najwyraźniej nabrała odwagi, bo spojrzała mu w oczy błagalnym wzrokiem. Dolna warga drżała jej nerwowym tikiem, podobnie jak lewa powieka, wciąż zaczerwieniona, nadal nosząca ślady pobicia. – Nie chciałam...

„Po prostu chcesz zrozumieć".

Poczuł, jak wzbiera w nim gniew. Nie chciała? NIE CHCIAŁA?! Do kurwy nędzy, ktoś, kto wrzuca do torby ciuchy, szczoteczkę do zębów i mydło, ktoś, kto zamierza spierdolić bez słowa wyjaśnienia, twierdzi, że nie chciał? NIE CHCIAŁ!? Gdyby nie musiał trzymać kierownicy, pewnie poczęstowałby sukę ciosem prosto w szczękę. Zasłużyła jak nikt inny. Jak nikt!

Kurwa, nie chciała! Dobry żart!

Minęli przejazd kolejowy koło RAFAKO. Jechali teraz miniobwodnicą prowadzącą w kierunku Obory. Po prawej stronie kluczyła Odra, po lewej majaczył pusty plac po zburzonej cukrowni, przeznaczony przez władze miasta pod niewielką strefę ekonomiczną. Gdy wydostali się na dwupasmówkę, po policzkach Anny zaczęły płynąć łzy.

– Janek… powiedz, o co chodzi… Dokąd mnie wieziesz… i po co…

Wygiął usta w ciepłym, przyjaznym uśmiechu, takim, którym mógłby reklamować pastę do zębów albo klej do protez. Położył dłoń na jej drżącym kolanie. Ścisnął nieco bardziej, niż pierwotnie zamierzał.

– Nie martw się, nie wyrządzę ci krzywdy.

Po chwili, jak gdyby przecząc tym słowom, wystrzelił pięścią w kierunku jej twarzy.

Uderzyła głową o boczną szybę. Krzyknęła.

Zerknął na nią, usiłując wniknąć pod czaszkę i odczytać myśli. Mało!? Chcesz więcej!? Mógłby zrobić to jeszcze raz… i jeszcze. Mógłby okładać sukę przez godzinę, może nawet dwie, ale musiał skupić uwagę na prowadzeniu samochodu. Poza tym Anna nosiła w sobie dziecko.

– Janek… przepraszam… to przez…

Przerwała, uciekając spojrzeniem w bok. Sprawiała wrażenie pogodzonej ze swoim losem. Gdyby zechciał, zatrzymałby wóz na środku drogi i wziąłby to, czego nie dostał od kilku długich tygodni, a ona nie znalazłaby w sobie dość siły, żeby zaprotestować. A jeszcze przed momentem, przed paroma dniami, potrafiła wygarnąć mu, jakim jest złym mężem, jakim pieprzonym draniem. Niekiedy wystarczy jeden cios, aby człowiek pękł jak zbutwiała gałąź.

– To przez kogo? – zachęcił.

Rozpłakała się.

– Dzwoniłam do Katarzyny i…

Dalsza część tłumaczenia docierała do niego jak przez grubą warstwę styropianu. Kaśka. No tak, do kogo mogła zwrócić się po poradę pobita kobieta? Do najlepszej przyjaciółki, to chyba oczywiste. I otrzymała następującą odpowiedź: „Wyjedź z miasta, rzuć tego skurwiela w diabły!".

Walnął pięścią w kierownicę.

– Dość! Stul pysk! Stul tę swoją cholerną mordę!

Najpierw drgnęła jak smagnięta biczem, później zwinęła się w kłębek.

Niech płacze, suka. Łzy nie rozpuszczą bryły wściekłości, która rosła w nim na myśl o Kaśce. Pragnął dziwki, pożądał każdym zakończeniem nerwowym, każdym neuronem, tymczasem szmata wywinęła mu taki numer. Jak śmiała namawiać Annę do usunięcia ciąży? Wyskrobała kiełkujące w niej życie, w porządku, miała do tego pełne prawo, ale kto pozwolił tej… tej kurewskiej kurwie, temu skurwionemu kurwiszonowi majstrować przy decyzjach innych!?

Minęli most na Odrze, wjechali w boczną uliczkę. Zredukował bieg, pozwalając ostygnąć nie tylko maszynie, ale i sobie. „Wyluzuj – powiedział do siebie w duchu – bo inaczej stracisz kontrolę nad odruchami i zrobisz coś, czego później możesz żałować, na przykład pobijesz żonę jak tamtego feralnego popołudnia". Nie chciał skrzywdzić Anny pod żadnym pozorem, po prostu wpadał w szał i nic nie potrafił na to poradzić.

Zaparkował pod domem Malarza. Wyjął z kieszeni paczkę papierosów. Zapalił. Wydmuchując z ust kłąb dymu, otaksował wzrokiem otoczenie. Nikogo. Spojrzał w każde z okien. Pustka. Wsiadając do samochodu, postawił na improwizację. Coś, jakiś podszept wybrzmiewający głęboko w podświadomości, któremu nie potrafił stawić oporu, kazał mu przyjechać do Obory. Rozsądek podpowiadał, żeby tego nie robił, żeby wrócił do mieszkania i przeprosił żonę, żeby porozmawiali jak człowiek z człowiekiem. Ale nie, wolał ignorować każdą racjonalną myśl, która błysnęła mu w głowie.

„Po prostu chcesz zrozumieć".

O tak, chciał, nawet bardzo.

– Zostań w wozie – powiedział do żony, po czym wysiadł.

Okrążył auto, oparł się o maskę i wsadził papierosa do ust. Skrzyżował ręce na klatce piersiowej. Istniała obawa, że do agenta nieruchomości zadzwoni klient zainteresowany oglądnięciem domu mordercy. A każda wizyta oznaczała kłopoty. Może nawet poważne.

Zaciągnął się i wydmuchał dym nosem. Ile czasu zajmie mu pogawędka z Kaśką? Zależy od tego, jak szybko chłonie wiedzę... ona, nie on. Jeśli pojmie istotę swojego błędu po kwadransie, to dobrze, wręcz doskonale, jeżeli zaś stawi opór... Każdą materię można złamać, ukształtować na własną modłę. Każdą, bez wyjątku. Więc może pojawić się konieczność długotrwałego obrabiania materiału, a wówczas... Wygiął usta w uśmiechu. „O tak, chcę zrozumieć", wybrzmiało mu w uszach. Chcesz? Zatem na co czekasz? Zabieraj dupę w troki i do dzieła!

Cisnął niedopałek na chodnik. Otworzył drzwi od strony pasażera. Spojrzał na Annę. Policzki wilgotne od łez. Siniaki na twarzy. Kosmyki mokrych od potu włosów wystające spod czapki. Gdyby musiał określić stan żony jednym słowem, powiedziałby: „wrak". Zdradzony, oszukany, próbował wzbudzić w sobie litość, ale nie potrafił. Nie pozwoli zabić własnego dziecka. Do kurwy nędzy, nie pozwoli, zrozumiano?!

– Wysiadaj – powiedział.

Do lewej ręki wziął torbę podróżną, prawą chwycił żonę za ramię i poprowadził wąskim chodnikiem w kierunku drzwi. Nie szarpała się, nie protestowała. Szła jak na ścięcie, przerażona, zamknięta we własnym strachu niczym w kabinie windy. Gdyby przyłożył jej nóż do gardła i wykonał precyzyjne cięcie, pewnie nawet nie spostrzegłaby, że życie uchodzi z niej przez wielką ranę broczącą krwią.

Gdy dotarli do schodów, zlustrował wzrokiem przestrzeń na lewo. Sekunda. Dwie. Jest! Widok puszki wypchnął mu na twarz szeroki uśmiech. Zatem Malarz nie kłamał. Mógłby skorzystać z wytrycha, jak poprzednio, ale teraz potrzebował czegoś, dzięki czemu mógłby wchodzić i wychodzić z domu bez zwracania na siebie uwagi. Potrzebował klucza.

Przyklęknął na jedno kolano.

Bingo!

Po wejściu do środka poczuł silny odór stęchlizny. Przytknął dłoń do ust, żeby nie zwymiotować. Smród atakował nozdrza z godną podziwu zajadłością. Nikt nie wietrzył pomieszczeń. Pokiwał głową, nawet nie zdając sobie z tego sprawy. Świetnie, wprost doskonale.

Minęli przedsionek, po czym przystanęli w salonie. Nie miał fotograficznej pamięci, ale szczegóły otoczenia utkwiły mu między ścianami czaszki jak naświetlona klisza. Spojrzał na wielką kanapę obitą skórą – w porządku; na stół, na którym stały dwa kieliszki i pusta butelka po winie – jak poprzednio; na wpół wypaloną świeczkę wetkniętą w szklany pojemnik – bez zmian. Stwierdził, że nikt nie szwendał się po domu, nawet agent nieruchomości. Dobrze, przynajmniej istniała szansa, że przez najbliższe dni nikt nie będzie im przeszkadzał.

– Janek, błagam...

Posłał żonie ciepły, przyjazny uśmiech. Nie odpowiedział. Stał na środku salonu ze wzrokiem utkwionym w kieliszki i usiłował wprawić w ruch tryby wyobraźni.

Malarz sprowadza do domu atrakcyjną kobietę, mężatkę. Siadają na kanapie, raczą się wytrawnym winem. W pokoju wiruje zapach… jakikolwiek… Potrząsnął głową. Nie jakikolwiek, raczej woń drogich perfum. Napój bogów smakuje wyśmienicie. A kobieta… ta cholernie atrakcyjna kobieta… na dodatek mężatka, rozgrzewa zmysły do temperatury wrzenia.

– Co to za miejsce… gdzie jesteśmy…

Nie zareagował. Wciąż tkwił w umyśle seryjnego mordercy. Malarz włącza radio. Z głośników sączy się jakiś wolny kawałek… Nie, nie jakiś, postaw na konkrety! Zatem sprzęt grający wypluwa pierwsze dźwięki utworu grupy Perfect Nie płacz, Ewka. Zaczynają tańczyć. Kobieta kładzie głowę na ramieniu Malarza… Nie, raczej na ramieniu Janka Kowalskiego. W powietrze wzbija się zapach seksu, wirujący w rytm odgłosów wydawanych przez stopy szukające kontaktu z podłogą. Ciała przywierają do siebie, podobnie jak usta. Idealna synchronizacja, coś niespotykanego, coś…

– Janek…

Powrócił do rzeczywistości. Ponownie spojrzał na żonę. Gdyby nie rozluźnienie, które sprowadził na siebie dzięki wizjom przeszłości, naznaczyłby twarz Anny kilkoma dodatkowymi siniakami, ale… czuł przyjemne pulsowanie w kroczu i ciepło rozlewające się w okolicach serca. Atmosfera domu seryjnego mordercy działała na niego niczym silny narkotyk. Dlaczego napisał do Malarza tak późno, czemu nie zrobił tego wcześniej?

Pociągnął żonę na piętro. Wybrał pierwszy lepszy pokój. Weszli do środka. Jednoosobowy tapczan, szafa, komoda, stolik o okrągłym blacie i dwa krzesła. Położył torbę na podłodze. Sprawdził, czy okno można otworzyć od wewnątrz i czy kraty trzymają wystarczająco mocno. Wykrzywił usta w uśmiechu. Malarz pomyślał o wszystkim.

Spojrzał na Annę.

– Wszystko będzie dobrze – powiedział z poważną miną, jakby naprawdę tak sądził.

Nie zamierzał wyrządzić jej krzywdy, pragnął jedynie, żeby urodziła dziecko. Chyba miał prawo do wpływania na losy ich związku, a co za tym idzie, na los ich wspólnego potomka? WSPÓLNEGO! Czy wymagał od Anny tak wiele?

Wyszedł z pokoju. Przekręcił klucz w zamku i włożył go do kieszeni spodni. Zbiegł po schodach z poczuciem dobrze spełnionego obowiązku. Na myśl o tym, że żona mogłaby zabić dziecko, poczuł ukłucie w dołku. Nie dopuści do tego, choćby znowu musiał sięgnąć po przemoc. Wsiadając do auta, śpiewał:

– Nie spodziewałbym się nigdy tego po tobie…

Nad okolicę nadciągnęły ciężkie deszczowe chmury.

49

Anna siedziała na łóżku z twarzą schowaną w dłoniach. Płakała. Nie potrafiła ogarnąć rozumem tego, czego doświadczała. Najpierw została zgwałcona, później pobita przez męża, a na końcu, właśnie w tej chwili, wydarzyło się coś, co gasiło resztki tlącej się w niej wiary w ludzi, po której pozostało już tylko pokryte błotem i sadzą pogorzelisko.

„Nie spodziewałbym się nigdy tego po tobie”…

Usłyszała warkot uruchamianego silnika. A później nastała cisza. Wiedziała, gdzie przebywa. Przyjechali do domu seryjnego mordercy. Wcześniej nie myślała o tym, jak wygląda nora, w której gwałcono, zabijano… a może zabijano i gwałcono. Nie myślała… o tak, a teraz już nie musiała myśleć. Wdychała ciężkie, zatęchłe powietrze, mogła dotykać mebli, mogła poczuć się tak jak ofiary psychopaty, kogoś, kto nie nosił w sobie ani grama człowieczeństwa.

Czy właśnie tym stał się Janek?

Pociągnęła nosem. Wytarła twarz rękawem bluzy. O ironio, chciała uciec od męża, zamierzała rzucić dotychczasowe życie w diabły, przynajmniej na miesiąc, może dwa, tymczasem wdepnęła w jeszcze większe gówno. Gdyby nie zwlekała z wyjściem, gdyby tylko pokonała strach i opuściła mieszkanie kwadrans wcześniej, teraz siedziałaby w pociągu zmierzającym... gdzieś, gdziekolwiek, byle dalej stąd. Ale nie, wolała odchylać firankę i wyglądać przez okno, sprawdzając, czy mężczyzna w czapce wciąż posyła w przestrzeń ten swój nieznaczny uśmieszek.

Dlaczego nie zareagowała na czas?

Czemu odkładała ucieczkę na ostatnią chwilę?

Uczucia, którymi jeszcze przedwczoraj darzyła męża, umarły. Może i przed paroma dniami zaczynały wygasać, ale dopiero teraz, na tym zadupiu, skonały tragiczną śmiercią. I już nie zostaną wskrzeszone, wiedziała o tym, tym bardziej że nie miała pojęcia, co przyniosą następne godziny. Do czego zdolny jest obłąkany mężczyzna? Co może uczynić, żeby osiągnąć cel? Wreszcie, czego tak naprawdę chce? Żeby urodziła dziecko, żeby nosiła w sobie coś, co przez prawie rok przypominałoby o wydarzeniach tamtej nocy?

Musiała usunąć ciążę, po prostu musiała. A teraz, gdy została postawiona pod ścianą, gdy mąż nie pozostawił jej wyboru, nie zboczyłaby z obranej ścieżki nawet za cenę życia. Dość upokorzeń, wystarczy! Wstała, po czym podeszła do okna. Paroma szarpnięciami sprawdziła, jak wcześniej mąż (chyba nie powinna myśleć o Janku jako mężu, raczej jak o zwierzęciu), czy jest w stanie poruszyć kraty – bez skutku; czy istnieje choć cień szansy, żeby wpuścić do wnętrza odrobinę świeżego powietrza – nie istnieje; czy odstępy między poszczególnymi prętami (bardzo małe, zaledwie centymetrowe) pozwolą na wetknięcie między nie jakiegoś ciężkiego przedmiotu, żeby wybić szyby. Zaczęła przeszukiwać pomieszczenie. Otworzyła szafę, zerknęła do każdej z szuflad komody, uklękła, żeby przeczesać wzrokiem przestrzeń pod łóżkiem. Wszystko na nic. Albo ten psychopata Malarz przygotował pokój tak, żeby nawet mysz nie odnalazła drogi ucieczki, albo drugi psychopata, następca pierwszego, poprawił co nieco po swoim mistrzu.

I wtedy przyszło olśnienie.

Nauczyciel i uczeń.

Oczywiście.

Mąż (nie, prędzej zwierzę) odbył wiele rozmów z seryjnym mordercą. Szukał informacji o gwałtach i zabójstwach, kopał w przeszłości Malarza, spisywał każdą przydatną informację. Wychodził na całe noce, zaczął pić i ćmić papierosy. Z kochającego i czułego mężczyzny, z kogoś, kogo przyzwyczajenia i słabości zdążyła poznać przez wiele wspólnie spędzonych lat, przeistoczył się w potwora. Balansował na granicy zdrowego rozsądku i opętania, aż w końcu przekroczył cienką linię oddzielającą świat zdrowych psychicznie od obłąkanych. Tak, nie bała się użyć takiego sformułowania, obłąkanych.

Powróciła wspomnieniem do tego, co miało miejsce w trakcie jazdy samochodem. I znowu, tak jak wtedy, poczuła ból rozlewający się po lewym policzku. Uderzył ponownie, tak jak przewidywała Katarzyna. Zapewne podniesie na nią rękę jeszcze wiele razy, bo przecież przebywali na jakimś przeklętym zadupiu, on pociągający za wszystkie sznurki, ona sponiewierana, bezbronna, bez szans na ucieczkę.

Znowu zaczęła płakać.

Czemu nie reagowała wtedy, gdy jechali do domu Malarza? Dlaczego trwała na siedzeniu pasażera niczym widz, bierny obserwator wydarzeń rozgrywających się na deskach teatru? Strach. Zdawała sobie sprawę z tego, że ktoś, kto bije, jest w stanie posunąć się dalej. Gdyby zaczęła krzyczeć, gdyby zaczęła się szarpać i wyrywać, pewnie nie dałby jej spokoju tu, w tym przeklętym domu, lecz tłukłby do nieprzytomności. O tak, bała się…

Strach. Najlepszy kumpel Anny Kowalskiej.

Anna Kowalska, kobieta silna, wiedząca, czego pragnie, postępowa, niewahająca się brać spraw we własne ręce, mająca determinację, żeby coś w życiu osiągnąć. Taką widziała siebie jeszcze przed miesiącem. A teraz, po upływie tych trzydziestu dni z okładem?

Poczuła ssanie w żołądku. Zakryła dłonią usta, żeby nie zwymiotować. Istnieje wiele sposobów na to, żeby pozbyć się niechcianej ciąży, skrobanka jest tylko jednym z nich. Wystarczy, że zacznie okładać się po brzuchu jakimś ciężkim przedmiotem – otaksowała wzrokiem wnętrze pokoju; może uda się roztrzaskać krzesło i zrobić użytek z nogi? – a osiągnie cel. Nie zamierzała posuwać się do czegoś tak okropnego, przynajmniej nie teraz, ale w przyszłości, kto wie? Najpierw chciała porozmawiać z mężem, żeby odnaleźć drogę porozumienia. „Nie spodziewałbym się nigdy tego po tobie"…

Usiadła na łóżku, wzięła poduszkę, do której przytuliła głowę, i zaczęła szlochać. Co się z nimi stało, do ciężkiej, jasnej, ciasnej cholery? Jakim cudem ich związek, dotychczas idealny, w zasadzie bez skazy, przeobraził się w ruinę w ciągu jednego miesiąca? Człowieka poznajesz dopiero w sytuacjach kryzysowych, nie wtedy, gdy wszystko idzie gładko. Najwyraźniej oni nigdy nie doświadczyli poważniejszych kryzysów, które mogłyby wyciągnąć na światło dzienne wszystkie brudy ich osobowości.

Problemy. Trudności. Nic, tylko one.

O parapet zaczęły dudnić pierwsze krople deszczu.

50

Siedział w aucie pod kamienicą, w której mieszkała Kaśka. Ćmił kolejnego już papierosa i czekał. Deszcz przestał padać w momencie, gdy okolica utonęła w mroku nocy. Obecnie, kwadrans po dwudziestej pierwszej, asfalt nadal pokrywała spora warstwa intensywnie parującej wilgoci. Spoglądając na budynek, wykrzywił usta w uśmiechu. Okoliczności sprzyjały podjęciu radykalnych środków, bo jeśli nie teraz, to kiedy?

Wziął kilka głębokich oddechów, po czym wysiadł z samochodu. Rozejrzał się na wszystkie strony. Nikogo. To, co zamierzał zrobić, wymagało starannego planowania i wielu godzin spędzonych na obserwacjach, tymczasem on chciał iść na żywioł. Twardziel. Ponownie posłał w ciemność szeroki uśmiech. Jak to mówią, raz kozie śmierć.

Śmierć, o tak.

Wchodząc do klatki schodowej, cisnął niedopałek na wycieraczkę. Wrócił myślami do rozmowy z Malarzem. Mógł poprosić skurwysyna o zdjęcie butów i pokazanie stóp, ale wówczas wyszedłby na niedowiarka. Zresztą, rany po wyrwanych paznokciach zapewne już dawno odeszły w zapomnienie. Zebrał mnóstwo sprzecznych informacji, ale czy powinien zawracać sobie tym głowę? Po jaką cholerę odgrzebywać poszczególne warstwy przeszłości, skoro i tak nie otrzyma odpowiedzi na żadne z zadanych pytań... a przynajmniej zadowalających odpowiedzi?

Seryjny morderca przeciwko emerytowanemu gliniarzowi.

Wilk kontra pies.

Pieprzyć ich. Pieprzyć ich wszystkich!

Stanął przed drzwiami mieszkania Kaśki. Zapukał. Wrócił myślami do ostatniej rozmowy z Malarzem. Informację o zmasakrowanych palcach u stóp przyjął na klatę bez mrugnięcia okiem, ale taniec matki... Gdy wyobrażał sobie kobietę pląsającą w rytm krzyków własnego dziecka, dostawał torsji. Cholera, trzeba przyjść na świat z chromosomem nienawiści, żeby posuwać się do największej podłości, o jakiej kiedykolwiek słyszał. On nie skrzywdziłby swojego dziecka nigdy, nawet za cenę życia. Jak można podnieść rękę na kogoś, kto nosi w sobie twoje geny, kto jest częścią ciebie?

W progu stanęła Kaśka. Miała na sobie luźny dres i czapeczkę z daszkiem. Stopy okryte skarpetkami nie przyciągały wzroku tak jak bose, ale i tak rzucił na nie okiem, uruchamiając wspomnienia. Czarny lakier... to wtedy, a teraz? Może czerwony, który lubił najbardziej... albo bezbarwny, okraszony płatkami brokatu.

– Przyniosłeś chloroform? – zagadnęła.

Wyczuł smród tytoniu i delikatną woń perfum. Wciągnął nosem powietrze, chcąc sprawdzić, czy mieszkanie przesiąkło zapachem seksu. Nic, żadnej drażniącej nuty, ani potu, ani spermy, ani chociażby męskiej wody toaletowej.

– Mówiłem, że...

– Tak, wiem, co mówiłeś. Czego chcesz?

Zadała pytanie głosem pełnym agresji i pogardy. Kobieta wyzwolona. Dziwka biorąca do ust każdego napotkanego kutasa. Potrafiła obrobić wszystkich facetów w mieście, wszystkich, o tak... jednak z małym wyjątkiem. Nie chciała wystawić tyłka Jankowi Kowalskiemu, jak gdyby zarażał pierdolonym trądem albo jebaną świńską grypą... albo syfilisem.

Kurwa jego mać!

– Mogę wejść?

Skrzyżowała ramiona na piersiach.

– Jeśli chodzi o Annę, to trafiłeś pod zły adres – oznajmiła.

– Nie szukam Anny.

– Nie? Nareszcie postanowiłeś dać jej spokój?

Spokój? SPOKÓJ!? Nie, on nie zamierzał zostawić Anny w spokoju, ani teraz, ani za tydzień, ani nigdy. Najpierw obciągnęła w parku jakiemuś brudasowi, potem nadziewała się na sterczącego kutasa do utraty tchu, aż w końcu pozwoliła, aby skurwiel eksplodował w niej hektolitrami spermy.

Dziwka! Zdzira! Szmata!

„Jesteś pewny, że została zgwałcona?"

Oczywiście, jest pewny, że... oddała mu się z pierdoloną rozkoszą!

– Namówiłaś moją żonę do ucieczki – powiedział, kładąc nacisk na ostatnie słowo. Anna chciała spierdolić bez żadnego, chociażby najmniejszego wyjaśnienia. A wszystko po to, żeby najpierw wyskrobać nienarodzone życie, a później obciągnąć zwiotczałego fiuta jakiemuś podstarzałemu konowałowi. Oczywiście w ramach podziękowań.

Na twarzy Kaśki wykwitł złośliwy uśmieszek.

– Co ty powiesz, skarbie?

Skinął głową.

– I do usunięcia ciąży – dodał po chwili.

– Czyżby?

Opanowanie Kaśki zaczynało go denerwować. Powinien wtargnąć do mieszkania, zedrzeć z suki ubranie i... Wypuścił powietrze z płuc. Zamierzał improwizować, to fakt, ale gdzieś pod czaszką pulsowały mu poszczególne elementy prowizorycznego planu, od którego nie powinien odchodzić. Ukarze winnych, ale w swoim czasie, niekoniecznie tu i teraz.

– Mogę wejść – zapytał powtórnie – czy będziemy rozmawiać w progu?

– Nie wiem, czy powinnam wpuścić do domu damskiego boksera.

Więc o to chodzi.

– Zasłużyła na to.

Oczy Kaśki zapłonęły intensywnym blaskiem.

– Oczywiście. Wszystkie maltretowane kobiety na to zasłużyły. Kręci cię to? Lubisz podnosić rękę na żonę? A może chciałbyś zatańczyć również ze mną, co? Może, skoro nie jesteś w stanie dobrać się do moich majtek, oszpecenie mojej buźki sprawi ci trochę satysfakcji?

„Nie igraj z ogniem – pomyślał – bo się oparzysz... skarbie!"

– W twoim wypadku chodzi o coś więcej.

– Wiem, czego chcesz.

– Nie masz o tym pojęcia.

Parsknęła udawanym śmiechem.

– Mylisz się. Wszyscy faceci chcą tego samego.

Sądził, że nigdy nie pozwoli mu wejść do środka, jednak odwróciła się na pięcie i ruszyła w głąb mieszkania, rzucając mu krótkie: „Zdejmij buty". Nie zrobił tego, za to zamknął drzwi i podążył za nią do salonu. Wbił wzrok w kształtne biodra oblepione materiałem spodni jak warstwą kleju, czując niebezpieczny skurcz w okolicach brzucha. Zdawał sobie sprawę z tego, że jeśli straci kontrolę nad emocjami, że jeśli pozwoli eksplodować tkwiącej w nim na razie uśpionej wściekłości, przegra. Potrzebował chłodnej głowy i koncentracji.

Chwycił wazon stojący na stole. Przystanął metr od Kaśki wciąż odwróconej do niego plecami. „Wszystkie maltretowane kobiety na to zasłużyły". Nie, może nie wszystkie, ale litości nie można okazywać komuś, kto depcze reguły i pluje na zasady, kto traktuje innych niczym gówno przyklejone do podeszwy – kilka pociągnięć stopą po wycieraczce i po kłopocie.

Zamachnął się. Trafił w potylicę.

Ciszę przeszył głuchy trzask.

Kaśka runęła na podłogę jak szmaciana lalka.

Stał nad ciałem jeszcze kilka długich chwil. Sprawdził puls. Jest. Przytknął dłoń do ust, żeby zbadać oddech. Również w porządku. Wiedział, że powinien działać bez zbędnej zwłoki, przecież czas nie stanie w miejscu. Jednak nie potrafił oderwać wzroku od nieprzytomnej Kaśki. Mógłby zrobić to teraz, wyruchać sukę bez zbędnych ceregieli, ale nie o to chodziło. Chciał zrozumieć i nic innego nie miało znaczenia.

Po paru minutach odrętwienia poszedł do kuchni. Zaczął szperać po szafkach. Znalazł nóż sprężynowy i tłuczek do mięsa. Wsadził je do wewnętrznej kieszeni kurtki. Przed wyjazdem z domu Malarza nie zabrał z sobą żadnej broni, ale przezorny zawsze ubezpieczony. W sypialni dostrzegł gruby koc złożony w kostkę. Wziął go i rozłożył w przedpokoju. Następnie zaczął ciągnąć Kaśkę po podłodze. Dotknął dłonią miejsca, w które uderzył podstawą wazonu. Krew. Cóż, każda wojna pociąga za sobą ofiary. Suka zasłużyła na dużo więcej niż tylko solidny ból głowy, którego na pewno nie uniknie. Nie uniknie też czegoś innego, czegoś, co zapamięta do końca swojego marnego życia.

Zawinął ciało w koc. Serce biło mu w zwyczajnym

rytmie, chociaż musiał przyznać, że czuł moc! Czuł, jak wszystkie komórki jego organizmu wypełnia satysfakcja. Czuł spełnienie. Wreszcie czuł, że dopiero usiadł do przystawki, a w kolejce czekało jeszcze pierwsze i drugie, to najważniejsze danie.

Wybiegł z mieszkania, żeby otworzyć bagażnik samochodu. Przy okazji zlustrował wzrokiem okolicę. Nikogo. Deszcz znowu przypomniał o sobie, co Janek przyjął z uśmiechem na ustach. Nikt przy zdrowych zmysłach nie urządzi spaceru w trakcie ulewy. W porządku, może jeszcze nie lało, ale wielkie krople spadały mu na twarz, klucząc w gąszczu wielodniowego zarostu.

Wrócił po Kaśkę. Zarzucił ciało na ramię z niemałym trudem. Ważyła nie więcej niż pięćdziesiąt parę kilogramów, ale to wystarczyło, żeby stracił równowagę i o mało nie runął na szafę. Musiał wytężyć wszystkie siły, aby ustać na nogach. Kiedy poczuł, że jest w stanie sprostać wyzwaniu, opuścił mieszkanie i poczłapał do auta. Oczywiście brał pod uwagę to, że ktoś, jakiś wścibski skurwiel, może zapytać, dlaczego idzie trzepać dywany o tej godzinie, ale musiał zaryzykować. Liczył, że dopisze mu szczęście... bo w sumie dlaczego nie?

Dopisało.

Gdy Kaśka leżała w bagażniku, a on siedział za kierownicą samochodu, uruchomił silnik i spojrzał we wsteczne lusterko. Twarz, którą zobaczył, nie należała do Janka Kowalskiego, lecz do kogoś obcego. W pierwszej chwili nie wiedział, na kogo patrzy, ale po minucie zrozumiał. Potrząsnął głową, co sprawiło, że powrócił do rzeczywistości. To tylko przywidzenie, nic więcej.

Wrzucił bieg i ruszył w kierunku Obory.

W kierunku przeznaczenia.

*

Gdy Anna otworzyła oczy, na zewnątrz panowała ciemność. Zmęczona bitwą z myślami, usnęła, a to, co przyszło do niej we śnie, w żaden sposób nie mogła nazwać przyjemnością. Widziała nagie kobiety błagające o litość. Widziała mężczyznę w czapce na głowie. Widziała sterczącego penisa i brutalną penetrację. Oczywiście zdawała sobie sprawę z tego, że koszmar jest tylko koszmarem, niczym więcej, ale… podskórnie czuła, że nie przyszedł do niej przypadkowo. W tym domu wdeptano w ziemię mnóstwo ludzkich marzeń, odarto z człowieczeństwa tyle istnień, że pewnie gdyby ściany miały uczucia i mogły płakać, szlochałyby przez dwadzieścia cztery godziny na dobę.

Wstała, podeszła do okna. Co przyniesie najbliższa przyszłość?

Nie potrafiła odpowiedzieć na to pytanie. Zdana na łaskę męża (zwierzęcia, nazywaj rzeczy po imieniu!), mogła jedynie czekać. Na co, na wyrok? Nie, Janek nie posunie się do zabójstwa, przecież chciał, żeby urodziła dziecko. Urodziła… to znaczy, że będzie tkwiła w tym domu przez następnych osiem, może nawet dziewięć miesięcy. Na samą myśl o wdychaniu cierpienia innych poczuła mdłości. Czy seryjny morderca właśnie w tym pomieszczeniu przetrzymywał swoje ofiary? Czy łóżko, na którym spała, służyło za miejsce kaźni?

Chciała wierzyć, że nie, ale…

Podeszła do drzwi. Szarpnęła klamkę. Nic. Zaczęła walić pięścią w drewno, oczywiście bez nadziei, że cokolwiek osiągnie. Opanowana przez frustrację, zmęczona psychicznym napięciem, osunęła się na kolana i zaczęła płakać. Łzy spływały po policzkach, kapały z brody i lądowały na zimnej podłodze.

– Wypuść mnie stąd, słyszysz? – wyszeptała. – Wypuść!

„Zapomnij – usłyszała w duszy odpowiedź. – Nigdy stąd nie wyjdziesz".

*

Gdy skręcił na dwupasmową szosę biegnącą wzdłuż rzeki, wyjął z kieszeni paczkę papierosów. Wetknął do ust marlboro, zapalił i zaciągnął się jak nałogowiec po przymusowym rozbracie ze swoim najlepszym kumplem, trwającym co najmniej dekadę. Stres nie demolował mu żył, nic z tych rzeczy, ale nikotyna zapewniała przyjemne rozluźnienie. Przed momentem załatwił Kaśkę, dlatego uznał, że zasłużył na małego dymka.

Objechał największe rondo w mieście, po czym przystanął na światłach. Spojrzał we wsteczne lusterko. Nikogo. Rozejrzał się na lewo i prawo. Również nic. Miał dzisiaj fart. Wyszczerzył zęby w uśmiechu. Niech dobra passa trwa do samego końca, czyli do... Nie potrafił wskazać dokładnej daty... po prostu niech trwa, i basta!

Zielone. Ruszył. Najchętniej opróżniłby piersiówkę, którą miał za pazuchą, ale zdawał sobie sprawę z tego, że w razie kontroli na drodze wpadnie jak gówno do miski klozetowej. Miał do wykonania robotę i musiał zachować wszelkie możliwe środki ostrożności. Wystarczy jeden fałszywy ruch, jeden pieprzony błąd, a wyląduje za kratami w towarzystwie jakiegoś debila.

„Nastaw odbyt, frajerze".

Zapomnij.

Przejechał koło nowej siedziby policji. Gdy minął wiadukt kolejowy, a potem skierował wóz prosto do celu podróży, deszcz znowu postanowił odpuścić. Janek, zrelaksowany, pewny swego, ponownie zerknął we wsteczne lusterko. Znieruchomiał. Rozdziawił usta w zdumieniu, tak że papieros wylądował na podłodze.

Radiowóz. Niebieska suka.

Kurwa jego mać!

Mimo że jechał najwyżej sześćdziesiąt kilometrów na godzinę, zredukował bieg i zwolnił do pięćdziesiątki. Nie potrafił pozbyć się dojmującego wrażenia, że tym razem szczęście pokaże mu środkowy palec. Przez chwilę liczył na to, że radiowóz skręci w prawo, żeby wrócić do miasta dwupasmową miniobwodnicą, ale nie, skurwiel przywarł mu do tyłka i nie zamierzał odpuścić.

Włączył kierunkowskaz i zjechał na parking koło kompleksu wielkich supermarketów. „No dalej, wypierdalać!" Nie wyłączając maszyny, wytężył słuch, żeby sprawdzić, czy z bagażnika nie dobiegają jakiekolwiek niepokojące dźwięki: wołanie o pomoc, uderzenia o klapę, stukanie, bębnienie. Cokolwiek. Nocną ciszę przerywał tylko niski pomruk silnika, nic więcej.

Odetchnął. Na wielkim placu stało kilka samochodów, lecz nie dostrzegał żywej duszy. Zaklął w myślach. Ludzie, bez względu na wiek, płeć, gabaryty i poziom inteligencji, odciągnęliby uwagę piesków, a tak… I wtedy policyjna suka – zdzira, szmata, dziwka! – zaparkowała tuż obok. Drzwi od strony pasażera otworzył spasiony policjant, który na pewno zajmował czołowe lokaty w konkursach jedzenia pączków. Podszedł do wozu Janka niespiesznym krokiem, poprawił czapkę nałożoną na wielki, kanciasty łeb, po czym zwinął dłoń w pięść i postukał w szybę.

Fart, co?

Kurwa jego mać!

Janek musiał podjąć decyzję w ułamku sekundy. Albo wciśnie pedał gazu do podłogi i odjedzie, albo pozwoli pieskom węszyć po samochodzie. Wziął kilka głębokich oddechów, przywołał na twarz sztuczny uśmiech, odkrywający zęby od szóstki do szóstki, po czym wcisnął guzik; szyba opadła, wpuszczając do auta odrobinę świeżego powietrza. Nie mógł postąpić inaczej. Po pierwsze, na pewno nie uciekłby zbyt daleko, a po drugie, liczył na pomyślne zakończenie kontroli. Jeśli gliniarze działają napędzani rutyną, nic złego nie może się wydarzyć.

Nic!

Spasiony glina położył dłoń na dachu samochodu.

– Fatalna pogoda, co?

Janek postanowił grać dobrego obywatela: uśmiech przytwierdzony do facjaty, życzliwość, odpowiednie maniery i potok słów. Jeśli zagada grubasa, możliwe, że uniknie przeszukania wozu. Jeśli zaś obleśny pies zacznie węszyć... Nie, takiej opcji w ogóle nie brał pod uwagę.

– E tam, panie władzo – zaczął z udawanym animuszem. – Dla mnie w sam raz. Po co tłuc się po zatłoczonych ulicach w godzinach szczytu, skoro można uniknąć korków i pojeździć po mieście teraz? Człowiek stoi w sznurze aut od rana do wieczora... cóż to za przyjemność?

Zdawał sobie sprawę z tego, że brzmi nieco nienaturalnie. Z drugiej strony wiedział również, że kontakt ze służbami mundurowymi u przeciętnego zjadacza chleba wywołuje skurcz żołądka i przyspiesza akcję serca. Zatem istniała szansa, że wypadnie przynajmniej w miarę autentycznie.

Gliniarz pozostał niewzruszony. Przykleił wzrok do twarzy Janka. Zabębnił palcami o dach wozu. Prawą dłoń wcisnął za pas spodni, do którego tkwił przytroczony niezbędnik każdego sierściucha: krótkofalówka, telefon komórkowy, kajdanki i pałka o rozmiarach ludzkiego przedramienia.

– Dłuższa wycieczka? – zapytał pozbawionym emocji głosem.

– Nie, przejażdżka po okolicy, to wszystko.

– Proszę wyłączyć silnik.

Cholera!

Janek przełknął ślinę. Przeszukanie wisiało nad nim jak ostrze gilotyny i w tym momencie zrozumiał, że nie uniknie kary za pobicie i porwanie. Może i za usiłowanie zabójstwa. Ile lat dostanie? Pięć, dziesięć, piętnaście? A może spędzi w towarzystwie Malarza resztę życia? Przekręcił kluczyk tkwiący w stacyjce, gasząc mruczącą maszynę. Już po nim. Wprawdzie miał jeszcze czas, żeby zareagować, żeby wziąć dupę w troki... Nie, jedyna szansa na ucieczkę minęła całe wieki temu.

– Robi się, panie władzo – powiedział z tym samym uśmiechem na ustach.

Jak na ironię Malarz wpadł na rutynowej kontroli, wioząc w bagażniku nieprzytomną kobietę, i wszystko wskazywało na to, że on również dostanie od losu solidnego kopa z podbitego blachą trepa. Historia lubi się powtarzać, co?

Kurwa, kurwa, kurwa!

– Dowód rejestracyjny, prawo jazdy, ubezpieczenie.

Pogrzebał za pazuchą. Wyjął dokumenty. Podał gliniarzowi. Patrząc na swoją dłoń, stwierdził, że nawet nie drgnęła. W środku dygotał, wrzał od nadmiaru emocji, ale na zewnątrz pozostawał opanowany, niemal martwy. Maszyna zaprogramowana na jeden cel. Na samą myśl o uzyskaniu kontroli nad ciałem w każdej sytuacji, poszerzył uśmiech na kolejne zęby, tym razem siódemki.

Gliniarz wyjął z kieszeni małą latarkę. Poświecił na papiery. Sprawdził dane w prawie jazdy z informacjami dotyczącymi wozu. Rzucił Jankowi przenikliwe spojrzenie, pod którym ugiąłby się najtwardszy bandzior. Ale nie on. On pozostawał niewzruszony, jakby wyciął sobie część mózgu odpowiadającą za uczucia.

– Coś nie tak? – zapytał.

Pies nadal oglądał dokumenty.

– To nie pański wóz?

– Z wypożyczalni. Sprzedałem swojego grata... miałem piętnastoletniego forda... Wie pan, panie władzo, trupa, którego już dawno powinienem pogrzebać. Trupa z prawie martwym jednolitrowym silnikiem. Ile pieniędzy musiałem w niego ładować, wie tylko mój mechanik. – Uśmiech odkrył ósemki, tak że kąciki ust spotkały się niemal na potylicy. – Muszę odebrać żonę z lotniska w Pyrzowicach i potrzebowałem czegoś niezawodnego. Niemcy robią naprawdę niezawodne samochody.

– Podróż służbowa?

– Żony? Nie, wczasy. Chciała zabrać mnie z sobą... wie pan, Egipt i te sprawy, ale nie znoszę upałów i mam mnóstwo roboty na miejscu. W lipcu odwiedziłem nasze góry i na tym koniec. Muszę oszczędzać na nowy wóz, niestety, nie jest lekko. Myślę o jakimś francuskim.

Gliniarz skinął głową. Gdy oddawał mu papiery, nocną ciszę rozdarł pojedynczy dźwięk uderzenia, jakby coś ciężkiego spadło na beton z niedużej wysokości. Bagażnik. W dupę kopany! Janek spojrzał na spaślaka, wciąż z uśmiechem na ustach, który teraz jednak nieco przygasł. Policjant skrzyżował ręce na olbrzymiej klatce piersiowej. Nie odrywał wzroku od twarzy Janka, jak gdyby usiłował wniknąć mu pod czaszkę i poznać myśli.

– Wiezie pan w bagażniku zwłoki?

Janek rzucił okiem na podłogę wozu. Papieros wciąż tam leżał, nieco zmaltretowany, pozbawiony entuzjazmu, ale żywy. Wypluwał cienką smużkę czarnego dymu, która dryfowała w kierunku okna, szukając wyjścia z blaszanej pułapki.

„Zwłoki, zwłoki, zwłoki”...

Kurwa, kurwa, kurwa!

– Słucham?

Kiedy sądził, że glina sięgnie do kabury po pistolet,

przytknie mu lufę do skroni i zażąda, żeby wysiadł – „Wypierdalaj z auta, ale już!" – ten posłał mu szeroki, rozbrajający uśmiech.

– Żartowałem.

Żartował? Kurwa, ŻARTOWAŁ!?

Powietrze uszło z Janka jak z wadliwej komory ciśnień. Przed odejściem glina wskazał palcem papierosa leżącego na podłodze.

– Proszę nie spalić wozu. Szkoda takiej bryki.

– Jasne. – Podniósł marlboro, zgasił w popielniczce. Serce waliło mu jak kowalskim młotem, ale na twarzy wciąż tkwił szeroki uśmiech. – I szkoda kłopotów z właścicielem wypożyczalni.

Spaślak wrócił do radiowozu. Zamknąwszy oczy, Janek przywarł plecami do oparcia fotela. Usłyszał warkot uruchamianego silnika. Później szum… oddalający się… oddalający się… oddalający się… oddalający się… Aż w końcu nastała cisza.

Zapalił kolejnego papierosa.

Wypuścił z ust kłąb dymu.

Jednak miał fart.

Kurewsko wielki fart.

Jebany monstrualny fart.

Zaczął rechotać.

*

Anna siedziała na łóżku z twarzą schowaną w dłoniach. Płacz odszedł w zapomnienie, ale oczywiście nie mogła ot tak, za jednym pstryknięciem wyłączyć szarych komórek i chociaż na moment zapomnieć o tym, czego doświadczała. Świadomość kompletnej życiowej porażki tkwiła w niej niczym ostry kawałek szkła. Najpierw wyszła za mężczyznę, którego tak naprawdę w ogóle nie znała (bolało), później padła ofiarą gwałciciela (bolało), a na końcu, pobita i upokorzona przez własnego męża (bolało po dwakroć), wylądowała w domu seryjnego mordercy.

Wstała, po czym zaczęła szukać słabych punktów pokoju. Drzwi nie ustępowały, podobnie jak kraty. Z braku innych pomysłów ostukała ściany, ale niczego nie znalazła. A gdyby nawet dostała podarunek od losu, to przecież nie miała ani młotka, ani siekiery, ani nawet czegoś w miarę ciężkiego, czegoś z metalu. Tylko pilnik do paznokci w kosmetyczce. Za oknem panowała ciemność. Janek wciąż nie wracał. Nie roztrząsała kwestii, dokąd pojechał. Może po zakupy, może na rozmowę z mordercą, a może po prostu poszukać mocnych wrażeń gdzieś w zakamarkach miasta. Teraz, po tym wszystkim, co przeszła – co razem przeszli – niczego nie była już pewna. Sądziła, że zna męża, przecież szli przez życie od kilku ładnych lat. Ramię w ramię, oddech przy oddechu. Ale nie, od jakiegoś czasu mieszkała pod jednym dachem z facetem, o którym nie wiedziała właściwie nic. Z kimś obcym.

Obcy.

Nieznajomy.

Kim jesteś, Janie Kowalski?

Usłyszała warkot pracującego silnika. Wstała i podeszła do okna. Uchyliła firankę. Wyjrzała na zewnątrz. Bramę oblało mocne światło reflektorów. Po chwili zgasło. Z samochodu wysiadł Janek. Mrok powodował, że musiała wytężyć wzrok, żeby cokolwiek zobaczyć. Dostrzegła zarys sylwetki zmierzającej na tył wozu, nic więcej. Ale to wystarczyło, żeby prawidłowo ocenić sytuację. Do ciężkiej, jasnej, ciasnej cholery, co on kombinuje?

Otworzył bagażnik. Wyjął coś... coś... nie potrafiła rozpoznać, co zarzucił na ramię... przypuszczała jednak, że coś ciężkiego, coś... przypominającego dywan... lub koc. Gdy szedł w stronę domu, kilkakrotnie się zachwiał, jak gdyby nogi odmówiły mu posłuszeństwa, ale ostatecznie utrzymał równowagę.

I dyszał.

Mogłaby przysiąc, że słyszała głęboki oddech, posapywanie…

Nie, to tylko wyobraźnia.

Kiedy uniósł wzrok do okna, puściła firankę i odskoczyła w głąb pokoju. Nie chciała, żeby czuł się obserwowany. Tak po prostu. Powód? Żaden, przynajmniej nic racjonalnego. Może przeczucie, że coś się wydarzy, coś złego, coś, co zmieni ich dotychczasowe życie, co spowoduje, że już nigdy nie powróci na wcześniejsze tory.

Idiotka.

Przecież to się już stało.

O tak, stało się…

51

Po wejściu do domu Malarza poczuł się... dziwnie. Chciał nadać nazwę swemu samopoczuciu, jakąkolwiek, byle trafną, ale nie znajdywał odpowiednich słów. Dziwnie, tak po prostu. I to nie z powodu ciężaru zarzuconego na ramię, raczej przez wzgląd na to, gdzie przebywał i co tu robił.

Minąwszy przedsionek, poczłapał w kierunku salonu. Kaśka jeszcze nie odzyskała przytomności, ale zaczynała mamrotać. Teraz nie miało większego znaczenia, kiedy powróci do pełni zmysłów, bo najgorsze minęło i nic nie wskazywało na to, że ktokolwiek – spasiony gliniarz, tępy strażnik miejski, wścibski sąsiad czy też natrętny akwizytor – pomiesza mu szyki.

Kto pociąga za wszystkie sznurki? Jan Kowalski!

Okrążył stolik, na którym wciąż stały dwa kieliszki i butelka po winie, po czym rzucił Kaśkę na kanapę. Wykonał kilka głębokich skłonów, parę wymachów ramion i jeszcze kilka obrotów nadgarstkami. Nie ważyła zbyt wiele, ale i tak dostał solidnie w kość.

Cisnął kurtkę na podłogę. Rozwinął koc i zaczął wodzić wzrokiem po smukłym ciele swej ofiary. Piersi, zasłonięte cienkim materiałem bluzy, falowały w rytm oddechów. Cudowny widok. Na samą myśl o tym, że w każdej chwili może posiąść kobietę, której pragnął od... od niepamiętnych czasów, poczuł bolesny, ale niezwykle przyjemny wzwód. Atmosfera domu, to, co wirowało w powietrzu, działało na zmysły, obezwładniało, nakazywało brać więcej i więcej... brać wszystko, bez wyjątku.

„Chcesz zrozumieć, chłopcze?"

Oczywiście!

Gdy tak stał nad Kaśką, otworzyła oczy. Podniosła się na łokciach. Posłała mu zdumione spojrzenie, w które wkradły się pierwsze oznaki zrozumienia. Odskoczyła w tył jak smagnięta biczem. Przeleciała przez oparcie kanapy. Upadła na podłogę. Kiedy się pozbierała, zaczęła cofać się krok po kroku w głąb domu. Nie wypowiedziała ani jednego słowa, tylko zerkała na niego, zaciskała usta... i cofała się... cofała. Wiedziała, o co chodzi. Wiedziała, co tu robi i jak skończy. Musiała wiedzieć, przecież duże dziewczynki wiedzą takie rzeczy, czyż nie?

„Naprawdę tego chcesz?"

Jak najbardziej!

Ruszył za nią, kiwając palcem. Czuł, że coś w niego wstępuje, że jakiś cień wnika mu do wnętrza i przejmuje kontrolę nie tylko nad umysłem, lecz również nad ciałem. Otoczenie przestało istnieć, skurczyło się do jednego punktu. Widział tylko sylwetkę Kaśki, ścianę i drzwi prowadzące do piwnicy. Reszta nie miała najmniejszego znaczenia. Meble, obrazy wiszące na ścianie, wykładziny – to wszystko stanowiło dekorację, której nie dostrzegał.

„I proszę, nie spraw mi zawodu".

Nigdy!

– Czego chcesz?

Weszła do kuchni. Okrążyła stół, po czym zatrzymała się pod oknem. Szukała czegoś, jakiegoś przedmiotu, którym mogłaby sparować albo zadać cios. Mogła sięgnąć do szuflady, żeby wyjąć nóż, jednak strach powodował, że straciła zdolność logicznego rozumowania.

Słodka mała dziewczynka.

Albo raczej zdzira! Suka! Dziwka!

– Czego, kurwa, ode mnie chcesz!?

Nie odpowiedział, ba, nawet nie usłyszał pytania. Tkwił we własnym świecie utkanym z nienawiści, seksualnej żądzy i chęci zrozumienia. I nawet jeśli świadomość próbowała przebić się przez grubą warstwę szaleństwa, to cień, który wtargnął mu do wnętrza, nie pozwalał na to. W jego głowie wciąż brzmiał znajomy szept. Głos seryjnego mordercy. Głos Malarza. Głos… Janka Kowalskiego.

„Załatw szmatę!"

Jasne!

Rzucił się na nią z otwartymi ramionami, jak gdyby zamierzał przywitać uściskiem najlepszego kumpla. Zrobiła unik. Przewrócił dwa krzesła i rąbnął czołem w kaloryfer. Jego czaszkę rozdarł pulsujący ból. Przed oczami rozbłysły mu gwiazdy, ale tylko na krótką chwilę. Adrenalina buzująca we krwi wypchnęła na pierwszy plan pożądanie, wszystko inne nie miało żadnego znaczenia.

Kątem oka zobaczył, że Kaśka wybiega z kuchni. Podniósł się, po czym ruszył w pościg. Nie wyrobił na zakręcie, poślizgnął się i uderzył o ścianę. Stracił sekundę, może dwie, zanim wzrok zmącony wstrząsem odzyskał odpowiednią ostrość.

Jest!

Suka! Dziwka! Zdzira!

Dopadła do drzwi. Szarpnęła za klamkę. Nic. Krzyknęła coś, chyba: „Pomocy!", jak gdyby nie zdawała sobie sprawy z tego, że żadna pomoc nie nadejdzie. Nadejdzie za to coś innego… zrozumienie… zarówno dla niej, jak i dla niego. Dla wszystkich.

Dzielący ich dystans pokonał w ciągu sekundy. Złapał Kaśkę za głowę, odchylił i szarpnął. Upadła na podłogę z krzykiem zamierającym na ustach. Silne uderzenie w plecy spowodowało, że na moment straciła oddech. Posłała mu przerażone spojrzenie. Przywodziła na myśl sarnę uciekającą przed sforą wygłodniałych wilków.

Pochylił się nad nią, a wtedy wystrzeliła stopą prosto w jego krocze. Zdumiony, że czuje ból, jęknął, po czym wypuścił powietrze nagromadzone w płucach. Osunął się na kolana. W oczach stanęły mu łzy. Przez chwilę widział tylko rozmazaną kurtynę najróżniejszych barw i kształtów. Machnął ręką na ślepo, wierząc, że złapie sukę za nogę, że pociągnie w swoją stronę, żeby później zdzielić w twarz. Nic. Palce wygięte niczym szpony orła przecięły przestrzeń, nie napotykając żadnego oporu.

Sekunda.

Wziął głęboki oddech.

Dwie sekundy.

Zobaczył, jak Kaśka pełznie do tyłu w pozycji półsiedzącej. Wreszcie jak wstaje i – przygarbiona – idzie w głąb salonu. Jak sięga po butelkę po winie. Jak podchodzi do niego i bierze zamach.

Trzy sekundy.

– Skurwysynu!

Chciał zrobić unik, ale ciało odmówiło mu posłuszeństwa. Klęczał niczym bigot skrępowany modlitwą i patrzył w przerażone, ale zarazem zdeterminowane oczy Kaśki. Zdzira! Przecież to on powinien katować! To on powinien – ba, on chciał! – dokopać tej pieprzniętej suce! To on dzierżył w ręku wszystkie atuty... przynajmniej jeszcze przed momentem.

Wezbrała w nim złość. Widziany obraz, wciąż skurczony do rozmiarów ekranu telewizora, wypełniała wyłącznie sylwetka Kaśki. Dziwki! Kiedy butelka zamajaczyła mu przed oczyma, uchylił się, złapał Kaśkę za rękę, po czym szarpnął z całych sił. Krzyknęła. Zachwiała się. Niewiele brakowało, a upadłaby na podłogę, lecz utrzymała równowagę. Wyrwała się z uścisku i odskoczyła do tyłu.

Pozbieranie się zajęło mu mgnienie oka. Żar ogarniający krocze zaczął rozprzestrzeniać się na całe podbrzusze. Widząc strach wykrzywiający twarz Kaśki, poczuł przypływ energii. Skoczył. Plątanina ciał runęła na stół, strącając kieliszki. Zsunęli się na podłogę. Kaśka uderzyła potylicą o twardą posadzkę. Jęknęła. Wyobraził sobie, że tak zacznie jęczeć podczas stosunku, co sprawiło, że wygiął usta w szerokim uśmiechu. Usiadł na niej okrakiem. Kilkakrotnie uderzył w twarz otwartą dłonią. Niech wie, z kim zadarła, że namawiając Annę do usunięcia ciąży, wydała na siebie wyrok.

Szarpała się, broniła, ale bezskutecznie. Osłabiona długą walką, nie mogła zrzucić z siebie dziewięćdziesięciu kilogramów. Chciała coś powiedzieć, ale następujące po sobie ciosy podziałały lepiej niż knebel.

Kiedy przerwał, splunęła krwią. Zaczęła płakać. Może sądziła, że łzy rozmiękczą mu serce, lecz nic takiego nie nastąpiło. Nie poczuł dosłownie nic, żadnego współczucia, choćby cienia żalu.

„Chcesz zrozumieć?"

O tak!

Gdy straciła ochotę do dalszej walki, sięgnął do kieszeni kurtki leżącej obok. Wyjął tłuczek do mięsa. Obrzucił narzędzie spojrzeniem przepełnionym ciekawością, po czym zarechotał tak, jakby usłyszał najlepszy dowcip na świecie. Nie, nie o to chodziło, chociaż z drugiej strony... Po chwili trzymał już w dłoni nóż. Wcisnął przycisk, uwalniając z rączki metalowe ostrze. Spojrzał w przerażone oczy Kaśki. Ponownie parsknął śmiechem. Szarpnęła biodrami, ale nic nie wskórała. Dostała za to kolejny cios, tym razem pięścią. Wrzasnęła. I znowu zaczęła płakać.

Przeciągnął ostrzem po materiale bluzy, uwalniając dwie sprężyste piersi. O ile wcześniej, pod wpływem silnego kopnięcia, krew nagromadzona w penisie odpłynęła do innych członków ciała, to teraz naparła na krocze z wielkim impetem. Silna, bolesna erekcja niemal rozerwała dżinsowy materiał. Jęknął. Wstał, zdjął spodnie najpierw sobie, później Kaśce. Nie protestowała. Pobita, upokorzona, sprawiała wrażenie pogodzonej z losem. Kolejna szmaciana lalka. Pierdolona kukła.

Rozerwał majtki. Obojgu. Wszedł w nią jednym szybkim ruchem. Zaczął posuwać. Przód, tył. Przód, tył. Przód, tył. Otoczenie przestało istnieć. Gdyby ktoś następnego dnia zapytał, co czuł, debiutując w roli gwałciciela, nie potrafiłby udzielić odpowiedzi. Bo nie czuł nic… A raczej wszystko… WSZYSTKO! Czegoś takiego nie przeżył jeszcze nigdy wcześniej.

I chciał więcej.

Dużo więcej.

*

Anna usłyszała krzyki, jęki i głuche trzaski, jakby jakiś ciężki przedmiot rąbnął z impetem o podłogę. Podeszła do drzwi z sercem bijącym już prawie w gardle. Przyłożyła ucho do drewnianej powierzchni. Znowu wrzaski. Brzęk… chyba tłuczonego szkła. Płacz. A później… a później coś jak intensywne sapanie, tak głośne, że niemal przenikające przez ściany.

Co się dzieje?

Wszystko trwało kilkanaście minut, może więcej. I nagle ucichło. Stała pod drzwiami jeszcze parę chwil, pozwalając pracować wyobraźni. Odgłosy bijatyki? Na pewno, przynajmniej na początku. A dalej? Sapanie... to przeklęte sapanie...

„Przestań!"

O tak, chciała przestać, ale nie potrafiła. Czuła, że trafiła na samo dno piekła i musi brać pod uwagę każdą, nawet najbardziej diabelską ewentualność. Kto przyszedł do domu? Co Janek niósł na ramieniu? Wreszcie, co robił na dole, w salonie, może w kuchni... albo gdziekolwiek?

Pomyślała o nadchodzącej odsieczy. Oczami wyobraźni widziała dwóch mężczyzn w mundurach – oczywiście z bronią w dłoniach – którzy rozpoczynają szturm na dom. Kopniakiem wyważają drzwi, następnie lustrują wzrokiem otoczenie, a kiedy napotykają psychopatę, chowają pistolety do kabury i postanawiają wymierzyć sprawiedliwość nie kulami, lecz pięściami. I katują męża, tego parszywego drania... katują do nieprzytomności, bo nie zasłużył na nic więcej, chyba tylko na krzesło elektryczne albo zastrzyk z trucizną.

Taką ewentualność przyjęłaby z ulgą, ale coś w jej wnętrzu podpowiadało – jakiś głos sceptycyzmu – że do tego nie dojdzie, bo los nie lubi chodzić po linii najmniejszego oporu, czyż nie? O tak, los jest takim samym draniem jak... Janek i gwałciciel.

Sapanie...

O co tu chodzi?

Podeszła do okna. Odchyliła firankę i spojrzała na samochód. Liczyła na nadejście ratunku, ale zdawała sobie sprawę z tego, że nikt nie wie, gdzie przebywa. A skoro nikt nie wie, to nikt nie przyjdzie... Tkwiła w tym miejscu skazana na łaskę i niełaskę męża potwora, czekając na rozwój wypadków. Co zamierza z nią zrobić? Przecież dom jest wystawiony na sprzedaż, widziała banner, zatem nie mogą tu mieszkać w nieskończoność. Może jutro, góra pojutrze agent przyprowadzi zainteresowanego klienta, a wtedy…

Kątem oka zobaczyła rozbłysk punkciku światła pod wielkim rozłożystym drzewem rosnącym naprzeciwko. Rzuciła spojrzenie w tamtą stronę. Zamarła. O ile wcześniej serce biło jej w gardle, to teraz czuła, że tkwi w ustach zamiast języka. I galopuje niczym przerażony wierzchowiec. Odskoczyła od okna, przywarła plecami do ściany i wzięła kilka głębokich oddechów. Nie, to tylko wyobraźnia. Czyżby?

Minęło kilka sekund, zanim zebrała się na odwagę, żeby ponownie odchylić firankę. Zerknęła w to samo miejsce, gdzie wcześniej dostrzegła punkt światła. Nic, pustka. Zatem padła ofiarą przywidzeń. Odetchnęła z ulgą. Walczyć z czymś namacalnym jest w miarę łatwo, przynajmniej masz świadomość tego, z kim toczysz bitwę. Ale stawać oko w oko z wytworem przerażonego umysłu, to już zupełnie coś innego.

Kiedy zamierzała odejść od okna, zobaczyła, że punkt światła rozbłysnął koło samochodu. Musiała wesprzeć się dłońmi o parapet, żeby nie upaść. W głowie zawirowało jej tak, jakby siedziała na karuzeli mknącej z prędkością światła. Krew odpłynęła do mózgu.

Mężczyzna w czapce dokerce.

Jakim cudem? Skąd…

Nie zaczęła krzyczeć, nie zaczęła wzywać pomocy, nie rzuciła się do drzwi. Nie dostrzegła też, żeby mężczyzna ruszył w stronę domu. Opierał się o maskę wozu, zaciągał papierosem i patrzył. Na co? Na nią. I czekał. Na co? Tego nie wiedziała.

Osłabiona, wyjałowiona z resztek energii, poczuła, że leci na spotkanie z niebytem. Zaszumiało jej pod czaszką. Przed oczyma najpierw zamajaczyły gwiazdy, później ciemność. Nogi ulepione z waty cukrowej nie utrzymały ciężaru ciała. Runęła na podłogę, tracąc kontakt z rzeczywistością.

Mężczyzna w czapce dokerce przestał istnieć.

*

Gwałt sprawił, że na moment odleciał w myślowy niebyt. Nie liczyło się nic prócz zaspokojenia potrzeb ciała, prócz cielesnej satysfakcji. Nigdy wcześniej nie czuł się taki oczyszczony. Wszystkie ziemskie troski, wszystkie problemy i kłopoty tego świata odeszły w zapomnienie wraz z chwilą, w której wyprowadzał serie mocnych penetrujących pchnięć.

Nirwana.

Gdy skończył, spojrzał na półprzytomną Kaśkę. Na poharatane uda, na ukąszenia na piersiach. Przez chwilę rozważał pomysł odfajkowania drugiego razu, ale doszedł do wniosku, że jeden wystarczy. Zrobił to, co zamierzał, i przyszła pora na wykonanie kolejnego kroku. Przecież chciał zrozumieć... w pełni...

Kaśka.

Kobieta wyzwolona.

Suka! Suka! Suka!

Wcześniej walczyła i jęczała, ale ostatecznie wyłączyła wszelkie zmysły jak za dotknięciem guzika i zaczęła przypominać szmacianą lalkę. Rżnął sukę do utraty tchu – pot spływał mu po plecach, wsiąkając w materiał bluzy – tymczasem ona pozostawała poza świadomością, trwała gdzieś z boku, jak gdyby opuściła ciało.

Zdzira odebrała mu nieco spełnienia... tak tyci tyci, ale jednak.

Zapłaci za to.

O tak, zapłaci!

Naciągnął na tyłek spodnie. Włożył buty. Nigdy

nikogo nie skrzywdził, ale teraz... teraz wszystko uległo zmianie. Bo zasłużyła. Nie dość, że sama zabiła nienarodzone dziecko, to namawiała do mordu Annę. O tak, dziwka zasłużyła jak nikt inny.

Odstawił butelkę na stół. Chwycił Kaśkę pod pachami i zaczął ciągnąć. Spojrzał na zmasakrowaną twarz. Nie pamiętał, żeby posunął się tak daleko, po prostu robił to, co podpowiadał mu głos wybrzmiewający pod czaszką. Chyba przesadził... tak, raczej, ale tylko odrobinę. Adrenalina opadła, ustępując miejsca opanowaniu, bo to, co zamierzał uczynić, wymagało chłodnej głowy.

Dotarł do drzwi prowadzących do piwnicy. Otworzył je. Nacisnął włącznik światła. Znowu wetknął przedramiona pod pachy Kaśki, splótł dłonie na wysokości klatki piersiowej. Schody jęczały przy każdym stąpnięciu, ale wytrzymały obciążenie. Po dotarciu na dół zostawił Kaśkę na zimnej, brudnej posadzce, wziął do ręki wiadro, zamknął drzwi na klucz, a potem poszedł na górę.

Wszedł do kuchni. Zaczął szperać po szafkach. Wydobył wielki nóż, taki, którym zręczny rzeźnik mógłby wybebeszyć dorodną świnię. Przeciągnął spojrzeniem po długim, lśniącym ostrzu. Wyszczerzył zęby w uśmiechu. Nie potrzebował narzędzia takich rozmiarów, ale z drugiej strony... Czy seryjny morderca używał podobnych zabawek? A może stawiał na coś bardziej wyrafinowanego? Przecież przez lata zabijania osiągnął już niezłą wprawę.

Nalał wody do wiadra. Zostawił wszystko przed drzwiami do piwnicy, po czym ruszył do garażu. Kiedy wszedł do środka, nie dostrzegł nic niezwykłego. Zaczął przeszukiwać szafki. Powoli, metodycznie. Nie spieszył się, miał mnóstwo czasu, którego nikt mu nie zabierze, ani pieski w mundurach – na wspomnienie epizodu z glinami ryknął donośnym śmiechem – ani sąsiedzi, ani nawet, kurwa jego mać, sam Bóg!

Po chwili wyłowił z gąszczu rupieci kawałek cienkiej liny. Szarpnął parokrotnie. Nie pękła, nawet nie zatrzeszczała. Świetnie, po prostu znakomicie. Oczywiście wolałby łańcuchy, ale z braku laku... Najpierw wrócił do salonu, żeby wlać w siebie odrobinę wódki. Następnie podszedł pod drzwi do piwnicy. Sięgnął po nóż. Przeciął linę na dwie równe części. Wziął wiadro z wodą i zszedł na dół. Stąpał jak po rozgrzanych węglach, sądząc, że Kaśka rzuci się na niego... z czymkolwiek, ale nic takiego nie nastąpiło. Leżała w pozycji embrionalnej tam gdzie wcześniej, naga, obserwująca otoczenie przestraszonym wzrokiem.

Odstawił wszystko na podłogę. Wziął zamach, po czym sprzedał dziwce solidnego kopa. Zawyła. Kolejny cios. Zaczęła się czołgać w kierunku materaca. Następne uderzenie. Usłyszał trzask łamanych żeber. O kurwa! Chyba powinien odpuścić, bo przecież nie chciał skatować dziwki na jebany amen, lecz nie potrafił sobie odmówić. Zasłużyła na to jak nikt inny. Zasłużyła!

Kopnięcie. Kopnięcie. Kopnięcie.

Dosyć!

Wziął do ręki wiadro i chlusnął wodą w twarz Kaśki. O ile przed momentem odpływała w nieświadomość, to teraz zareagowała niczym po dożylnej aplikacji kofeiny. Chwycił zdzirę pod pachami i zaciągnął na materac. Nie protestowała. Wystarczy postawić na argument pięści, a rozkruszysz każdą pewność siebie, zburzysz każdy, nawet najtwardszy, mur pychy. Kobieta wyzwolona, co? Nie, prędzej najzwyklejsza w świecie dziwka! Suka! Szmata!

Wziął w dłoń kawałki liny. Przywiązał ręce Kaśki do metalowych obręczy. Teraz nie ucieknie, o nie, takiej opcji w ogóle nie brał pod uwagę. Bo niby gdzie i w jaki sposób miałaby uciec?

Stanął w rozkroku przed materacem. Posłał w przestrzeń uśmiech. Usłyszał szept:

– Błagam, nie rób mi krzywdy…
„Oj, skarbie, skarbie…"
Sięgnął po nóż.

*

Półprzytomna Anna doznała wizji.

Leży na brzuchu. Czuje chłód bijący od wilgotnej trawy. Unosi głowę, chcąc przebić wzrokiem ciemności, dostrzec cokolwiek, smugę światła, zarys ludzkiej sylwetki, może nawet dyndający na wszystkie strony ogon czworonoga wyprowadzonego do parku przez właściciela. Nic, pustka. Zdaje sobie sprawę z tego, że koszmar powraca, że to, o czym pragnęła zapomnieć, przypomina o sobie ze zdwojoną siłą.

Zgwałci mnie! Zgwałci mnie ponownie!

Usiłuje wstać, ale nie może. Przygnieciona przez stukilogramowe cielsko, może jedynie czekać na wyrok, na egzekucję. Zaczyna krzyczeć. Tym razem mężczyzna, ten chory, nie robi z dłoni prowizorycznego knebla. Mało tego, szeptem zachęca, żeby wrzeszczała, żeby wypluła płuca, wołając o ratunek, który – oboje mają tego świadomość – nie nadejdzie.

Drań zdziera z niej spodnie. Dosłownie. Wbija się w nią. Anna czuje potworny ból rozlewający się w okolicach krocza. Zaczyna płakać. Wie, że prośbami o litość nic nie wskóra, podobnie jak szarpaniną w nadziei na wyrwanie się z rąk tego zboczeńca. Tkwi w szponach bierności, kompletnie bezradna.

Przód, tył. Przód, tył. Przód, tył.

W nieskończoność.

Oddech psychopaty śmierdzi tytoniem. Mężczyzna stęka i jęczy, jakby odbywał najlepszy stosunek w swoim marnym życiu. A przecież ona nie wykonuje najmniejszego ruchu, nie uczestniczy aktywnie w gwałcie, jest tylko statystką, jest ofiarą. Ciemność gęstnieje, istnieją jedynie oni, główni aktorzy tego chorego widowiska. Wbrew wszelkim zasadom czas płynie do tyłu, jak gdyby zamierzał zadrwić z gwałconej kobiety.

Przestań!

Mężczyzna nie słucha. Wykonuje serię mocnych pchnięć, po czym eksploduje. Wnętrze Anny wypełnia lepka ciecz. Trucizna. Nawet bez robienia testu wie, że zaszła w ciążę, że nasienie zboczeńca dotarło do celu, nie napotykając przeszkód.

Dlaczego?

Czemu?

Bez odpowiedzi.

Okolicę rozpruwa rubaszny śmiech. Kiedy opanowuje rozbawienie, odwraca Annę na plecy. Kuca przed nią i gładzi po policzku, wycierając łzy, jakby chciał powiedzieć: „Biedna dziewczynka. Kto ci to zrobił?". Mimo mroku jego twarz rozjaśnia ostre światło. Wtedy Anna dostrzega coś, co do tej pory pozostawało ukryte w odmętach nieświadomości.

Mężczyzna nosi na głowie czapkę.

Pieprzoną czapkę.

Dokerkę.

52

Stał z nożem w dłoni i patrzył na przerażoną Kaśkę. Cień, który wcześniej wtargnął mu do wnętrza, odpłynął w niebyt. Tylko na moment, dosłownie na mgnienie oka, ale to wystarczyło, żeby w głowie rozbłysła mu pojedyncza myśl: „CO ROBISZ?". Świadomość, dotychczas przykryta grubą warstwą pomieszania zmysłów, wróciła do niego w najmniej oczekiwanej chwili, wtedy gdy zamierzał wykonać pierwsze cięcie. Najpierw drgnął, później znieruchomiał, wtapiając zdezorientowany wzrok w zmasakrowaną twarz swojej ofiary.

„CO ROBISZ?"

Zanim usłyszał odpowiedź, cień znowu wygrał. Padł na umysł, gasząc wszelkie oznaki psychicznej równowagi. Pozostało tylko szaleństwo. Ponownie nie liczyło się nic prócz wykonania wyroku, bo przecież zasłużyła, czyż nie? Gdyby chociaż wyznała winę, gdyby wyraziła jakąkolwiek, choćby najmniejszą, skruchę…

„Chcesz zrozumieć?"

Zaczął nucić:

– Nie spodziewałbym się nigdy tego po tobie…

Przyłożył ostrze do zewnętrznej strony uda. Wykonał głębokie cięcie. Krew trysnęła z otwartej rany, zalewając brudny materac. Z ust Kaśki nie wypłynął krzyk, prędzej zduszony jęk. Wyczerpana długą walką, chyba zrozumiała, że z piwnicy nie wyjdzie w jednym kawałku. Utrata wiary jest równoważnikiem śmierci. Tej duchowej. Przestajesz wierzyć, przestajesz żyć, a zaczynasz egzystować, to spora różnica. Chociaż... w wypadku Kaśki trudno mówić o egzystencji, prawda? Suka pooddycha zatęchłym powietrzem jeszcze przez kwadrans, może pół godziny, a później odejdzie do lepszego świata. W kurewski niebyt!

Zarechotał.

– ...że będziesz w mej osobie widziała kogoś lepszego, niż jestem...

Przytknął ostrze w okolicę mostka. Znowu cięcie. Ponownie jęk. Patrzył, jak krew wycieka z ciała Kaśki, zabierając z sobą nadzieję... „Nadzieja – pomyślał – czymże ona jest? Narkotykiem dla słabych i biednych, dla pozbawionych chociażby krztyny odwagi, dla stawiających na marazm i czekanie". On zawsze brał sprawy w swoje ręce, bo tylko takim sposobem można cokolwiek osiągnąć. Można zwyciężyć, tak jak on dzisiaj... jak wczoraj... i zapewne w przyszłości.

Znowu ryknął śmiechem.

– ...chciałaś być obok tego, którego przyszłość nie widziała...

Zaczął nacinać skórę Kaśki kawałek po kawałku. Najpierw brzuch, później ramiona, następnie nogi i krocze. Nie pomijał niczego, przecież tworzył prawdziwe dzieło sztuki. Malował. Współczesny Matejko, a może Kossak albo chociaż Duda Gracz. Gdy wykonywał swoje wiekopomne dzieło, uznał, że powinien stanąć w jednym szeregu z największymi artystami tego świata. Oczywiście powinien również zainkasować za robotę milionowe wynagrodzenie. Teraz, później... zawsze.

– ...nie chciała go takiego znać i czuć...

Usłyszał cichy, pozbawiony mocy jęk. Dziwka straciła przytomność w najmniej spodziewanym momencie, kiedy dopiero zaczynali prawdziwą zabawę. Kurwa mać! Znowu coś z pogranicza jęku i spazmu rozkoszy. Drgnął. Rozejrzał się na wszystkie strony. Nikogo. Oczywiście, a co myślałeś, geniuszu, że do piwnicy wtargnie grupa napalonych nastolatek, które zażądają oskórowania żywcem?

Śmiech.

I spazm. Najpierw jeden, później następny i wreszcie cała seria.

Spojrzał na swoją ofiarę. Kaśka? Nie, prędzej… Nie potrafił rozpoznać kobiety. Co więcej, twarz ulegała przedziwnej metamorfozie, jakby Kaśka… nie Kaśka… zakładała wiele różnych masek. Blondynka. Szatynka. Brunetka. Włosy w kolorze krwistej czerwieni. Zapadnięte policzki. Policzki wypchane jak u chomika. Nos orli, nos Kleopatry, nos przywodzący na myśl rozgniecionego ziemniaka. Usta szerokie, wąskie, pełne, płaskie. Cała gama najróżniejszych cech anatomicznych zmieniających się jak w kalejdoskopie.

Kurwa!

Potrząsnął głową. Obraz stracił ostrość. Kontury otoczenia rozmazały się tak, jakby patrzył na źle wyregulowany odbiornik telewizyjny. Szum. Śnieg. Tylko ciało Kaśki… nie Kaśki… majaczyło mu przed oczyma w całej okazałości, zakrwawione, posiniaczone, gotowe na więcej. WIĘCEJ!

– Zrób to!

Zerknął na twarz swojej ofiary. Jednak Kaśka. Wygięła usta w uśmiechu, odsłaniając braki w uzębieniu. Językiem oblizała opuchnięte wargi. Zmrużyła powieki, posłała mu pocałunek, po czym zaczęła stękać.

– Zrób to! Na co czekasz!?

Pomieszczenie ożyło szeptami wielu oddechów. Zlustrował wzrokiem wnętrze i znowu nic nie zobaczył. Chociaż nie... przez moment odnosił wrażenie, że w powietrzu wiruje wiele kobiecych twarzy, każda inna, każda uśmiechnięta, każda namawiająca do kontynuacji tego, co rozpoczął przed kwadransem. „Zrób to! – mówiły. – Na co czekasz!? Na co, do diabła, czekasz!? Awansuj sukę! Awansuj!"

Wybiegł do salonu. Chwycił za butelkę. Wypił alkohol za jednym zamachem. Wódka paliła w gardle, ale zarazem przynosiła ukojenie. Oparł ręce na blacie stołu. Pokręcił głową, dysząc niczym po długim, wyczerpującym biegu, po czym ruszył do kuchni. Rozejrzał się na wszystkie strony, szukając czegoś... czegoś... czegokolwiek...

Radio!

BINGO!

Zszedł do piwnicy z odbiornikiem pod pachą.

Odszukał kontakt i wetknął wtyczkę. Chwilę potrwało, zanim złapał odpowiednią falę, ale nie spieszył się. Nie musiał. Po minucie z głośników wysączyły się pierwsze dźwięki jakiegoś anglojęzycznego utworu. Wolałby coś polskiego, na przykład Nie płacz, Ewka lub Kryzysowa narzeczona, jednak ostatecznie stwierdził, że zadowoli się tym, co serwował mu jakiś idiota siedzący za konsoletą.

Nie wybrzydzaj, bierz, co jest!

– O tak, biorę! – odparł, po czym wziął w dłoń zakrwawiony nóż.

Zaczął tańczyć. Muzyka odbijała się echem od ścian piwnicy, a on, nawet nie zdając sobie z tego sprawy, rechotał i rechotał, jak gdyby oglądał dobrą komedię. Minuta, dwie, pięć. Bez znaczenia, najważniejsze, że wreszcie poczuł spełnienie.

Znieruchomiał. Spojrzał na Kaśkę.

Ścisnął rękojeść noża.

„Awansuj sukę! Awansuj!"

„O tak, zrób to! Zrób to, na co czekasz?!"

Czekam?

CZEKAM!?

Nie...

*

Gdy Anna odzyskała przytomność, wstała z podłogi i usiadła na krawędzi łóżka. Wizja... Cholernie sugestywna wizja. Ostatnimi czasy mężczyzna w czapce pojawiał się w jej życiu częściej niż ktokolwiek inny... no, może oprócz Janka. Nadal nie miała pojęcia, czy stanowi wytwór wyobraźni, czy jest postacią z krwi i kości. Kimś, kto oddycha, czuje, myśli. Kimś, kto potrafi wyrządzić drugiemu krzywdę, na przykład zgwałcić.

Nie przypuszczała, że to on ją zgwałcił, chociaż z drugiej strony, teraz niczego nie była już pewna. Zmęczona, poobijana, mogła padać ofiarą przywidzeń. Wtedy, gdy czuła na karku oddech tego sukinsyna, leżała twarzą do ziemi, więc nie mogła widzieć nic prócz ciemności. Chociaż, oczywiście, nie wykluczała tego, że drań nosił na głowie czapkę. Nie teraz, kiedy przed domem...

Zaraz, moment.

Podeszła do okna. Usiłowała chwycić końcówkę firanki, ale drżenie wszystkich członków ciała spowodowało, że musiała próbować aż trzy razy. Gdy już trzymała w dłoni materiał, wzięła kilka oddechów, po czym wyjrzała na zewnątrz. W pierwszej chwili zobaczyła, że sukinsyn nadal opiera biodra o maskę samochodu, ćmiąc papierosa. Lecz po kilku sekundach rozbujany umysł powrócił do stanu względnej równowagi i...

Pustka. Nikogo.

Wypuściła powietrze z płuc. Osunęła się na podłogę. Tym razem nie zemdlała, po prostu poziom adrenaliny opadł niczym słupek rtęci termometru wystawionego na srogi mróz.

Mężczyzna w czapce. Twór wyobraźni czy też... wspólnik Janka?

„Nie, to niedorzeczne", pomyślała, ale logika od razu podsunęła kontrargument: facet nie mógł wiedzieć, że przebywasz w domu seryjnego mordercy, chyba że został o tym poinformowany. Przez kogo? Odpowiedź nasuwała się sama. A gwałt? Czy Janek maczał palce w tym, czego doświadczyła tamtej nocy? Jeśli tak, to jaki miał w tym interes? Co chciał osiągnąć, skazując ją na fizyczne i psychiczne katusze? Ukarać za coś? Wepchnąć w ramiona obłędu? A może chodziło o zwykłą zabawę, podłą, wyjałowioną z człowieczeństwa, ale o zabawę?

Nie chciała w to wierzyć. Nie chciała, lecz...

Usłyszała szczęk klucza obracanego w zamku. Pokój oblało światło. Musiała zmrużyć oczy, żeby zobaczyć zarys osoby stojącej w progu. Wstrzymała oddech, nie dając wiary temu, co widzi. Gdyby nie opierała pleców o ścianę, pewnie zaczęłaby uciekać w głąb pomieszczenia, szukając jakiejkolwiek kryjówki. I krzyczałaby... i krzyczałaby... lecz teraz nie potrafiła wydusić z siebie ani słowa. Zakneblowana strachem, zdumieniem i obawą o własne życie, podkurczyła nogi, objęła ramionami kolana i patrzyła.

Janek.

Zakrwawiony od stóp po czubek głowy. Spodnie jakby wyprane we krwi. Smugi krwi na bluzie. Dłonie ociekające krwią. Krew na włosach, krew na twarzy, krew na szyi. Wszędzie, dosłownie wszędzie. Jezu! Miała pewność, że gdyby zaczął spluwać, na podłogę poszybowałyby nie krople śliny, lecz krwi.

„Na Boga, coś ty narobił?"

Odpowiedź przyszła w tym samym momencie, również ociekająca krwią. Teraz wszystko stało się jasne. Przytaszczył do domu kogoś, kogo zawinął w dywan lub koc. Położył na materacu gdzieś w obskurnej piwnicy, wziął do ręki nóż i zrobił dokładnie to samo, co ten psychopata nazywany Malarzem. Na samą myśl o zmasakrowanym ciele niewinnej kobiety jej żołądek skurczył się do rozmiarów pięści. Zaczęła płakać.

„Dlaczego to zrobiłeś, do ciężkiej, jasnej, ciasnej cholery?"

Nadal stał w progu. Sprawiał wrażenie zdezorientowanego, zagubionego jak dziecko we mgle, nawet skruszonego. Anna nie miała pojęcia, czy przywdział jedną ze swoich masek, czy też zaszła w nim kolejna przemiana. Dzikie zwierzę odeszło, przynajmniej na razie, ustępując pola człowiekowi tkwiącemu w okowach własnego dramatu.

Najpierw pomyślała: „Co się z tobą dzieje, Janek?".

A później: „Coś ty narobił?".

Zaczął iść w kierunku okna. Powłóczył nogami. Chwiał się. Przywodził na myśl ofiarę wypadku samochodowego, która wygramoliła się z wraku ostatkiem sił. Anna zaczęła mieć wątpliwości – może ubranie plamiła mu nie krew kogoś, kogo, jak podejrzewała, pociął, ale jego własna? Zadrżała. Jeśli tak, to kto wtargnął do domu i wyrządził mu krzywdę?

Mężczyzna w czapce.

Boże, to na pewno on!

Kiedy Janek zbliżył się na odległość metra, adrenalina opanowała jej organizm. Nie mogła przewidzieć żadnego ruchu męża. Znaki zapytania mnożyły się w głowie, obejmując coraz większe połacie mózgu. Strach podpowiedział: „Co, jeśli wyciągnie z kieszeni nóż i rzuci się na ciebie z dziką furią w oczach?". Rozsądek wyszeptał: „Nóż nie zmieściłby się w kieszeni dżinsów… chyba że mały scyzoryk albo chociażby pilnik do paznokci".

Pilnik do paznokci…

Dlaczego nie pomyślała o nim wcześniej!?

Zamiast przystąpić do ataku, usiadł obok. Wyczuła zapach świeżej krwi i czegoś, co mogłaby nazwać apatią. Oczywiście zdawała sobie sprawę z tego, że apatia nie pachnie, lecz patrząc na męża, nie potrafiła oprzeć się wrażeniu, że jest zrezygnowany i zobojętniały.

„Coś ty narobił?"

Chciała odskoczyć w bok, na bezpieczną odległość, ale nie wykonała najmniejszego ruchu. Skrępowana przerażeniem, mogła jedynie czekać na ruch męża, który najpierw posłał jej spojrzenie przepełnione rozpaczą, a później schował twarz w dłoniach i zaczął płakać. Najwyraźniej coś w nim pękło, coś przelało czarę goryczy i znalazło ujście w strumieniu łez.

„Boże, Janek... Coś ty narobił?"

Milczała. Po pierwsze, nie znajdywała słów na wyrażenie swoich uczuć. A po drugie, nie wiedziała, co o tym sądzić. Pojawia się w progu, cały we krwi. Zaczyna łkać. Chciała wierzyć, że nie zrobił nic złego, że w piersi tego niegdyś spokojnego i opanowanego człowieka wciąż bije dobre, uczciwe serce. Chciała, o tak, ale nie mogła. Zapach krwi wirował w powietrzu, przypominając o tym, ilu krzywd doświadczyła z ręki tego... tego... zwierzęcia.

– Przepraszam – wyszeptał, po czym odszukał dłonią dłoń Anny.

Zacisnął zęby, tłumiąc płacz. Zamierzał powiedzieć coś jeszcze, dostrzegła ruch warg, lecz ostatecznie wydobył z siebie tylko jęk.

Poczuła, że lody topnieją. Pomyślała o bezwarunkowej miłości. Kiedyś odnosiła wrażenie, że kochała Janka przez całe życie, a może i dłużej, i gdyby nie ostatnie wydarzenia pewnie nic nie zmąciłoby tego uczucia. Gdyby. To jedno słowo zawierało w sobie wszystkie wątpliwości narosłe w niej przez ostatnie tygodnie. Aż do teraz. Żal, który widziała w oczach męża, powodował szybsze bicie serca. Nie mogła zapomnieć o ostatnich wydarzeniach, ale przynajmniej mogła spróbować. Wytarł łzę żłobiącą koryto w krwi zaschniętej na twarzy.

– Błagam, wybacz mi... – szepnął.

Oprócz zapachu krwi Anna wyczuła teraz ostrą woń alkoholu. Znowu pił. Nic dziwnego, ostatnimi czasy żył w ciągłym stresie. Zaczynała rozumieć, że od kilku tygodni przemawiał przez niego nie kochający mąż, lecz przerażony, zagubiony dziennikarz. Ktoś, kto zatracił się w rozmowach z mordercą.

Zagubiony.

Przerażony.

Czy miał prawo posuwać się do bicia? Dlaczego rozwiązywał problemy siłą? Odpowiedź: bo chory sukinsyn tkwił w nim od dawna, czekając na sposobność do przejęcia kontroli zarówno nad ciałem, jak i nad umysłem.

Wezbrał w niej gniew. Mogła tłumaczyć bestialstwo na różne sposoby, ale nie o to chodziło. Skrucha, nawet najszczersza, to za mało, żeby zmazać winy. Może gdyby przeprosił kilka dni wcześniej, zanim przyjechali w to przeklęte miejsce...

Zagubiony.

Przerażony.

Jasne, co jeszcze? Może powinna zrobić z niego ofiarę? Może to on został zgwałcony, upokorzony, pobity, wywieziony na jakieś zadupie? Może to on przez ostatnie tygodnie żył w ciągłym stresie, nie wiedząc, z której strony nadejdzie cios? Wreszcie może to on został zamknięty w pokoju, w którym seryjny morderca upuszczał krew z dziesiątków niewinnych kobiet?

– Proszę... – wyszeptał – ...wybacz mi...

„Nie – pomyślała – tego, co mi zrobiłeś, nie sposób wybaczyć".

– Zostaw mnie! Zostaw… i odejdź! – krzyknęła.

Spojrzał na nią tak, jakby wymierzyła mu siarczysty policzek. Milczał przed dłuższą chwilę. Rąbnął dłonią w podłogę. Zerwał się na równe nogi. Stanął nad nią, dysząc niczym rozjuszone zwierzę, po czym wybiegł z pokoju.

53

Po zejściu do salonu Janek przystanął nad zwłokami Kaśki zawiniętymi w koc. Robota amatora. Nie przejął się śladami krwi. Nie zadbał o to, aby odór śmierci nie rozniósł się po całym domu. Szczerze mówiąc, miał to w dupie. Dostała to, na co zasłużyła, i nic innego nie miało znaczenia. Absolutnie!

Wytaszczenie ciała z piwnicy sprawiło mu sporo trudności, ale obecnie po zmęczeniu nie pozostał nawet ślad. Satysfakcja z dobrze wykonanej pracy wypełniała mu każdą komórkę organizmu. Odwalił kawał znakomitej roboty, to fakt, ale z drugiej strony zdawał sobie sprawę z tego, że przebył dopiero połowę drogi. Musi jeszcze pogrzebać ścierwo gdzieś na skraju lasu… albo lepiej w głębi. Załatwił sukę i teraz chciał sprawić, żeby znikła z powierzchni ziemi, zabierając z sobą poglądy o usuwaniu ciąży.

Kurwa, za to, co zrobił, powinien dostać medal!

Albo nawet dwa!

Poszedł do garażu, żeby poszukać czegoś, czym może wykopać dół. Szpadel, łopata, w każdym razie coś w tym guście. O incydencie sprzed kilku chwil zdążył już zapomnieć. Nie miał pojęcia, dlaczego poszedł na górę i zaczął przepraszać. Moment słabości, nic więcej. Może i tak, ale to wystarczyło, żeby teraz poczuł obrzydzenie do samego siebie. Mało brakowało, a padłby na kolana i błagał o wybaczenie. Cholera, co w niego wstąpiło? „W porządku, ale... zrobiłeś to pierwszy i ostatni raz, zrozumiano!?"

Pokiwał głową, po czym zaczął lustrować wnętrze garażu. Szpadel stał oparty o ścianę, a latarkę znalazł w szafce zaraz przy drzwiach. Włączył. Zepsuta. Zaklął w myślach, a więc odłożył ten rupieć na miejsce.

Kiedy zamierzał odejść, zobaczył taczkę pełną najróżniejszych gratów, od klamerek poprzez gwoździe i śruby do dziurawych szmat. Może się przydać? Wyszczerzył zęby w uśmiechu. Oczywiście, lecz jeszcze nie teraz. Wróci po nią dopiero wówczas, kiedy wykopie Kaśce prowizoryczny grób. O tak, tylko prowizoryczny, bo dziwka nie zasłużyła na pochówek z honorami.

Dzwonek telefonu.

Znieruchomiał, ale sięgnął do kieszeni spodni. Rzucił okiem na wyświetlacz. Heniek. Kurwa, czego o tej porze chce od niego ten idiota? Przyszło mu na myśl, żeby odebrać i powiedzieć temu kretynowi, że zbiera materiał do książki, nie zrobił tego jednak. Nie czas na przyjacielskie sranie w bambus, o tak, nie czas...

Jeszcze kilka dzwonków. A później cisza.

Wrócił do salonu, włożył kurtkę i wyszedł na zewnątrz. Nie zapomniał pogasić wszystkich świateł, tak że dom utonął w ciemności. Mrok nie przyciąga wścibskich spojrzeń, a towarzystwo było mu potrzebne jak gówno przyklejone do podeszwy ślubnego pantofla.

Zbadał wzrokiem najbliższe otoczenie, a kiedy stwierdził, że nic mu nie grozi, ruszył w kierunku ściany drzew. Nie zamierzał wędrować zbyt daleko, chciał znaleźć odpowiednie miejsce do pochowania ciała, nic ponadto. Wyrzucał z siebie przekleństwa za każdym razem, gdy tonął w błocie po kostki. Przeklęty deszcz! Janek mógł zacząć działać dzień wcześniej, a może później, ale wyszło inaczej. Improwizacja... To słowo coraz bardziej przypadało mu do gustu.

Po przejściu kilkudziesięciu metrów natrafił na niewielką polanę. Wygiął usta w uśmiechu. Wzrokiem przyzwyczajonym już do ciemności zaczął szukać najlepszego miejsca na pochówek. Wbił ostrze szpadla w rozmiękłą ziemię i tym razem zamiast przeklinać, znowu posłał w ciemność szeroki uśmiech. Wykopanie dołu w takich warunkach zajmie mu kwadrans, może nawet mniej. A kiedy wróci do domu...

„Anna, kochanie, chyba musimy porozmawiać!"

Ponownie zarechotał.

Zaczął pracować. Po pięciu minutach zdjął kurtkę, żeby spocone plecy mogły nieco odparować. Po kolejnych dziesięciu zrobił przerwę na papierosa. Wypalił marlboro do samego filtra, rozkoszując się każdym pociągnięciem, i kiedy zamierzał wrócić do roboty, sięgnął po jeszcze jednego. „We dwójkę zawsze raźniej", pomyślał, co sprawiło, że parsknął śmiechem.

Suka! Zdzira! Dziwka!

Kto, przyjaciółka żony? Nie, kurwa, obie!

Machał szpadlem jeszcze przez parę chwili, kiedy trafił na coś, czego początkowo nie rozpoznał. Gdy wbił ostrze w to coś, ciszę rozdarło zgrzytnięcie, jakie wydaje metal trący o metal albo o kamień. Przez moment odgarniał ziemię dookoła znaleziska i kiedy uznał, że wystarczy, uklęknął.

Strzępy materiału. Resztki gnijących ciał...

O kurwa!

...i kości. Mnóstwo kości.

Zbiorowa mogiła ofiar Malarza. Skurwysyn nie zabił trzynastu kobiet, jak podawały akta, lecz znacznie więcej. Zwłoki taszczył do lasu, na niewielką polanę, po czym zakopywał. Pewnie sądził – zresztą całkiem słusznie – że nikt nie wpadnie na trop zaginionych. Nie tutaj, niemal na widoku, w miejscu, które musieli znać wszyscy okoliczni mieszkańcy. Najciemniej pod latarnią.

Położył dłoń na pozostałości tego, co swego czasu oddychało, myślało i czuło. Zamknął oczy. Miał nadzieję, że usłyszy znajomy szept, że pod czaszką wybrzmi mu głos nawołujący do... czegokolwiek, ale tym razem się przeliczył. Cisza. Łowił uchem tylko własny oddech, szum wiatru i pohukiwanie sowy. Najzwyklejsze odgłosy natury, nic godnego uwagi.

– Ile ofiar awansowałeś, przyjacielu? – zapytał, dotykając nagich kości. Krocze zaczęło pulsować znajomym bólem. Już chciał rozpiąć rozporek i zrobić to, co podczas pierwszej wizyty w domu Malarza, ale zrezygnował. Nie tutaj, nie teraz. – Mnie możesz powiedzieć. No dalej, nie krępuj się.

Żadnej odpowiedzi.

– Nie? Trudno, jakoś to przeżyję.

Zaczął pracować. Walczył w dziurze jeszcze przez parę minut, tak żeby uzyskała odpowiednią głębokość. Cholerne zwłoki. Musiał odgarniać nie tylko ziemię, ale i ludzkie ścierwo. Kiedy uznał, że wykonał kawał dobrej roboty, ponownie sięgnął po papierosy.

– Macie ochotę na szluga? – zapytał, wkładając marlboro do ust.

Bez odpowiedzi. Wzruszył ramionami i wygrzebał z kieszeni zapalniczkę. Błysnął niewielki płomień. Zaciągnął się, wydmuchał z płuc kłąb dymu i dodał:

– Tak, racja, palenie zabija.

Wypalił trzy ostatnie papierosy, każdy do samego filtra. Wrzucił do wykopu puste opakowanie. Włożył kurtkę, po czym wierzchem dłoni przetarł spocone czoło. „Kolejna ofiara do sporej kolekcji", stwierdził w myślach, co wypchnęło mu na usta szeroki uśmiech. Gdyby nie usunęła ciąży, gdyby nie namawiała Anny do pójścia tą samą drogą…

Gdyby, gdyby, gdyby. Za późno na refleksje. Zdecydowanie za późno.

Zasłużyła.

Suka! Zdzira! Dziwka!

Zasłużyła jak nikt inny.

Ruszył w kierunku domu, podśpiewując pod nosem.

*

Anna siedziała na łóżku, raz po raz wycierając zakrwawioną dłoń w nogawkę spodni. Naznaczona przez męża psychopatę. Przez zły dotyk. Nie miała pojęcia, co wyprawiał w salonie, z kim stanął oko w oko, kogo skrzywdził lub przez kogo został skrzywdzony – ta druga ewentualność wydawała się coraz mniej prawdopodobna – ale wiedziała, że musi zacząć działać. W porządku, sforsowanie krat i drzwi było niemożliwe, jednak… „Myśl, do ciężkiej, jasnej, ciasnej cholery! Myśl, bo inaczej skończysz w plastikowym worku!"

Nie skrzywdzi jej, bo przecież jest w ciąży. Oczywiście, nie skrzywdzi, ale Anna i tak musi walczyć o przetrwanie. O wolność. Wyrwana z objęć apatii, postanowiła działać. Wstała, po czym podeszła do okna. Zacisnęła palce na kratach i zaczęła szarpać. Nic. I jeszcze. Znowu bez efektu. Wytężyła wszystkie siły, lecz i za trzecim razem nie uzyskała żadnego rezultatu. Może, może, może…

Do diabła z nim!

Ruszyła w kierunku drzwi. Jedyna szansa na ucieczkę. Najgorsze, że egzystowała w ciągłej niepewności, w ciągłym stresie. Nie wiedziała, kiedy Janek wróci do pokoju, w jakim humorze i z jakim zamiarem. Nie mogła przewidzieć, co tak naprawdę planował, jaka idea zawładnęła umysłem zdewastowanym przez buldożer szaleństwa. Wiedziała tylko, że jeśli nie opuści tych czterech ścian, to wkrótce, za tydzień lub za miesiąc, skończy u czubków.

Już po niej.

Jezu!

Zaczęła napierać na drzwi. Nic. Walnęła pięścią w drewno, wyładowując narastającą w niej frustrację. Wiedziała, że nic nie wskóra, przecież próbowała już wcześniej, również bez rezultatu. Jednak pchana wewnętrznym przymusem, robiła wszystko, co tylko mogła, żeby opuścić ten przeklęty pokój, żeby w jakikolwiek sposób wpłynąć na swoje położenie.

Chwyciła za klamkę. O, naiwna! Jeśli sądziła, że zapomniał przekręcić klucz w zamku, to postradała zmysły – w tej kwestii chyba trafiła w dziesiątkę – bo przecież nie mogła liczyć na przychylność losu. Nie teraz, nie w chwili zagrożenia, w której ważny był każdy pojedynczy ruch. Wstrzymała oddech, wierząc, że jednak popełnił błąd, że nakręcany obłąkaniem, nie zwracał uwagi na wszystkie szczegóły.

Nacisnęła klamkę.

Jakim cudem?

Nie miała czasu na analizowanie sytuacji. Wyjrzała na zewnątrz. Chwilę potrwało, zanim wzrok przyzwyczaił się do mroku. Pustka. Wciąż nie przyjmowała do wiadomości faktu, że dostała szansę na opuszczenie tego miejsca. Wystarczy przebiec przez salon, dopaść głównego wyjścia, a potem… a potem zdać się na łut szczęścia. Może natrafi na patrol policji, na grupę podpitych nastolatków albo chociaż na staruszka wyprowadzającego psa?

A mężczyzna w czapce?

„Nie myśl o nim, po prostu nie myśl!”

Ruszyła korytarzem, nie zapalając światła. Podłoga w kilku miejscach zaskrzypiała, co rozdarło ciszę niczym wystrzał z pistoletu. Przystanęła bez tchu. Usłyszał? A może wyszedł z domu… gdziekolwiek, szukając odrobiny odpoczynku, albo przeciwnie, kolejnej porcji mocnych wrażeń? Cholera, dlaczego nie sprawdziła, czy auto wciąż stoi przed bramą? Wprawdzie nie słyszała warkotu uruchamianego silnika, ale mogła nie zwrócić uwagi na dźwięki z otoczenia.

Zebrawszy się w sobie, dotarła do schodów. Położyła dłoń na poręczy. Zaczęła iść, ostrożnie stawiając stopy. Ciemność. Stopnie jęczały niczym sprężyny w wysłużonym materacu, lecz parła przed siebie. Zdawała sobie sprawę z tego, że musi działać. Czas uciekał, sekunda po sekundzie, a przecież Janek w każdej chwili mógł wyjść zza rogu z nożem w dłoni i…

A mężczyzna w czapce?

„Nie myśl o nim, po prostu nie myśl!"

Dotarła na parter. Gdzie jest wyjście? Cholera, nie pamiętała rozkładu pomieszczeń! W prawo, w lewo? Sukinsyn pogasił wszystkie światła. Wymacała kontakt. Zaryzykować? Do cholery, nie powinna tego robić, nie powinna wystawiać się na uderzenie, ale musiała pokonać ten przeklęty mrok! Wstrzymała oddech, czując, że serce niemal kruszy jej żebra. Teraz albo…

Teraz!

Jasność.

Sekunda… dwie… trzy…

Cios nie nadszedł z żadnej strony. Trwała w bezruchu, nasłuchując. Sądziła, że Janek wyskoczy zza rogu z kijem w rękach, ale nic takiego nie nastąpiło. Dom wciąż spowijała cisza.

Cztery… pięć… sześć…

Usiłowała zmusić zastygłe ciało do posłuszeństwa, lecz impulsy nerwowe wysyłane z mózgu do kończyn napotykały nieokreślone bariery. „Na co czekasz, do diabła?

Zacznij działać, jeśli nie chcesz opuścić tego pieprzonego domu w plastikowym worku!"

Siedem... osiem... dziewięć...

Dziesięć sekund oczekiwania na najgorsze. Kompletnie nic. Wzięła parę głębokich oddechów. Jeśli zamierza chwycić w płuca odrobinę świeżego powietrza, tam, za drzwiami prowadzącymi do domu, musi pokonać kilkanaście metrów, nie więcej. Główne wejście. Tak blisko, na wyciągnięcie ręki, a zarazem tak daleko.

Ruszyła korytarzem najciszej, jak umiała. Zanim dotarła do salonu, przywarła plecami do ściany i zlustrowała wzrokiem wnętrze. Nikogo. Spojrzała za kanapę. Również nic. Zerknęła na firanki i zasłony. Nieruchome. Na podłogę... Zaraz, moment. Wykładzinę pokrywały czerwone smugi. Krew. Nie musiała wysilać umysłu, żeby stwierdzić, że doszło tu do zbrodni. Kto wcielił się w rolę ofiary, a kto zagrał kata?

„Działaj! Działaj! Działaj!"

Zdając sobie sprawę z tego, że wolność czeka za drzwiami, puściła się biegiem przez salon. Po pokonaniu czterech metrów dostrzegła coś na podłodze. Coś zawiniętego w koc. Coś, co Janek niósł na ramieniu kilka godzin temu. Usiłowała opanować rozpędzone ciało, ale nie zdążyła. Zahaczyła stopą o przeszkodę. Zachwiała się. Zatrzepotała rękoma w powietrzu i upadła. Przestraszyła się, że to koniec, że rozbiła kolano, głowę, że straci przytomność, a kiedy ją odzyska, zobaczy gębę męża i usłyszy złośliwy rechot.

Czuła ból w skroni i okolicy podbrzusza, ale była przytomna i nie zaprzepaściła szansy na ucieczkę.

„Co dalej? Jak to co, uciekaj!"

Zignorowała jednak podpowiedź instynktu, wstała i przyklęknęła nad zawiniątkiem. Chwyciła krawędź koca. Odchyliła. Najpierw zobaczyła fragment stopy.

Później uda i biodra, zmasakrowane jak wołowa półtusza obrabiana w rękach rzeźnika. Następnie pocięty brzuch, sprawiający wrażenie oblanego krwią... albo pokrytego krwawym tatuażem. A na końcu twarz, groteskową, opuchniętą, pozbawioną pierwotnych kształtów, jednak wciąż rozpoznawalną.

Poczuła, jak zawartość żołądka podchodzi jej do gardła. Usta wypełnił smak goryczy. Zgięła się wpół. Zwymiotowała. Targana konwulsjami przed kilkanaście sekund, pozostawiła organizmowi całkowitą swobodę. Nie walczyła ani z torsjami, ani z łzawieniem oczu, ani z obrazami wytwarzanymi przez przerażony umysł. Czas jakby stanął w miejscu, a ona zawisła w próżni utkanej przez uczynki zbrodniarza. Przez mordercę. Przez psychopatę. Przez... Janka Kowalskiego.

Katarzyna.

Poczuła na nogach powiew świeżego powietrza. Usłyszała trzask zamykanych drzwi. Kroki. Wszystko, co zdążyła zrobić, to wstać z kolan i odwrócić się w stronę źródła dźwięku. Spojrzała w pozbawioną wyrazu twarz męża.

– Opuszczasz imprezę bez pożegnania? – zapytał.

*

Stał w bezruchu, patrząc w wypełnione przerażeniem oczy Anny. Dzikie zwierzę zapędzone w pułapkę przez wygłodniałego napastnika. Właśnie takie określenie przychodziło mu do głowy, gdy łapał w nozdrza woń strachu mieszającą się z odorem krwi. Kaśka, ta pieprzona suka, krwawiła niczym zarzynane prosię – wciąż czuł w dłoni przyjemny ciężar noża – ale zasłużyła na taki los. Anna...

Westchnął.

Cóż, nie zdziwił się, widząc żonę w salonie. Najwyraźniej zapomniał przekręcić klucz w zamku. Zdarza się nawet najlepszym. Nic wielkiego. Dopóki przebywał w pobliżu, dopóki kręcił się po okolicy, mogła nawet chwycić za telefon i wezwać stado piesków w mundurach. I co? I jedno wielkie gówno!

Ruszył w kierunku żony.

– Zawiodłaś mnie – oznajmił spokojnym głosem.

Opanowany do granic możliwości, mógłby teraz usiąść do partii szachów z arcymistrzem i złoiłby sukinsynowi dupsko! O tak, wyłączył emocje, pozbył się tego całego syfu, przeżywał swoiste katharsis i nic nie mogło tego zmienić, nawet jakaś pospolita kurwa usiłująca pokrzyżować mu plany.

Zrobiła krok do tyłu. Potem drugi i trzeci. Nie odrywała od niego wzroku, jak gdyby sądziła, że wyrządzi jej krzywdę, a przecież nawet o tym nie pomyślał. Nosiła w sobie jego dziecko, więc dlaczego miałby podnieść na nią rękę? Oszalała? Nie zamieniasz ciała żony w jeden wielki siniak, jeśli gdzieś tam, w swoim wnętrzu, przechowuje najcenniejszą rzecz na świecie. Potomka, istotę z krwi i kości… coś, co chciała wyskrobać, kogoś, kogo chciała zabić.

– Zostaw mnie… błagam… – wyszeptała słabym głosem.

Omal nie parsknął śmiechem. Zostawić dziwkę? Najpierw obciągnęła w parku jakiemuś brudasowi, a teraz żądała wolności, tak po prostu? Kurwa, świat schodzi na psy! Gdzie zwykła ludzka godność, gdzie honor i odrobina przyzwoitości? Poszły się jebać, ot co! Poszły się jebać i nigdy nie wrócą, bo suka wyjebana w kosmos zawsze przylgnie do zwiotczałego kutasa jak rzep do kurewskiego psiego ogona. I nie puści… i nie puści… i nie puści.

JEGO DZIECKO!

Wciąż szedł w kierunku Anny. Wiedział, że powinien dać zdzirze nauczkę, że powinien obić dziwce facjatę aż miło… bo dlaczego nie? Czemu, do kurwy nędzy, nie wlać szmacie do tego pustego łba odrobiny oleju, tak żeby następnym razem nawet nie pomyślała o usuwaniu ciąży? Do diabła, w niektórych krajach za morderstwo grozi kara śmierci, a przecież ona chciała zamordować ich nienarodzonego potomka! Bezbronnego malca! Chciała odwiedzić jakiegoś konowała, wręczyć mu plik banknotów i zrobić loda, a na końcu rozłożyć przed nim nogi!

JEGO DZIECKO!

Nie, w tym wypadku nie może zrobić tego, czego pragnie. Nie może wprawić w ruch pięści, nie może wziąć do ręki noża i przeobrazić się w artystę. Zdawał sobie sprawę z tego, że jednym uderzeniem w brzuch zaprzepaści marzenia o dziecku.

JEGO DZIECKU!

– Janek…

Wskazał palcem ciało Kaśki.

– Nie musiało do tego dojść…

Nie odpowiedziała. Cofała się w kierunku schodów, krok po kroku. Sprawiała wrażenie przerażonej, oczywiście, ale również niezmiernie zdeterminowanej. Chciała stawić mu opór? I cóż tym osiągnie? Inteligentna, trzeźwo myśląca istota chroniłaby swoje dziecko… ale nie ona. Dziwka chciała walczyć…

„No dalej, suko, na co czekasz!?"

Kiedy dzielący ich dystans zmniejszył się do czterech metrów, spiął mięśnie i skoczył. Uderzył Annę w twarz otwartą dłonią na odlew. Chwycił za rękę, wykręcił.

Wrzasnęła z bólu i krzyknęła:

– Ty skurwysynu!

Podniecenie sprawiło, że słowa docierały do niego jak przez szybę. Liczyła się tylko adrenalina wypełniająca jego każdą tętnicę, każdą pojedynczą żyłę.

Pchnął ją z całej siły. Upadła, rozbijając nos o podłogę. Usiłowała wstać, ale nie zdążyła. Dopadł ją, odwrócił na plecy i usiadł okrakiem na udach. Przez grubą warstwę szaleństwa przebiła się ostatnia racjonalna myśl: „Jeśli chcesz stłuc dziwkę na kwaśne jabłko, bij wyłącznie po twarzy. W przeciwnym razie stracisz WŁASNE dziecko, cząstkę siebie, zrozumiano!?".

Zaczął policzkować Annę. Raz za razem. Raz za razem. Raz za razem. Od ścian domu odbijały się odgłosy uderzeń, krzyki i błagania o litość. Nie zważał na nic. Po prostu bił. Bez końca.

A potem przyszło opamiętanie. Wstał, patrząc na to, jakiego spustoszenia dokonał na twarzy żony. Wszędzie krew. Rozcięte wargi. Opuchlizna. Zadrapania. Siniaki. Potrząsnął głową, jak gdyby nie wierzył własnym oczom. Zrobił to? Kurwa jego mać, naprawdę to zrobił?

Osunął się na kolana.

Przytulił szlochającą Annę.

– Boże, przebacz mi… – wyszeptał.

Zaczął płakać.

54

Przeczucie.

Gdyby Darek musiał jednym słowem określić to, czego doświadczał, siedząc na stołku przy barze w pubie o nazwie Na Końcu Świata, wybrałby „przeczucie". Nie miał szóstego zmysłu. Nigdy nie potrafił trafnie wytypować wyników kolejki piłkarskiej. Nigdy nie umiał ocenić, czy ktoś, z kim rozmawia, mówi prawdę, czy kłamie. Ale dzisiaj, tego ponurego wieczoru, wszystko uległo zmianie.

Przeczucie. Wiesz coś o tym?

Oparł łokcie na blacie. Spojrzał na znajomego barmana, z którym swego czasu grywał w kręgle, a teraz, najczęściej w sobotnie popołudnia, osuszał butelki piwa. Robert, bo facet tak miał na imię – chociaż w kręgu znajomych zazwyczaj mówiono na niego Kotlet, ze względu na wydatny brzuch i szyję tonącą w zwałach tłuszczu – tylko skinął głową, po czym zajął się napełnianiem kolejnego kufla. Mimo późnej pory Darek wlał w siebie zaledwie jeden browar, dlatego przypuszczał, że dzisiaj nie dotrze do granicy swoich wręcz nieograniczonych możliwości. Po dwóch piwach potrafił usiąść za kółkiem, rzadko bo rzadko, ale jednak, po czterech zaczynał śpiewać pod prysznicem, a dopiero po pięciu wychodził na parkiet, oczywiście tylko wtedy, gdy został zaproszony na wesele jednego z przyjaciół. Na przykład Janka Kowalskiego.

Janek Kowalski.

Przeczucie.

– Zagryziesz orzeszkiem? – zapytał Kotlet, stawiając oszroniony kufel na blacie.

– Czy wyglądam na kogoś, kto zaśmieca żołądek takim gównem?

Kotlet wziął ścierkę i zaczął wycierać wilgotne szklanki.

– Akurat w tym jesteś prawdziwym mistrzem – odparł i zachichotał. Jak na wielkiego mężczyznę ważącego ponad sto trzydzieści kilogramów miał cienki głosik mogący należeć do nastolatka o niskim poziomie testosteronu. – Wlewasz w siebie tyle piwska, że starczyłoby na zorganizowanie zawodów pływania.

Przeczucie, że coś się wydarzy, coś naprawdę złego, nie opuszczało Darka od momentu, gdy zamoczył usta w pierwszym browarze. Nie miał pojęcia, gdzie leży przyczyna tych obaw, jednak wiedział jedno – nigdy przedtem nie doświadczył czegoś tak niezrozumiałego.

Objął palcami kufel.

– Wierzysz w coś, co można nazwać instynktem... albo intuicją?

Kotlet ściszył muzykę płynącą z radia.

– Oczywiście – powiedział z przekonaniem w głosie, po czym odstawił ostatnią szklankę na półkę. – Kiedyś śniłem o zębach... a dokładniej o tym, że wypadła mi górna jedynka. Stary, co to był za sen! Prawdziwy koszmar! Obudziłem się zlany potem, dygocząc jak w febrze!

– I co?

– Jak to co? Dostałem wiadomość, kapujesz?

Darek podniósł kufel do ust. Pociągnął solidny łyk. Oblizał wargi.

– Nie bardzo – oznajmił, kiedy zimny trunek spłynął mu do żołądka.

– Gdy ktoś z twoich znajomych lub z rodziny wybiera się na tamten świat, dostajesz wiadomość we śnie, łapiesz? Śnisz o wyrwanych zębach, a im niższa cyfra zęba... wiesz, jedynka, dwójka i te sprawy, tym większe prawdopodobieństwo, że w kalendarz kopnie ktoś z twoich najbliższych.

– Zalewasz.

– Poważnie! I wiesz co? Sprawdziło się! Tydzień później umarła moja ukochana babunia. – W głosie Kotleta brzmiały nuty autentycznego smutku. – Staruszka nie doczekała swoich dziewięćdziesiątych siódmych urodzin. Piękny wiek. Założyłem się z ojcem, że dociągnie do setki... i przegrałem trzy stówy. Cholera by to wzięła!

Przeczucie.

Coś się wydarzy, coś złego, coś niespodziewanego, coś nieprzewidywalnego. Kiedy? Darek nie wiedział, ale czuł, po prostu czuł, że coś wisi w powietrzu. Coś jak gniazdo szerszeni, które zaraz runie w dół, roztrzaska się o ziemię i wypuści w świat watahę rozwścieczonych owadów.

– A oprócz snów? – zagadnął. Nie potrafił znaleźć odpowiednich słów, żeby zobrazować myśl pulsującą mu w głowie niczym wielki guz. – Słyszałeś kiedyś szept wewnętrznego głosu podpowiadającego, żebyś działał... bo coś może się stać, coś... trudnego do opisania... coś, czego nie sposób określić?

Kotlet oparł na blacie wielkie mięsiste przedramiona.

– Chyba powinieneś iść do domu, nie sądzisz?

– Dlaczego?

– Bo widzę, stary, że masz już dość.

Darek wzruszył ramionami.

– Dobrze, mamusiu.

Stracił ochotę na dalszą rozmowę. Wstał, rzucił Kotletowi krótkie „cześć", po czym ruszył w kierunku drzwi. Przeczucie go nie opuszczało, wprost przeciwnie, dawało o sobie znać coraz mocniej i mocniej, jak gdyby zaczynał się w nim rodzić jakiś cholerny szósty zmysł. Co się z nim dzieje, do diaska? Dezynfekował przewód pokarmowy taką ilością wódy, że posłał do diabła wszystkie żyjące w nim bakterie. A teraz, po latach związku z alkoholem różnej maści, zaczynał przeobrażać się w przeklęte medium.

Wyszedł na chłód nocy, postawił kołnierz kurtki i już zamierzał ruszyć w kierunku domu, kiedy zadzwonił telefon. Wyjęcie komórki z kieszeni spodni zajęło mu dłuższą chwilę, to przez drżenie rąk. Miał pewność, że wina nie leżała po stronie alkoholu, przynajmniej nie w tej sytuacji.

Spojrzał na wyświetlacz. Janek Kowalski.

Przeczucie.

Podniósł aparat do ucha.

Przeczucie.

– Tak? – rzucił.

Przeczucie.

Usłyszał szept pełen rozgoryczenia i żalu:

– Błagam, przyjedź do domu Malarza... pomóż mi...

*

Anna nie czuła nic prócz wszechogarniającego bólu. Zarówno tego fizycznego, jak i psychicznego. Sądziła, że mąż... ten sukinsyn, ten cholerny potwór, ten przeklęty drań... kolejny raz nie podniesie na nią ręki, jednak zrobił to, tak po prostu, chociaż musiała przyznać, że ani razu nie uderzył tam, gdzie spadający cios mógłby uszkodzić płód.

Boże, co się z nim dzieje?

Usiłowała zmusić mózg do wytężonej pracy, chciała poddać szczegółowej analizie swoje położenie, ale ból przyćmiewał wszystko inne. Leżała na podłodze z zamkniętymi oczyma, pragnąc umrzeć. Dość cierpienia, dosyć wiecznych upokorzeń. Skoro już posunął się do bicia, to czemu nie dokończył dzieła? Niech weźmie do ręki nóż, niech zrobi to samo co z Katarzyną, przecież o to mu chodziło, prawda?

Tak, ale... co z płaczem i przeprosinami?

Drań cierpi na rozdwojenie jaźni. Przestał odróżniać rzeczywistość od obrazów wytworzonych przez umysł karmiony całym brudem tego świata. Oto do czego prowadzi fascynacja złem. Oto co zostaje z człowieka, który za wzór stawia sobie zwyrodnialca nad zwyrodnialcami. Oto, czym nasiąka dusza, tracąc kontakt z tym, co dobre. Otworzyła oczy. Zobaczyła, jak Janek wyjmuje z kieszeni telefon, jak wybiera numer i czeka na połączenie. A później rzucił do słuchawki coś, czego nie potrafiła zrozumieć... to znaczy, słyszała wypowiedziane słowa, jednak nie pojmowała, do czego to wszystko zmierza. „Błagam, przyjedź do domu Malarza... pomóż mi..." Do kogo zadzwonił i dlaczego prosił o pomoc? O pomoc dla siebie czy dla niej? A może dla obojga?

Umrzeć. Czy pragnęła zbyt wiele?

Pozwoliła opaść zmęczonym powiekom. Świat przestał istnieć. Wchłaniana przez kojący letarg, zapomniała o bólu. Słyszała tylko przyjemny szum w uszach i bicie własnego serca. Żadnych krzyków, żadnych rozkazów, żadnych drwin czy też szyderstw. Kompletnie nic.

Najpierw wygięła spuchnięte usta w uśmiechu...

To już koniec... szczęśliwy koniec.

...a później straciła przytomność.

*

Darek jechał przez miasto targany sprzecznymi uczuciami. Nie miał pojęcia, czego chce przyjaciel i po jaką cholerę poprosił go o przyjazd do domu seryjnego mordercy...

Choć z tyłu czaszki wciąż wybrzmiewały mu słowa wypowiedziane przez Janka, nie dał się ponieść emocjom i nie przekraczał dozwolonej prędkości. Pięćdziesiątka, ewentualnie sześćdziesiątka i nic ponadto.

„Błagam, przyjedź do domu Malarza... pomóż mi..."

Wjechał w uliczkę prowadzącą do celu. Zwolnił do trzydziestki. Otaksował wzrokiem okolicę, usiłując dostrzec coś niestandardowego, niepokojącego, ale nic takiego nie zobaczył. Mieszkańcy albo siedzieli przed telewizorami, albo już spali.

Zatrzymał wóz naprzeciwko domu Malarza, koło volkswagena passata. Ciemność. W żadnym oknie nie paliło się światło. Na posesji nie zobaczył żywego ducha, podobnie na ulicy i między gęsto rosnącymi drzewami pobliskiego lasu. Nic nie wskazywało na to, że ktokolwiek przebywa w miejscu, gdzie seryjny morderca gwałcił i zabijał...

„Pomóż mi..."

Już chciał wysiąść z samochodu, ale położył dłoń na klamce i znieruchomiał. Strach. Zwyczajny ludzki strach. Mógłby uruchomić silnik, wrzucić bieg i wrócić do mieszkania, jednak nie zrobił tego z dwóch oczywistych powodów. Po pierwsze, trzymał z Jankiem, odkąd pamiętał, i przyjaźń zobowiązywała. A po drugie... to pieprzone, cholerne, przeklęte, idiotyczne przeczucie!

Zanim otworzył drzwi, wyjął z kieszeni telefon i po raz kolejny wybrał numer Janka. Przed dotarciem do Obory dzwonił do przyjaciela cztery razy, za każdym bez rezultatu. Teraz również nic nie wskórał. „Abonent jest niedostępny, spróbuj później"... albo najlepiej palnij sobie w łeb! Rąbnął pięścią w deskę rozdzielczą. Kurwa jego mać!

Wziął kilka głębokich oddechów, po czym wysiadł z samochodu. Nie miał broni, nawet noża czy pałki, niczego, czego mógłby użyć w starciu… z kimkolwiek.

Przeczucie.

Cholera!

A może Janek zrobił sobie z niego jaja?

Nic, tylko wątpliwości.

Pchnął metalową bramkę. Wszedł na teren posesji. Nie odrywał wzroku od domu, który teraz, w kompletnym mroku, sprawiał wrażenie posępnego, niemal demonicznego. Środek nocy, wszechobecna wilgoć i słowa najlepszego przyjaciela wypowiedziane głosem pełnym rozpaczy, desperacji…

Dotarł do głównego wejścia. Chciał położyć dłoń na klamce, wysunął rękę przed siebie, ale zrezygnował w pół drogi. Spojrzał na dygoczące palce. Jasny gwint! Za moment zejdzie na rozległy zawał serca!

– Janek, jesteś tam!?

Żadnej odpowiedzi.

Przełknął ślinę, po czym pchnął drzwi. Nie stawiły żadnego oporu. Ciche skrzypnięcie i już mógł wejść do środka… oczywiście tylko wtedy, gdyby znalazł w sobie głębokie pokłady odwagi.

„Pomóż mi…"

Odetchnął. Minął niewielki przedsionek i wszedł do salonu. Miał duszę na ramieniu, ale teraz nawet o tym nie myślał. Całą uwagę skupił na odbieraniu bodźców z otoczenia. Zapachów… Wyczuł ostrą woń krwi, co spowodowało, że żołądek podjechał mu do gardła i utkwił tam niczym kawał czerstwego chleba. Obrazów… Widział tylko kontury mebli, nic poza tym. I jeszcze czegoś, co leżało na podłodze. Odgłosów… Nie słyszał nic prócz szumu w głowie i bicia własnego serca.

– Janek?

Żadnej reakcji.

Zdjęty strachem, chciał wybiec z domu, wsiąść do wozu i odjechać, ale wiedział, że jeśli już przekroczył próg domu mordercy, musi działać. Mógł zrezygnować wcześniej, mógł zignorować wezwanie kumpla, traktując telefon jak kiepski żart. Ale nie zrobił tego i teraz jego organizm zalewany był litrami adrenaliny.

Wymacał dłonią kontakt. Nacisnął. Salon oblało światło.

To, co zobaczył, spowodowało, że osunął się na kolana. Krew. Wszędzie mnóstwo krwi. Zakrwawiony stół. Zakrwawiona podłoga. Zakrwawiony koc. Zakrwawione kobiece ciało. Potrząsnął głową, jakby chciał powrócić do rzeczywistości. Rzeczywistość. Nie powrócić, bo przecież tkwił w niej po same uszy, patrząc na dzieło… no właśnie, czyje?

Janek Kowalski.

Przeczucie.

Wstał. Dopiero teraz dostrzegł, że kawałek dalej, w wąskim korytarzu prowadzącym w głąb domu, leży kolejne ciało. Boże! Podszedł do pierwszego. Kucnąwszy, przyłożył dwa palce do tętnicy szyjnej. Nic, żadnego pulsu, za to mnóstwo nacięć na piersiach, na brzuchu, na udach… Wszędzie, dosłownie wszędzie! I tak zmasakrowana twarz, że nawet gdyby znał tożsamość ofiary, nie mógłby rozpoznać, kim była jeszcze tydzień temu.

Robota Malarza. Albo naśladowcy.

Janek Kowalski.

A może ktoś, kogo kumpel próbował powstrzymać?

Podszedł do następnego ciała. Przykucnął. Anna! Tym razem, mimo licznych obrażeń, nie miał żadnych wątpliwości. Sprawdził tętno. Wyczuwalne! Przyłożył wierzch dłoni do opuchniętych, porozbijanych warg. Jest szmer oddechu! Wyjął z kieszeni komórkę. Wybrał numer alarmowy. Wciąż szumiało mu w głowie, a nogi miękły coraz bardziej z każdą upływającą sekundą.

Kiedy wyjaśniał dyspozytorce, gdzie przebywa i czego potrzebuje, Anna otworzyła oczy. Usiłowała coś powiedzieć, ale z ust popłynął tylko niezrozumiały bełkot.

– Spokojnie – powiedział i wziął zimną dłoń Anny w swoje ręce. Próbował zmusić się do uśmiechu, ale wyszedł mu dziwny grymas, coś jak połączenie smutku i przerażenia. – Spokojnie, pomoc już jedzie... Nie poddawaj się. Wszystko będzie dobrze, obiecuję...

Dzwonek telefonu. Ponownie sięgnął po komórkę. Nie, to nie jego. Odniósł wrażenie, że serce, które jeszcze przed chwilą pompowało krew z zatrważającą mocą, zatrzymało bieg. Wstał z kucek i ruszył w kierunku źródła dźwięku. Szedł ostrożnie, jakby stąpał po rozżarzonych węglach. Jeden fałszywy ruch, a spłoniesz w ogniu piekielnym.

Zanim dotarł do celu, dom objęła przytłaczająca cisza. Przystanął, wstrzymał oddech, po czym zacisnął pięść. Sekunda, dwie, trzy...

Zebrał się w sobie i zerknął do pokoju. Nie, nie do pokoju, do kuchni.

Janek. Siedział na podłodze oparty plecami o jedną z szafek. W dłoni trzymał telefon. Świecący ekran słabo rozjaśniał mrok. Twarz miał wykrzywioną bólem. Mnóstwo cierpienia.

– Heniek... książka... dwadzieścia kawałków... usuwanie ciąży... mamo, dlaczego... moje dziecko... mój kochany maluch... nie pozwolę na to... musi urodzić... musi... musi... musi...

Darek nie przekroczył progu kuchni. Trwał w bezruchu, patrząc na tonącą w mroku sylwetkę przyjaciela. Ciemne plamy na ubraniu, na podłodze, na stole. Wszędzie, dosłownie wszędzie. Krew w ilościach hurtowych.

Najchętniej spieprzyłby gdzie pieprz rośnie, ale nogi wypełniał mu gęstniejący beton.

– Trzymaj się – powiedział, usiłując zachować trzeźwość umysłu.

Morderca? Ofiara? Potrząsnął głową. Nie, w gruncie rzeczy wiedział, że patrzy na zabójcę.

Anna. Pobita. Skatowana niemal na śmierć. Przez własnego męża.

„Wszystko będzie dobrze".

Po kilku minutach usłyszał wycie syren.

55

Pół roku później

Szła przez miasto, zmierzając do psycholog Stefanii Kwiecień. Miała już za sobą kilkanaście sesji, jednak wciąż nie dostrzegała poprawy. Umysł zniszczony przez zło już nigdy nie powróci do stanu nawet względnej normalności, zdawała sobie z tego sprawę, mimo wszystko próbowała, bo… cóż innego mogła zrobić?

Podczas tygodnia spędzonego w szpitalu miała mnóstwo czasu na rozmyślania. Wyjazd z miasta? Tak, brała taką ewentualność pod uwagę, jednak nie miała pieniędzy. Wprawdzie złożyła do sądu wniosek o zniesienie współwłasności małżeńskiej, ale sprawa wciąż była w toku – jak mawiają prawnicy – i nic nie wskazywało na to, że zostanie rozstrzygnięta w gorączkowym pośpiechu. A skoro pieniądze, całe dwadzieścia tysięcy, leżały zamrożone na koncie bankowym, to o rozpoczęciu nowego życia mogła tylko pomarzyć. Tym bardziej że zawiesiła działalność. W takim stanie nie mogła pracować.

Westchnęła. Postawiła przed sobą jeden, ale za to kluczowy, cel – wymazać z pamięci wydarzenia „sprzed". „Sprzed", o tak, to właściwe określenie. Sześć miesięcy temu zaczęła nowe życie. Nie potrzebowała faceta, który po miesiącu, dwóch, może po roku okazałby się skończonym draniem, sukinsynem takim jak Janek. Czas wypełniała odpoczynkiem, rozmowami z psychologiem, czytaniem książek i oglądaniem telewizji. Żadnych horrorów, żadnych filmów sensacyjnych, co najwyżej obyczajowe i komedie romantyczne. Terapia polegająca na unikaniu silniejszych bodźców nie przynosiła rezultatów, przynajmniej na razie, chociaż Stefania Kwiecień zapewniała, że już wkrótce ten stan rzeczy ulegnie zmianie.

Na początku, zaraz po powrocie ze szpitala, śniła tylko o mężu, o tym, jak zabił Katarzynę. Później zaczął przychodzić do niej mężczyzna w czapce, oczywiście tylko kiedy kładła głowę na poduszkę i zamykała oczy. A na samym końcu, co trwało do dziś, tych dwóch sukinsynów połączyło siły i nie dawało jej spokoju nawet po zażyciu tabletek nasennych.

Powinna dbać o dziecko, wiedziała o tym, ale z drugiej strony...

Skąd zmiana decyzji? Czemu nie usunęła ciąży, lecz postanowiła urodzić? Nie potrafiła odpowiedzieć na to pytanie. Według opinii znajomego lekarza do poronienia brakowało naprawdę niewiele, a jednak utrzymała chłopca na miejscu (tak, chłopca, od tygodnia znała już płeć) i teraz czuła, jak mały fika w brzuchu koziołki.

Może rzeczywiście powinna zorganizować skrobankę? Do dzisiaj zadała sobie to pytanie niezliczoną ilość razy. Mogła odwiedzić gabinet, zapłacić parę stówek, zrzucić z siebie ubranie, rozłożyć nogi i już, po kłopocie. Ale wciąż tkwiła w uścisku wahania, nie potrafiąc podjąć jedynej słusznej decyzji. A teraz... teraz musiała wydać na świat kolejnego człowieka.

A więc zostanie matką. Postanowiła, że zrobi wszystko, naprawdę wszystko, aby syn wyrósł na porządnego, uczciwego mężczyznę, który prędzej skona, niż podniesie rękę na kobietę. Po świecie chodzi zbyt wiele szumowin, żeby wychowywać ich następne pokolenia. Gdzieś w głębi duszy pragnęła, żeby został prokuratorem wsadzającym drani pokroju Malarza za kratki. I nie tylko Malarza. Daleka droga do tego, nawet bardzo, ale pomarzyć zawsze można.

Janek skończył w pokoju bez klamek, w szpitalu psychiatrycznym w Branicach, odległym od Raciborza zaledwie o czterdzieści kilometrów. Do pokonania w jeden dzień, nawet na piechotę. Czy bała się, że kiedyś usłyszy pukanie do drzwi, a gdy otworzy, zobaczy znajomą twarz, że usłyszy głos, który swego czasu szeptał: „Kocham cię"? Oczywiście, niekiedy rozmyślała o tej chwili nawet w nocy i wówczas nie potrafiła zmrużyć oka. O tak, często drżała ze strachu... ale czy mogła coś zrobić, cokolwiek, dzięki czemu zyskałaby odrobinę pewności siebie? Miała tylko nadzieję, że zapomniał, że wpadł w sidła wielkiego obłędu, że wymazał z pamięci poprzednie życie... ich wspólne.

A jeśli wróci?

Jeśli zechce pogłaskać po głowie rozwrzeszczane niemowlę?

Albo uśmiechniętego już chłopca?

Boże...

Kiedy wreszcie zapomni? Kiedy wyczyści umysł z tego syfu, z tego brudu, który pokrył korę mózgową warstwą o grubości kilku centymetrów? Już kilkakrotnie nosiła się z zamiarem rzucenia terapii w diabły. Wizyty w gabinecie pani psycholog sprawiały, że ponownie musiała przeżywać to samo, że musiała wracać do wydarzeń tamtej przeklętej nocy.

Musiała, musiała, musiała.

A może wcale nie?

Dzieciak harcował w jej brzuchu, tak że z każdym wykonanym krokiem wyczerpywała zapas i tak już uszczuplonej energii. Kąpiel, solidny posiłek i łóżko. Marzyła wyłącznie o tym... i jeszcze o dużej porcji lodów w dwóch smakach: waniliowym i truskawkowym. Za godzinę z okładem spełni każdą zachciankę, bez wyjątku. Uśmiechnęła się na myśl o uczcie dla podniebienia. Niewiele potrzeba do szczęścia kobiecie zmasakrowanej przez los.

Mimo że w dzień nie musiała stawić czoła własnym lękom, ominęła park szerokim łukiem. Tak na wszelki wypadek. Oczywiście zdawała sobie sprawę z tego, że przesadza, że tkwi w objęciach paranoi, jednak od jakiegoś czasu nie wchodziła między drzewa nawet w godzinach miejskiego szczytu. I nawet w towarzystwie kogoś znajomego. Za wiele stresu, za dużo wspomnień szarpiących duszę.

Gdy przechodziła koło największego sklepu zabawkowego w Raciborzu, poczuła silne kopnięcie w brzuch. Przystanęła. Wsparła się ręką o metalową barierkę. „Hej, mały, nie przesadzaj!" Wzięła kilka głębokich oddechów. Wyjęła z kieszeni chusteczkę, przetarła spocone czoło. Powinna wrzucić na luz i zamiast chodzić na terapię, po prostu odpoczywać w zaciszu własnego mieszkania, bo przecież nosiła w sobie dziecko. Może i owoc gwałtu... a może wcale nie? Tylko jakie to teraz miało znaczenie?

– Wszystko w porządku?

Spojrzała w stronę, z której dochodził głos. Przystojny mężczyzna o kruczoczarnych włosach, na oko trzydziestoletni lub coś koło tego. Twarz o ostrych, kanciastych rysach. Facet mógłby wygryźć z reklamy Krzysztofa Ibisza lub pójść własną drogą – żele pod prysznic, maszynki do golenia albo bielizna.

– Tak, nic mi nie jest – odparła zbyt ostro.

W żadnym wypadku nie oczekiwała współczucia, a już na pewno nie od nieznajomego. Jest twarda, jest silna, jest niezależna i sama rozwiązuje swoje problemy, czyż nie? Taką dewizą zaczęła kierować się jeszcze przed osiągnięciem pełnoletności i do tej pory w tej kwestii nic nie uległo zmianie.

– Na pewno? Może odwieźć panią do domu?

– Nie!

Staruszka idąca chodnikiem rzuciła im podejrzliwe spojrzenie, ale nie przystanęła. Cholera, chyba powinna bardziej kontrolować emocje. Mężczyzna nie chciał wyrządzić jej krzywdy… ale nie mogła być pewna. Zagrożenie czyhało za każdym rogiem. Na wstępie uśmiech, czułe słówka, pomocna dłoń, a później uderzenie otwartą dłonią, pięścią, kijem czy czym tam jeszcze.

Niedoczekanie!

– Nie, dziękuję – powiedziała już nieco spokojniej, zmuszając nerwy do posłuszeństwa. Mały znowu kopnął, ale tym razem nie tak mocno, jak gdyby i on poczuł się zagrożony. Przywołała na twarz nieznaczny uśmiech. – Jestem trochę zmęczona… to wszystko… Gdybym była w potrzebie, wie pan, gdybym zaczęła rodzić, zawołam pana, obiecuję.

Sedno tkwiło w tym, że zawsze odrzuci pomoc, zwłaszcza kogoś, kogo w ogóle nie znała. Do diabła, kiedy sukinsyny odpuszczą, kiedy dadzą jej święty spokój? No kiedy!? Nie oczekiwała ani współczucia, ani wsparcia pod żadną postacią, tak trudno to zrozumieć? Tak trudno!? „Odpieprzcie się”, pomyślała i o mało nie wykrzyczała tych słów. Odpieprzcie się, każdy z osobna i wszyscy razem! Odpieprzcie się, tak po prostu!

Lekko zakłopotany przystojniak skinął głową i odwzajemnił uśmiech.

– Proszę na siebie uważać. Dzieci to prawdziwy skarb.

„O tak – pomyślała, kiedy odchodził w swoją stronę. – Prawdziwy skarb”.

Ruszyła w kierunku pobliskiego bloku. Musi odpuścić, musi wreszcie wziąć się w garść, bo inaczej w każdym facecie zacznie dostrzegać potencjalnego gwałciciela, sadystę i mordercę. O ile już nie zaczęła. A przecież na to nie zasłużyli, czyż nie? No dobra, może tylko niektórzy, ale nie wszyscy.

O nie, nie zasłużyli.

A ona, czym zasłużyła na taki los?

Kolejne kopnięcie.

I jeszcze jedno.

Chłopak.

Jej syn.

Epilog

Siedział na twardej pryczy, wlepiając wzrok w podłogę. Krew. Wszędzie mnóstwo krwi. Wrzaski. Krzyki. Błagalne prośby o litość. Nóż trzymany w dłoni. Prawdziwa kosa o ostrzu ze stali węglowej. Ciało drżące w gorączkowym podnieceniu. Kolejna penetracja.

Szczęk otwieranego zamka. Do sali wszedł rosły pielęgniarz. Sto kilogramów wagi, biel świeżo wypranej koszuli, ręcznik przerzucony przez kark o grubości dębowego pniaka. Podszedł do pryczy szybkim, zdecydowanym krokiem. Wziął pacjenta pod rękę. Szarpnął. Od ścian pomieszczenia odbiło się ciche westchnienie.

– No, Junior, czas na kąpiel. Idziemy.

Podreptali do wyjścia.

Kąpiel we krwi. W całym morzu krwi.

Zrozumiał.

O tak, zrozumiał i nic więcej nie miało znaczenia.

KONIEC